México

ESTADOS UNIDOS

GOLFO DE MÉXICO

Canal de Yucatán

YUCATÁN

Mérida

BELIZE

AMÉRICA CENTRAL

SANDERSON

Campeche

Golfo de Campeche

Brownsville
Matamoros
Reynosa
Nuevo Laredo
Río Grande
Monterrey
Saltillo
Ciudad Victoria
Tampico
Villahermosa
Istmo de Tehuantepec

El Paso
Ciudad Juárez
Chihuahua
R. Conchos
SIERRA MADRE ORIENTAL
Torreón
Zacatecas
San Luis Potosí
Aguascalientes
León
Guanajuato
Tula
Teotihuacán
México
Puebla
Orizaba
Veracruz
Jalapa
Oaxaca

M É X I C O

SIERRA MADRE OCCIDENTAL

Mazatlán

Guadalajara
Morelia
Michoacán
Uruapan
Cuernavaca
Taxco
R. Balsas
Acapulco

Nogales
Nogales
Hermosillo
La Paz
Golfo de California

Tijuana
Mexicali
R. Colorado
Guadalupe (Mex.)
BAJA CALIFORNIA

OCÉANO PACÍFICO

500 mi.
800 km

P9-AOV-152

¡HOLA, AMIGOS!

SECOND EDITION

Ana C. Jarvis
Chandler Gilbert Community College

Raquel Lebredo
California Baptist College

Francisco Mena
Crafton Hills College

D.C. HEATH AND COMPANY
Lexington, Massachusetts   Toronto

Preface

¡**Hola, amigos!**, Second Edition, is a complete, flexible program designed for beginning college and university students of Spanish. It presents the basic grammar of Spanish using an eclectic approach that involves all four skills: listening, speaking, reading, and writing. Because the program emphasizes the active, practical use of Spanish for communication in context, a special effort has been made to reflect the cultural diversity of the contemporary Spanish-speaking world.

Understanding the philosophy behind the text and the organization of its features is an important first step in using it to best advantage. Our goal is to help learners achieve linguistic proficiency and cultural awareness, and to motivate them to continue their study of the Spanish language and the many cultures in which it is spoken. Because students seem to learn and recall new material more effectively when it is related to what they already know, ¡**Hola, amigos!**, Second Edition, has been divided into eight units of thematically related lessons, organized as follows:

- *Unit 1* contains two preliminary **Pasos** that enable students to begin communicating in Spanish about high-frequency topics right from the start.
- Each of the 17 lessons in the remaining seven units contains the features listed below.

Dialogues

New vocabulary and grammatical structures are first presented by two brief conversations in idiomatic Spanish dealing with everyday situations. English translations are provided on the following page.

Vocabulario

Entries in these lists are the words and phrases to be learned for active use. They are arranged alphabetically in groups by parts of speech or under the general heading **Otras palabras y expresiones.**

Notas culturales

These expanded cultural sections provide information on at least two topics. The first note offers an overview of the locale in which the dialogues were set, with attention to such details as its location, points of interest, customs, politics, economy, and inhabitants. Subsequent notes deal with prevailing customs in the Spanish-speaking world related to the theme of the lesson. These often provide important clues to expected behavior patterns that are culturally conditioned, for example, gestures and table manners. This section is written in English through Lesson 10 and in Spanish thereafter.

Pronunciación

In the first seven lessons, those features of Spanish pronunciation that pose special difficulty for English speakers are thoroughly presented and practiced.

Puntos para recordar *and* ¡Vamos a practicar!

Here, the target grammatical structures are presented through clear, concise explanations followed by examples of their practical use in natural Spanish. After each explanation, the activities in **¡Vamos a practicar!** offer immediate reinforcement through such devices as replacements, transformations, fill-ins and free responses. Flexible in format, the majority of these exercises may be done orally in class or assigned as written practice outside of class.

Y ahora, ¿qué?

This final section provides for recombination of new vocabulary and grammatical structures in a series of communicative activities. Because language is best learned through interpersonal communication, most of these exercises are designed to be done orally and require student interaction. **Para escribir** at the end of this section is a guided writing activity new to the Second Edition. With an increasing degree of freedom, learners are encouraged here to apply their language skills to self-expression in a variety of formats, such as letters, journal entries and descriptions.

The following features at the end of each unit expand and consolidate students' increasing skills:

Un paso más

New to the Second Edition, these sections provide additional vocabulary related to the unit theme(s). The comprehension and personalization activities that follow promote the activation of these useful words and phrases.

Para leer

These brief selections focus on language acquisition through reading. A variety of formats, extensive use of cognates and reinforcement of the basic structures already established in previous lessons highlight this section. Follow-up comprehension and personalization activities and an alphabetized list of unfamiliar noncognates further enhance its communicative value.

Tome este examen

These exercises have been designed as a convenient review of the vocabulary and grammatical structures introduced in the unit. Organized by lesson, they quickly enable students to determine what material they have mastered and which concepts to target for further review. An answer key for immediate verification is provided in Appendix D.

Optional Materials

A new optional lesson at the end of the text presents grammatical structures often considered beyond the scope of an introductory Spanish program, notably the compound tenses of the subjunctive. Inclusion of these materials increases the program's overall flexibility by enabling individual instructors to establish the needs of their students and to tailor the course appropriately to varying time constraints and scheduling considerations.

Reference Materials

Appendices offer an in-depth look at Spanish pronunciation, a summary of regular and irregular verb forms introduced in the text, a glossary of the grammatical terms used throughout the text, and an answer key to all **Tome este examen** review sections.

Spanish-English and English-Spanish glossaries list all active, core vocabulary as well as the cognates and terms employed in the **Para leer** readings and the **Notas culturales.**

An index provides ready access to all grammatical structures presented in the text.

Supplementary Materials For the Student

Laboratory Manual/Workbook

The *Laboratory Manual/Workbook* for **¡Hola, amigos!** is divided into two sections. In the *Laboratory Manual* section are pronunciation, listening comprehension, and dictation exercises to be used in conjunction with the audio program. The *Workbook* section offers a variety of exercises and writing activities that provide further practice and reinforcement of concepts presented in the textbook. An answer key to the *Workbook* section is also provided for self-correction.

Audio Program

A complete audio program to accompany **¡Hola, amigos!** is available on cassettes. The textbook dialogues and vocabulary appear as pronunciation exercises in each lesson. They are followed by comprehension questions on the dialogues, a listening comprehension activity, and a dictation. Answers to all questions are provided on the cassettes.

Supplementary Materials For the Instructor

Annotated Edition

New to the second edition, this annotated version of **¡Hola, amigos!** contains a detailed description of the program, and suggestions for implementing the textbook and the other program components. In addition, it contains the complete textbook, with annotations in color suggesting ways to implement and supplement the features of each lesson and unit.

Testing Program

Printed Tests: Tests covering target vocabulary and grammar, containing approximately 50 items, are available for **Pasos 1** and **2** combined and for each lesson of **¡Hola, amigos!** Two 100-point mid-term and two 200-point final examinations, are also provided. Test items evaluate listening comprehension and writing skills.

Computerized Tests: The Computerized Testing Program for the IBM-PC® offers instructors a bank of test items and the ability to modify the printed quizzes and tests or to create entirely new evaluation instruments. The diskettes are accompanied by a *User Manual*.

The Heath Spanish Overhead Transparencies Kit

This package of full-color, thematic visuals depicts situations involving vocabulary and structures commonly presented in first-year Spanish courses. In addition, a series of maps with overlays covers the entire Spanish-speaking world, including the United States. The *Instructor's Resource Manual* accompanying this kit offers suggested activities and supporting cultural information.

Entre amigos Video Program

Two 90-minute videocassettes present 10 episodes from the lives of a group of university-age friends from a variety of Spanish-speaking countries. An *Instructor's Guide* with a complete script and suggestions for implementing the video completes this package. The various video episodes are correlated to **¡Hola, amigos!**, Second Edition, in the annotated instructor's version.

ACKNOWLEDGMENTS

We wish to express our sincere thanks to the following colleagues for the many valuable suggestions they ventured in their reviews of the First Edition and portions of the revised manuscript of the Second Edition.

John Amastae, University of Texas, El Paso

Gary Anderson, Southwestern College, Chula Vista

Milton Azevedo, University of California, Berkeley

Modesto del Busto, University of North Dakota

María Esformes, University of South Florida, Tampa

Carmen Esteves, Herbert Lehman College, New York

Richard Ford, University of Texas, El Paso

Nora González, University of Iowa

José Montero, Northern Virginia Community College, Annandale

Allen Pomerantz, Bronx Community College

Keith Sauer, California State University, Fresno

Special thanks are also due to the following individuals, whose time and expertise greatly contributed to the finalization of this manuscript: Lisa Sadulsky, whose careful typing of the final manuscript relieved us of a heavy burden, and Ruth R. Eisele, who assumed responsibility for the vocabulary control of the program and created the end vocabularies for the Student's Edition.

And finally, we extend our sincere thanks to the Modern Languages Editorial Staff of D.C. Heath and Company. John Servideo, Renée Mary, and especially Denise St. Jean and Gina Russo provided us with invaluable assistance, constructive criticism, and sound observations at every stage in the preparation of this manuscript.

Ana C. Jarvis
Raquel Lebredo
Francisco Mena

Contents

EN LA UNIVERSIDAD

By the end of this unit, you will be able to: greet others ♦ request and give information concerning names and phone numbers ♦ respond appropriately to common classroom instructions ♦ describe your surroundings in simple terms

ACTIVIDADES EN LA UNIVERSIDAD

By the end of this unit, you will be able to: request and give the correct time ◆ discuss the courses you and your classmates are taking ◆ talk about your activities ◆ arrange payment of tuition ◆ give and request information regarding origins and place of residence ◆ discuss living arrangements and living quarters ◆ extend, accept and decline invitations ◆ handle routine, informal social situations such as parties

1 Cuatro estudiantes conversan   30

Puntos para recordar   34

Subject Pronouns ◆ Present Indicative of **-ar** Verbs ◆ Interrogative Words ◆ Telling time

2 Día de matrícula   44

Puntos para recordar   49

Masculine or Feminine, Part II ◆ The Present Indicative of **-er** and **-ir** Verbs ◆ The Present Indicative of **ser** ◆ Interrogative and Negative Sentences ◆ Possession with **de**

3 En la residencia universitaria   62

Puntos para recordar   67

The Present Indicative of **tener** and **venir** ◆ Expressions with **tener** ◆ Personal **a** ◆ Possessive Adjectives ◆ The Contractions **al** and **del**

4 Una fiesta de bienvenida   80

Puntos para recordar   85

Formation of Adjectives and Agreement of Articles, Nouns and Adjectives ◆ The Present Indicative of **estar, ir,** and **dar** ◆ **Ir a** + Infinitive ◆ Stem-Changing Verbs: **e >ie** ◆ The cardinal numbers 40 to 100

Un paso más   99

¡VAMOS A LEER! Una carta de Mario   101

Tome este examen   103

HACIENDO DILIGENCIAS

By the end of this unit, you will be able to: open an account and cash checks at the bank ◆ mail letters and buy stamps at the post office ◆ discuss haircuts, hairstyles and other related matters with beauticians and barbers ◆ shop for clothing and shoes, conveying your needs with regard to sizes, styles and colors ◆ discuss your likes and dislikes ◆ converse about the weather

LAS COMIDAS

By the end of this unit, you will be able to: shop for groceries in supermarkets and specialty stores ◆ order meals at cafes and restaurants ◆ request and pay your bill ◆ discuss events that took place in the past ◆ understand and discuss signs and regulations commonly found in public places

8 Comprando comestibles 182

Puntos para recordar 187

Preterit of Regular Verbs ◆ Some Irregular Verbs in the Preterit ◆ Direct and Indirect Object Pronouns Used Together

9 De vacaciones en Guadalajara 198

Puntos para recordar 203

Verbs with Stem Changes in the Preterit ◆ The Imperfect Tense ◆ Uses of **se** ◆ The Expression **hace . . . que**

Un paso más 215

¡VAMOS A LEER! *Una carta de Sandra* 217

Tome este examen 219

LA SALUD

By the end of this unit, you will be able to: give and request information about physical symptoms ◆ discuss health problems, medical emergencies, common medical procedures and treatments ◆ give and request information about medications and how to take them ◆ ask and respond to questions concerning personal medical history

10 En la sala de emergencia 224

Puntos para recordar 229

The Preterit Tense Contrasted with the Imperfect ◆ Past Participles ◆ The Present Perfect Tense ◆ Some Uses of **por** and **para**

DE VIAJE

By the end of this unit, you will be able to: handle routine travel arrangements ♦ discuss tour features and prices ♦ request information regarding stop-overs, plane changes, gate numbers, and seating ♦ register at a hotel ♦ discuss room prices, accommodations, and services

LA FAMILIA

By the end of this unit, you will be able to: discuss various features of living accommodations and furnishings ◆ make comparisons among people and objects ◆ describe family relationships; talk about household chores ◆ discuss future events ◆ draw conclusions about the possible effects of various conditions on a given situation

MEDIOS DE TRANSPORTE

By the end of this unit, you will be able to: get directions while travelling ◆ handle a speeding ticket ◆ ask for gas, oil and other services at a gas station ◆ request information about services available on public transportation.

Additional Materials

Annotated Teacher's Manual
Laboratory Manual/Workbook
Cassette Program

En la universidad

PRIMER PASO: Saludos
SEGUNDO PASO: El primer día
de clase

By the end of this unit, you will be
able to:

- greet others
- request and give information
  concerning names and phone
  numbers
- respond appropriately to
  common classroom instructions
- describe your surroundings in
  simple terms

PRIMER PASO

Saludos

IN A UNI—

En una universidad en Caracas, el primer día de clase.
Por la mañana:

DURING THG MORNING

GOOD DAY
— Buenos días, Miguel Ángel.
— Buenos días, Ana María.

HELLO   EL DIA
— Hola, Pepe.
— Hola, Carmen.

Por la tarde:

— Buenas tardes, Eloísa.
— Buenas tardes, Teresa.

— Hasta luego, Víctor.
— Adiós.

Por la noche:

— Buenas noches, José Luis.
— Buenas noches, Alfredo.

— Hasta mañana, Roberto.
— Hasta mañana.

GREETINGS

At a university in Caracas, the first day of class.
In the morning:

Good morning, Miguel Ángel.
Good morning, Ana María.

Hi, Pepe.
Hello, Carmen.

In the afternoon:
Good afternoon, Eloísa.
Good afternoon, Teresa.

See you later, Víctor.
Good-bye.

In the evening:
Good evening, José Luis.
Good evening, Alfredo.

I'll see you tomorrow, Roberto.
See you tomorrow.

VOCABULARIO

ALGUNOS SALUDOS (*Some Greetings*)

adiós   good-bye
buenas noches   good evening
buenas tardes   good afternoon
buenos días   good morning

hasta luego   (I'll) see you later, so long
hasta mañana   (I'll) see you tomorrow
hola   hello, hi

OTRAS PALABRAS Y EXPRESIONES (*Other Words and Expressions*)

el primer día de clase   the first day of class
en   at, in, on
en la clase   in the classroom

por la mañana   in the morning
por la noche   in the evening
por la tarde   in the afternoon
una universidad   a university

Hasta luego.

Adiós.

¡HOLA!

¡Buenos días!

¿Por la mañana?

No, por la tarde.

Buenas noches.

Notas culturales (Cultural Notes)

1. Caracas, Venezuela's capital, is a truly cosmopolitan, industrial, and residential city. Located seven miles from the Caribbean coast, Caracas was founded in 1567 by Spanish colonists. **Simón Bolívar,** a central figure in the Latin American colonies' revolt against Spain, revered today as the **Libertador de América,** was born in Caracas in 1783. When Spaniards first arrived in Venezuela, they found that the Indians often constructed their homes on pilings sunk directly into the riverbeds. Reminded by this of the buildings overlooking the canals of Venice, Italy, the European newcomers named the region Venezuela, or *little Venice.*

Today, the Republic of Venezuela is one of the most highly developed nations in Latin America. Major industries that contribute to its economy include: auto assembly, sugar refining, meat packing, paper and tobacco products, and more recently, the production and refining of petroleum.

2. The popular name **María** is widely used in Spanish-speaking countries, often in conjunction with another name: **María Isabel, María del Pilar, Ana María,** etc. However, **María** is also commonly used as a second name for men. Among the most frequent combinations are: **José María, Luis María** and **Jesús María.**

Estudiantes de la Universidad Central de Venezuela en Caracas.

A. Some Useful Expressions for the Class

(*Algunas expresiones útiles para la clase*)

You will be hearing your professor use the following directions and expressions in class. You should familiarize yourself with them.

1. When the professor is speaking to the whole class:

Abran el libro, por favor.	*Open your book, please.*
Cierren el libro, por favor.	*Close your book, please.*
Escriban, por favor.	*Write, please.*
Escuchen, por favor.	*Listen, please.*
Estudien la lección... .	*Study lesson . . .*
Hagan el ejercicio número... .	*Do exercise number . . .*
Levanten la mano.	*Raise your hand.*
Repitan, por favor.	*Repeat, please.*
Siéntense, por favor.	*Sit down, please.*
Vayan a la página... .	*Go to page . . .*

2. When the professor is speaking to one student:

Continúe, por favor.	*Go on, please.*
Lea, por favor.	*Read, please.*
Vaya a la pizarra, por favor.	*Go to the blackboard, please.*

3. Some other words used in the classroom:

dictado	*dictation*
examen	*exam*
presente	*present, here*

■ ¡Vamos a practicar! (*Let's practice!*) ■

Will you be able to understand your teacher's instructions? Match each item in column *A* with its English equivalent in column *B*.

A		*B*	
1.	Estudien la lección dos.	a.	Open the window, please.
2.	Hagan los ejercicios, por favor.	b.	Close the door.
3.	Siéntense, por favor.	c.	Repeat, please.
4.	Vayan a la página diez.	d.	Write the dictation.
5.	Abran la ventana, por favor.	e.	Go to page ten.
6.	Repitan, por favor.	f.	Sit down, please.
7.	Vaya a la pizarra.	g.	Study lesson two.
8.	Cierren la puerta.	h.	Read the book, please.
9.	Escriban el dictado.	i.	Go to the blackboard.
10.	Lea el libro, por favor.	j.	Do the exercises, please.

THE ALPHABET

Letter	Name	Letter	Name	Letter	Name	Letter	Name
a	a	g	ge	m	eme	rr	erre
b	be	h	hache	n	ene	s	ese
c	ce	i	i	ñ	eñe	t	te
ch	che	j	jota	o	o	u	u
d	de	k	ka	p	pe	v	ve
e	e	l	ele	q	cu	w	doble ve
f	efe	ll	elle	r	ere	x	equis
						y	y griega
						z	zeta

■ ¡Vamos a practicar! ■

A. Read the following in Spanish.

   1. FBI   2. CIA   3. USA   4. TWA   5. D.C.

B. Spell the following words.

1. Texas	5. New Jersey	9. Louisiana
2. España	6. Nevada	10. Montana
3. Georgia	7. Kansas	11. Quito
4. Utah	8. Illinois	12. Your name

B. En la clase: vocabulario especializado

■ ¡Vamos a practicar! ■

Point to a person or an object in the classroom. The rest of the class will then say the name in Spanish.

Puntos para recordar (*Points to Remember*)

A. Masculine or Feminine, Part I (*Masculino o femenino, parte I*)

1. In Spanish, all nouns — including those denoting non-living things — are either masculine or feminine in gender.

Masculine		Feminine	
el hombre	the man	**la mujer**	the woman
el profesor	the professor *(m.)*	**la profesora**	the professor *(f.)*
el cuaderno	the notebook	**la tiza**	the chalk
el lápiz	the pencil	**la ventana**	the window

a. Nouns ending in **-o** or denoting male beings are masculine: **cuaderno, hombre**

b. Nouns ending in **-a** or denoting female beings are feminine: **ventana, mujer**

¡ATENCIÓN!   Some common exceptions include the words **el día** (*the day*) and **el mapa** (*the map*), which end in **-a** but are masculine, and **la mano** (*the hand*), which ends in **-o** but is feminine.

2. Here are some helpful rules to remember about gender:

a. Some masculine nouns ending in **-o** have a corresponding feminine form ending in **-a: secretario/secretaria.**

b. When a masculine noun ends in a consonant, you may often add **-a** to obtain its corresponding feminine form: **profesor/profesora.**

c. Many nouns have the same form for both genders: **el estudiante/la estudiante.** In such cases, gender is indicated by the article **el** (masculine) or **la** (feminine).

(*LETS PRACTICE*)

■ ¡Vamos a practicar! ■

Tell whether the following nouns are feminine or masculine.

1. mapa	7. pizarra	13. hombre
2. tiza	8. libro	14. *EL* día
3. escritorio	9. mujer	15. secretario
4. secretaria	10. puerta	16. *LA* mano
5. silla	11. ventana	17. cuaderno
6. profesora	12. pluma	18. profesor

B. Plural Forms (*Formas del plural*)

Spanish singular nouns are made plural by adding **-s** to words ending in
a vowel and **-es** to words ending in a consonant. When a noun ends in
-z, change the **z** to **c** and add **-es.**

Sing.	*Pl.*
silla	sillas
estudiante	estudiantes
profesor	profesores
borrador	borradores
lápiz	lápices

¡ATENCIÓN!   When an accent mark falls on the *last* syllable of a word
that ends in a consonant, it is omitted in the plural form:
lecci**ón** →lecci**ones**[1]

■ ¡Vamos a practicar! ■

Give the plural of the following nouns.

1. mapa
2. profesor   CHANGES
3. tiza
4. lápiz LOS LÁPICES
5. ventana

6. puerta
7. lección
8. escritorio
9. borrador
10. día

[1]For an explanation of written accent marks, refer to Appendix A.

Señor (a)
Suscriptor (a) de
EL ESPECTADOR

C. Definite and Indefinite Articles
(*Artículos determinados e indeterminados*)

1. The definite article

Spanish has four forms equivalent to the English definite article *the.*

	Sing.	*Pl.*
Masc.	**el**	**los**
Fem.	**la**	**las**

Sing.	*Pl.*
el profesor	**los** profesores
la profesora	**las** profesoras
el lápiz	**los** lápices

¡ATENCIÓN!   Always learn new nouns with their corresponding definite articles — this will help you identify their gender.

2. The indefinite article

The Spanish equivalents of *a* (*an*) and *some* are as follows:

	Masc.		*Fem.*	
Sing.	**un**	*a, an*	**una**	*a, an*
Pl.	**unos**	*some*	**unas**	*some*

Sing.	*Pl.*
un libro	**unos** libros
una silla	**unas** sillas
un profesor	**unos** profesores

■ ¡Vamos a practicar! ■

For each of the following illustrations, give the noun together with its corresponding definite and indefinite articles.

	Definite	*Indefinite*	*Noun*
1. 	_____	(_____)	_____
2. 	_____	(_____)	_____
3. 	_____	(_____)	_____
4. 	_____	(_____)	_____
5. 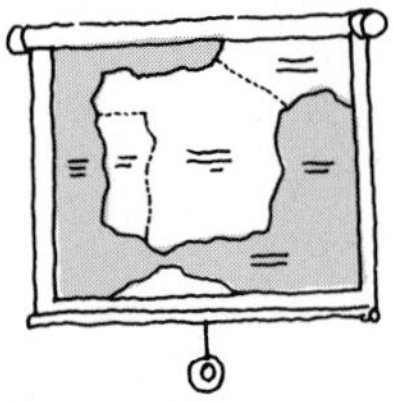	_____	(_____)	_____

6. LA (UNA) MESA

7. _____ (_____) _____

8. _____ (_____) _____

9. _____ (_____) _____

10. LOS (UNOS) _____

D.   The Cardinal Numbers 0 to 10   (*Números cardinales 0 a 10*)

Learn the numbers from zero to ten in Spanish. You will then be able to
use them to give your phone number.

0 cero	4 cuatro	8 ocho
1 uno	5 cinco	9 nueve
2 dos	6 seis	10 diez
3 tres	7 siete	

To ask someone what his or her phone number is, use the following
expression:

¿Cuál es tu número de teléfono?   *What is your phone number?*

■ ¡Vamos a practicar! ■

A.   Here are some telephone numbers. Read them aloud in Spanish.

  1. 583–7442   3. 612–3679   5. 279–3014
  2. 826–1250   4. 383–4076   6. 864–0805

B.   Ask one of your classmates what his or her telephone number is, then
     listen to the response.

E.   Uses of *hay*   (*Usos de* **hay**)

The form **hay** is used to express both *there is* and *there are* and has no
subject.

Hay un profesor.   *There is one professor.*
Hay dos estudiantes.   *There are two students.*

■ **¡Vamos a practicar!** ■

Using the word **hay,** describe the classroom in the illustration on page 28.

F. Colors (*Los colores*)

Learn the names of the different colors that you will see in the classroom. They are:

ADJECTIVES
DON'T NEED
DEF ART.

blanco	white	**azul**	blue
amarillo	yellow	**verde**	green
anaranjado	orange	**marrón, café**	brown
rosado	pink	**gris**	gray
rojo	red	**negro**	black

■ **¡Vamos a practicar!** ■

Review the colors you have just learned. What color(s) do you associate with each illustration?

1. an orange
2. a rose
3. a tree
4. coffee

5. coal
6. snow
7. a canary
8. a cloudy sky

9. rosy cheeks
10. your clothes

El primer día de clase

STEP

En una universidad en Bogotá.
La profesora Vargas[1] habla con Teresa Ruiz, una alumna:

Teresa	— Buenas tardes, doctora Vargas.
Profesora	— Buenas tardes, señorita. ¿Cómo se llama usted?
Teresa	— Me llamo Teresa Ruiz.
Profesora	— Mucho gusto, señorita Ruiz.
Teresa	— El gusto es mío.

[1]When you refer to a third person both by name and by title, use of the definite article is required.

   Es **el** doctor Martínez.
   El profesor Vega habla con **el** señor Ramírez.

En la clase, Teresa habla con Pedro.

Pedro	— Hola, ¿cómo te llamas?
Teresa	— Me llamo Teresa Ruiz. ¿Y tú?
Pedro	— Pedro Morales.
Teresa	— Oye, ¿qué fecha es hoy?
Pedro	— Hoy es el quince de septiembre.

El doctor Martínez habla con el señor Soto.

Profesor — ¿Cómo está usted?
Sr. Soto — Muy bien, gracias, ¿y usted?
Profesor — Bien, gracias... ¿Qué día es hoy...?
Sr. Soto — Hoy es miércoles.

El profesor habla con los estudiantes.

Roberto — Profesor, ¿cómo se dice «de nada» en inglés?
Profesor — Se dice «you're welcome».
María — ¿Qué quiere decir «I'm sorry»?
Profesor — Quiere decir «lo siento».
María — Muchas gracias.
Profesor — De nada. Hasta mañana.

THE FIRST DAY OF CLASS

At a university in Bogotá.
Professor Vargas speaks with
Teresa Ruiz, a student:

T: Good afternoon, Dr. Vargas.
P: Good afternoon, young lady.
¿What is your name?
T: My name is Teresa Ruiz.
P: A pleasure, Miss Ruiz.
T: The pleasure is mine.

In the classroom, Teresa speaks
with Pedro.

P: Hi, what's your name?
T: My name's Teresa Ruiz. What's
yours?
P: Pedro Morales.
T: Listen, what's today's date?
P: Today's September fifteenth.

Doctor Martínez speaks with
Mr. Soto.

P: How are you?
Sr. S.: Very well, thanks, and you?
P: Fine, thank you . . . What
          day's today . . . ?
Sr. S.: Today's Wednesday.

The professor speaks with the
students.

R: Professor, how do you say *"de*
nada" in English?
P: You say "you're welcome."
M: What does "I'm sorry" mean?
P: It means *"lo siento."*
M: Thank you very much.
P: You're welcome. I'll see you
tomorrow.

VOCABULARIO

TITLES[1]

doctor (Dr.)   doctor (*m.*)
doctora (Dra.)   doctor (*f.*)
señor (Sr.)   Mr., sir,
gentleman
señora (Sra.)   Mrs., Madam,
lady
señorita (Srta.)   Miss, young
lady

POLITE EXPRESSIONS

De nada.   You're welcome.
El gusto es mío.   The pleasure
is mine.
Gracias.   Thank you.
Lo siento.   I'm sorry.
Muchas gracias.   Thank you
very much.
Mucho gusto.   A pleasure;
How do you do?

SOME USEFUL QUESTIONS
AND LIKELY REPLIES

¿Cómo está usted?   How
are you?
Bien.   Fine.
Muy bien.   Very well.
No muy bien.   Not very well.
¿Cómo se dice... ?   How do
you say . . . ?
Se dice...   You say . . .

¿Cómo se llama usted?   What
is your name? (*Formal*)
¿Cómo te llamas?   What is
your name? (*Familiar*)
Me llamo...   My name is . . .
¿Qué día es hoy?   What day is
today?
Hoy es...   Today is . . .
¿Qué fecha es hoy?   What's
today's date?
Hoy es el... de...   Today is the
. . . of . . .
¿Qué quiere decir...?   What
does . . . mean?
Quiere decir...   It means . . .

OTHER WORDS AND
EXPRESSIONS

el, la alumno(a)   student, pupil
¿cómo?   how?
con   with
en español   in Spanish
habla   he/she speaks
miércoles   Wednesday
no   no
¿no?   isn't that so?
oye   listen
quince   fifteen
septiembre   September
y   and

---

[1]In Spanish, the titles above are not capitalized when used with a last name
unless they are abbreviated: **señor Fernández** BUT **Sr. Fernández**

Notas culturales

1. Bogotá, the capital of Colombia, was founded in 1538. The wall of mountains that surrounds this city once made Bogotá virtually inaccessible. Today, Bogotá is the home of **Avianca,** South America's first commercial airline, and the hub of air travel in Colombia. In this city of contrasts, skyscrapers stand next to 16th-century churches, and cars share modern expressways with mule carts.

Bogotá's excellent international hotels and restaurants cater to the tourists who flock there from around the world to enjoy the many attractions of the city and the surrounding mountains. Handicrafts made by local artisans and emeralds that rank in quality among the finest in the world are readily available for sale on Bogotá's busy streets. The **Museo del Oro** (*Museum of Gold*) houses one of the world's best collections of pre-Colombian artifacts and reflects the nation's growing pride in its early Indian cultures.

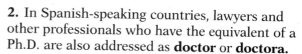

2. In Spanish-speaking countries, lawyers and other professionals who have the equivalent of a Ph.D. are also addressed as **doctor** or **doctora.**

3. When Spanish speakers greet another person using a title of courtesy, they generally do not use the person's last name. Instead, they simply say: **Buenos días, señor(a).**

4. Hispanic men who are close friends frequently embrace each other when they meet; Hispanic women usually greet each other with a kiss on each cheek.

5. When talking, Spanish speakers of both sexes tend to stand closer to one another than is customary in English-speaking countries.

Una ejecutiva en su oficina de la ciudad de Cali, Colombia.

Cognates

Cognates are words that are the same or similar in two languages. It is extremely valuable to be able to recognize them when learning a foreign language. Following are some principles of cognate recognition in Spanish.

1. Some words are exact cognates; only their pronunciation is different.

general	mineral	central	natural
idea	musical	cultural	banana
terrible	horrible	humor	terror

2. Some cognates are almost the same, except for a written accent mark, a final vowel, or a single consonant in the Spanish word.

región	península	México	conversión
persona	arte	importante	potente
comercial	oficial	posible	imposible

3. Most nouns ending in *-tion* in English end in **-ción** in Spanish.

conversación	solución	operación	cooperación

4. Most nouns ending in *-sion* in English end in **-sión** in Spanish.

televisión	comprensión	extensión	dimensión

5. English words ending in *-ce* and *-ty* end in **-cia, -cio,** and **-dad** in Spanish.

importancia	competencia	precipicio
universidad	frivolidad	popularidad

6. The English ending *-ous* is often equivalent to the Spanish ending **-oso.**

famoso　　　　　amoroso　　　　　numeroso　　　　malicioso

7. The English consonant *s* is often equivalent to the initial Spanish syllable **es.**

estatua　　　　　estado　　　　　estudio　　　　　especial

8. There are many other easily recognizable cognates for which no rule can be given.

millón	norte	millonario	centro
ingeniero	estudiar	artículo	
deliberadamente	enemigo	preparar	

In this text, cognates that appear in the reading exercises and the cultural readings are not translated.

■ **¡Vamos a practicar!** ■

Read the following words aloud.

1. idea	6. cooperación	11. especial
2. musical	7. dimensión	12. millonario
3. oficial	8. competencia	13. ingeniero
4. imposible	9. popularidad	14. artículo
5. solución	10. numeroso	15. humor

Puntos para recordar

A.　The Days of the Week (*Los días de la semana*)

lunes	martes	miércoles	jueves	viernes	sábado	domingo
				1	2	3
4	5	6	7	8	9	10

1. In Spanish-speaking countries, the week begins on Monday.

2. Note that the days of the week are not capitalized in Spanish.

■ ¡Vamos a practicar! ■

The person asking the following questions is always a day ahead. Respond according to the model given below.

MODELO: Hoy es lunes, ¿no?
          No, hoy es domingo.

1. Hoy es miércoles, ¿no?
2. Hoy es domingo, ¿no?
3. Hoy es viernes, ¿no?

4. Hoy es martes, ¿no?
5. Hoy es sábado, ¿no?
6. Hoy es jueves, ¿no?

B.   The Cardinal Numbers 11 to 31 (*Números cardinales 11 a 31*)

11 once	18 dieciocho	25 veinticinco
12 doce	19 diecinueve	26 veintiséis
13 trece	20 veinte	27 veintisiete
14 catorce	21 veintiuno	28 veintiocho
15 quince	22 veintidós	29 veintinueve
16 dieciséis[1]	23 veintitrés	30 treinta
17 diecisiete	24 veinticuatro	31 treinta y uno

■ ¡Vamos a practicar! ■

A.   Complete the following series of numbers.

1. dos, cuatro, ..., dieciocho
2. uno, tres, cinco, ..., diecisiete
3. once, catorce, diecisiete, ..., veintinueve
4. cinco, diez, ..., treinta

B.   Learn the following mathematical terms; then solve the problems.

+ más   − menos   = son

1. $7 + 13 =$
2. $20 - 8 =$
3. $17 + 12 =$
4. $9 + 15 =$
5. $5 + 13 =$

6. $28 - 13 =$
7. $21 - 10 =$
8. $16 + 14 =$
9. $12 + 13 =$
10. $18 - 5 =$

---

[1]The numbers sixteen to twenty-nine can also be spelled with a **y** (*and*): **diez y seis, diez y siete . . . veinte y uno, veinte y dos,** and so on. The pronunciation of each group of words, however, is identical to the corresponding word spelled with the **i.**

C. The Months and Seasons of the Year
(*Los meses y las estaciones del año*)

1. Los meses

enero	January	**julio**	July
febrero	February	**agosto**	August
marzo	March	**septiembre**	September
abril	April	**octubre**	October
mayo	May	**noviembre**	November
junio	June	**diciembre**	December

In Spanish, months are not capitalized.

2. Las estaciones

la primavera	spring	**el otoño**	autumn
el verano	summer	**el invierno**	winter

a. Note that all the seasons are masculine except **la primavera.**

b. In South America, the seasons are the reverse of those in North America; that is, summer starts on December 21, and you can ski in July.

3. To ask for the date, say the following.

¿Qué fecha es hoy?   *What's the date today?*

a. When telling the date, always begin with the expression **Hoy es el... .**

Hoy es el veinte de mayo.   *Today is May twentieth.*

b. Note that the number is followed by the preposition **de** (*of*), and then the month.

quince de mayo	May fifteenth
diez de septiembre	September tenth
doce de octubre	October twelfth

c. The ordinal number **primero** (*first*) is used when referring to the first day of the month.

primero de febrero   February first

— ¿Qué fecha es hoy, **el**
  primero de octubre?   *What's the date today,*
                                    October first?
— No, hoy es **el dos de**
  octubre.   *No, today is*
                        October second.

■ **¡Vamos a practicar!** ■

A. On what dates do the following annual events take place?

   1. Independence day
   2. Halloween
   3. New Year's day
   4. Washington's birthday
   5. Christmas
   6. the first day of spring
   7. April fool's day
   8. Veteran's day NOV 11

B. In which season does each of these months fall?

   1. febrero
   2. agosto
   3. mayo
   4. enero
   5. octubre
   6. julio
   7. abril
   8. noviembre

C. On what dates do the following events in your life occur?

   1. your mother's birthday
   2. your father's birthday
   3. your parents' wedding anniversary
   4. your birthday
   5. when classes started this semester
   6. when classes end

Y AHORA, ¿QUÉ? *(AND NOW, WHAT?)*

¡Vamos a conversar! (*Let's Talk!*)

How would you respond to the following?

   1. Mucho gusto, señor (señora, señorita).
   2. Buenos días.
   3. Buenas tardes.
   4. Buenas noches.
   5. ¿Cómo está usted?
   6. ¿Cómo se llama usted?
   7. ¿Cuál es su número de teléfono?
   8. ¿Cómo se dice «*thank you very much*» en español?
   9. ¿Qué quiere decir «lo siento»?
   10. Hasta mañana, señor (señora, señorita).
   11. Hasta luego.
   12. Muchas gracias.
   13. ¿Qué día es hoy?

Situaciones

You find yourself in the following situations. What do you say? What might the other person say?

1. You meet Mr. García in the evening and you ask him how he is.
2. You ask Professor Vega how to say "you're welcome" in Spanish.
3. You ask a young woman what her name is.
4. You ask a woman what her phone number is.
5. You ask Professor Gómez what *"muy bien"* means.
6. You ask someone what day it is today.
7. Someone says, *"Mucho gusto"* to you. You respond . . .
8. Someone says, *"¿Cómo está usted?"* to you. You respond . . .

Un paso más (*Let's Go a Step Farther*)

Learn some additional words and phrases that relate to the ones you have acquired in this unit.

◆ Some additional greetings, farewells and polite expressions

GREETINGS AND FAREWELLS	¿Qué hay de nuevo?	*What's new?*
	¿Qué tal?	*How is it going?*
	Chau.	*Bye.*
	Encantado(a).	*Delighted.*
	Nos vemos.	*I'll see you.*
POLITE EXPRESSIONS	Muchísimas gracias.	*Thank you very much.*
	Permiso.	*Excuse me.*
	Perdón.	*Sorry.*
	¿Cómo?, ¿Mande? (Mex.)	*Pardon? (When one doesn't hear or understand what is being said.)*
	Más despacio, por favor.	*Slower, please.*
	Pase.	*Come in.*
	Tome asiento.	*Have a seat.*

◆ A few useful classroom expressions

el bolígrafo	*ball-point pen*
el diccionario	*dictionary*
la luz	*light*
el papel	*paper*
la pizarra de anuncios	*bulletin board*
el pupitre	*student desk*

¿CUAL ES SU PROBLEMA?

¿Qué diría usted? (*What would you say?*)

A. According to what is happening in each case, what would you say?

1. You want to catch up on the latest news.
2. You are very thankful for a favor.
3. You are very happy to meet someone.
4. You stepped on someone's foot.
5. You didn't understand what someone said.
6. You want to know how things are going for your friend.
7. You expect to see someone later on.
8. You are waving good-bye.
9. Your Spanish-speaking friend is talking too fast.
10. Someone knocks on your door.
11. You offer someone a seat.
12. You need to go through a crowded room.

B. Beginning each sentence with **necesitamos,** explain what you and your classmates will need for each purpose listed.

1. to write on
2. to see when the room is dark
3. to write with
4. to sit in class
5. to look up a word
6. to place ads, bits of news or newspaper clippings

Tome este examen *(Take This Test)*

Pasos 1–2 ◆ **A. Gender and Number**

Change the following to the plural.

1. un lápiz
2. el borrador
3. la lección
4. un mes
5. el vaso
6. una silla
7. la clase
8. el profesor
9. el hombre
10. una mujer

B. Cardinal Numbers

Write the following words in Spanish.

1. thirty days
2. six pencils
3. twenty-two chairs
4. thirteen windows
5. twelve books
6. fifteen notebooks
7. eighteen students
8. eleven maps

C. Uses of *hay*

Give the Spanish equivalent of the following dialogue. (Remember to use the dialogue dash before each sentence introducing a new speaker.

1. *Ana:* "How many students are there in the classroom?"
2. *Luis:* "There are twenty students."
3. *Ana:* "Is there a blackboard?"
4. *Luis:* "Yes, there are two."

D. Complete the following sentences, using the vocabulary you have learned in Pasos 1 and 2.

1. ¡_____ luego, Victor!
2. _____ noches, Teresa.
3. _____ días, señorita. ¿Cómo se _____ usted?
4. Mucho _____, señor Valdés.
5. — ¿Qué _____ es hoy?
   — Hoy es el tres de septiembre.
6. — ¿Qué _____ es hoy?
   — Hoy es miércoles.
7. — ¿Cómo se dice «*I'm sorry*»?
   — Lo _____.
8. — Muchas gracias.
   — De _____.

Actividades en la universidad

By the end of this unit, you will be able to:

- request and give the correct time
- discuss the courses you and your classmates are taking
- talk about your activities
- arrange payment of tuition
- give and request information regarding origins and place of residence
- discuss living arrangements and living quarters
- extend, accept and decline invitations
- handle routine, informal social situations such as parties

Cuatro estudiantes conversan

Cuatro estudiantes de Latinoamérica hablan en la universidad de California en Los Ángeles.
Pedro habla con Jorge:

Pedro	— ¿Qué asignaturas tomas tú este semestre, Jorge?
Jorge	— Tomo matemáticas, inglés, historia y química. ¿Y tú?
Pedro	— Yo estudio biología, física, literatura y español.
Jorge	— Tú trabajas en la cafetería, ¿no?
Pedro	— No, trabajo en el laboratorio de lenguas.
Jorge	— ¿Y Adela? ¿Dónde trabaja?
Pedro	— Ella y Susana trabajan en la biblioteca.
Jorge	— ¿Cuántas horas trabajan?
Pedro	— Tres horas al día.

Elsa y Dora hablan en la cafetería:

Elsa	— ¿Qué deseas tomar?
Dora	— Una taza de café. ¿Y tú?
Elsa	— Yo deseo un vaso de leche.
Dora	— Oye, necesito el horario de clases.
Elsa	— Aquí está. ¿Cuántas clases tomas este semestre?
Dora	— Cuatro. A ver..., ¿a qué hora es la clase de informática?
Elsa	— Es a las nueve.
Dora	— Oye, ¿qué hora es?
Elsa	— Son las ocho y media.
Dora	— ¡Caramba! ¡Ya es tarde! Me voy.
Elsa	— ¿A qué hora terminas hoy?
Dora	— A la una. Hasta mañana.

FOUR STUDENTS TALK

Four Latin American students are talking at the University of California in Los Angeles.
Pedro talks with Jorge:

P: What subjects are you taking this semester, Jorge?
J: I'm taking math, English, history, and chemistry. And you?
P: I'm studying biology, physics, literature, and Spanish.
J: You work in the cafeteria, don't you?
P: No, I work in the language lab.
J: And Adela? Where does she work?
P: She and Susan work in the library.
J: How many hours do they work?
P: Three hours a day.

Elsa and Dora are talking in the cafeteria:

E: What do you want to drink?
D. A cup of coffee. And you?
E: I want a glass of milk.
D: Listen, I need the class schedule.
E: Here it is. How many classes are you taking this semester?
D: Four. Let's see. . ., what time is the computer science class?
E: It's at nine.
D: Listen, what time is it?
E: It's eight thirty.
D: Wow! It's late! I'm leaving.
E: What time do you get through today?
D: At one. See you tomorrow.

VOCABULARIO

Cognados

la **biología** biology
la **cafetería** cafeteria
la **clase** class
la **física** physics
la **historia** history
la **literatura** literature
las **matemáticas** mathematics
la **universidad** university

NOMBRES NOUNS

la **asignatura, la materia** course, subject
la **biblioteca** library
el **café** coffee
el **español** Spanish (*language*)
la **hora** hour
la **informática** computer science
el **inglés** English (*language*)
la **leche** milk
la **química** chemistry
la **taza** cup
el **vaso** (*drinking*) glass

VERBOS

conversar to talk, converse
desear to wish, want
estudiar to study
hablar to speak
necesitar to need
terminar to end, finish, get through
tomar to take; to drink
trabajar to work

OTRAS PALABRAS Y EXPRESIONES

a at (*with time of day*)
a ver..., let's see . . . ,
al día a day, per day
¿a qué hora...? (At) what time . . . ?
Aquí está. Here it is.
¡Caramba! Wow! Gee!
la **clase de informática**[1] computer science class
¿cuántos(-as)? how many?
de of
¿dónde? where?
en in, at
este semestre this semester
el **horario de clases**[1] class schedule
el **laboratorio de lenguas**[1] language lab
Me voy. I'm leaving.
¡oye! listen!
¿qué? what?
¿Qué hora es? What time is it?
y media half past
¡Ya es tarde! It's (already) late!

[1]Spanish uses prepositional phrases that correspond to the English adjectival use of nouns: **clase de informática** (*computer science class*): **horario de clases** (*class schedule*); **laboratorio de lenguas** (*language lab*).

Notas culturales

1. Los Ángeles was founded by the Spaniards in 1771. Its original name was **Pueblo de Nuestra Señora de la Reina de los Ángeles.** In 1847, the city became part of the United States, following the Mexican-American War. As in much of California, the Spanish influence is seen in the names of the streets and roads and in the architecture of Los Angeles.

Nearly 30 percent of the population of Los Angeles is Hispanic, largely of Mexican origin. The considerable Mexican influence evident throughout Los Angeles is nowhere more strongly felt than on **Olvera Street,** one of the oldest streets in the city. Since 1930, Olvera Street has been a Mexican-style marketplace, lined on both sides by small shops and restaurants, and frequented by crowds of tourists in search of Mexican handicrafts and the typical meals so readily available there.

2. In most Spanish-speaking countries, the school year is not divided into semesters or quarters: it lasts nine months for students at all levels. There are very few electives, and the concept of a "major" does not exist. General requirements are taken in junior high and high school **(escuela secundaria).** At the university level, students concentrate on their own fields: law, architecture, medicine, and so on.

La música mexicana es muy popular en Los Ángeles. Aquí anuncian un grupo musical de Michoacán, México.

Pronunciación

Las vocales (*vowels*): a, e, i, o, u[1]

Spanish vowels are constant, clear, and brief. To practice the sound of each vowel, repeat the following words.

a	mapa	sábado	hasta mañana
	hablar	trabajar	de nada
e	mes	leche	estudiante
	este	Pepe	semestre
i	silla	libro	universidad
	tiza	lápiz	señorita
o	doctor	Soto	los profesores
	donde	borrador	domingo
u	mujer	alumno	universidad
	gusto	lunes	computador

Puntos para recordar

A. Subject Pronouns (*Pronombres personales usados como sujetos*)

	Sing.			*Pl.*	
yo	I		**nosotros**	we (*m.*)	
			nosotras	we (*f.*)	
tú	you (*fam.*)		**vosotros**	you (*m., fam.*)	
			vosotras	you (*f., fam.*)	
usted	you (*formal*)		**ustedes**	you (*formal*)	
él	he		**ellos**	they	
ella	she		**ellas**	they	

1. In Latin America, **ustedes** (abbreviated **Uds.**) is used as the plural form of both **tú** and **Ud.** In Spain, however, the plural form of **tú** is **vosotros(-as).**

2. The masculine plural forms **nosotros** and **ellos** can refer to the masculine gender alone or to both genders together:

   Juan y Roberto → **ellos**   Juan y María → **ellos**

¡ATENCIÓN!   Use the **tú** form as the equivalent of *you* when addressing a close friend, a relative, or a child. Use **Tú** when praying or addressing God. Use the **usted** form in *all* other instances. In most Spanish-speaking countries, young people tend to call each other **tú,** even if they have just met.

[1]For all matters concerning pronunciation, see Appendix A.

■ ¡Vamos a practicar! ■

What subject pronouns do the following pictures suggest to you?

1. _____YO_____

2. _____TÚ_____

3. _____NOSOTROS_____

4. _____NOSOTRAS_____

5. _____ELLOS_____

6. _____USTEDES_____

7. _____ÉL_____

8. _____ELLA_____

9. _____USTED_____

B. Present Indicative of *-ar* Verbs

(*Presente de indicativo de los verbos terminados en* **-ar**)

1. Spanish verbs are classified according to their endings. There are three conjugations: **-ar, -er,** and **-ir.**

   a. Regular verbs ending in **-ar** are conjugated like **hablar.**

hablar (*to speak*)		
Singular		
	Stem Ending	
yo	habl- **o**	Yo **hablo** español.
tú	habl- **as**	Tú **hablas** español.
Ud.	habl- **a**	Ud. **habla** español
él	habl- **a**	Juan **habla** español. Él **habla** español.
ella	habl- **a**	Ana **habla** español. Ella **habla** español.
Plural		
nosotros	habl- **amos**	Nosotros **hablamos** español.
vosotros	habl- **áis**	Vosotros **habláis** español.
Uds.	habl- **an**	Uds. **hablan** español.
ellos	habl- **an**	Ellos **hablan** español.
ellas	habl- **an**	Ellas **hablan** español.

— Rosa, tú **hablas** inglés, ¿no?   *Rosa, you **speak** English, don't you?*

— Sí, yo **hablo** inglés y español.   *Yes, I **speak** English and Spanish.*

   b. Native speakers usually omit subject pronouns in conversation because the ending of each verb form indicates who is performing the action described by the verb. The context of the conversation also provides clues as to whom the verb refers. However, the forms **habla** and **hablan** are sometimes ambiguous even in context. Therefore, the subject pronouns **él, ella, usted, ellos, ellas** and **ustedes** are used in speech with greater frequency than the other pronouns.

   — Uds. **hablan** inglés, ¿no?   *You **speak** English, don't you?*

   — Sí, **hablamos** inglés y español.   *Yes, we **speak** English and Spanish.*

2. The Spanish present tense has three equivalents in English.

   Yo hablo. $\begin{cases} \textit{I speak.} \\ \textit{I am speaking.} \\ \textit{I do speak.} \quad (\textit{with emphatic intonation}) \end{cases}$

3. Other verbs conjugated like **hablar** are **conversar, desear, estudiar, necesitar, terminar, tomar,** and **trabajar.**

■ **¡Vamos a practicar!** ■

A. Practice the forms of the following verbs.

1. yo: desear, terminar, tomar, conversar
2. tú: necesitar, estudiar, hablar, trabajar
3. Jorge: estudiar, desear, trabajar, tomar
4. tú y yo: terminar, necesitar, conversar, hablar
5. Ud. y él: tomar, desear, estudiar, trabajar

B. Complete each of the following sentences.

MODELO: Yo trabajo en el laboratorio de lenguas y María...
Yo trabajo en el laboratorio de lenguas y María trabaja en la biblioteca.

1. Jorge estudia química y nosotros...
2. Yo hablo inglés y tú...
3. Ud. toma un vaso de leche y ella...
4. Tú deseas una taza de café y Raúl...
5. Roberto necesita el horario de clases y Uds. ...
6. Este semestre ella toma física y nosotros...
7. Yo converso con el profesor y ellos...
8. Tú terminas en agosto y yo...
9. Él trabaja tres horas al día y nosotros...
10. Nosotros hablamos español y ellos...
11. Ellos desean leche y nosotros...
12. Tú estudias física y ellos...

C.   Interrogative Words *(Palabras interrogativas)*

pronoun ¿cómo?	how?	**¿Cómo** está Ud.?
¿cuál?, ¿cuáles?	which?, what?	**¿Cuál** desea? ¿La pluma azul?
¿cuándo?	when?	**¿Cuándo** estudian Uds.?
adjective ¿cuánto(-a)?	how much?	**¿Cuánto** necesita?
¿cuántos(-as)?	how many?	**¿Cuántas** plumas necesitan?
¿dónde?	where?	**¿Dónde** trabaja Ud.?
¿por qué?	why?	**¿Por qué** estudias español?
¿qué?	what	**¿Qué** desea Ud.?
pronoun ¿quién? ¿quiénes?	who?	**¿Quién** toma café?

1. **¿Cuánto?** and **¿cuántos?** are used with masculine nouns; **¿cuánta?** and **¿cuántas?,** with feminine nouns.

2. Note that **¿cuál?** and **¿quién?** have the plural forms **¿cuáles?** and **¿quiénes?.**

3. To answer **¿por qué** *(why?)*, use **porque** *(because)*.

■ ¡Vamos a practicar! ■

A.   Provide the missing interrogative words.

1. — ¿ _Quiénes_ toman biología?
   — Oscar y Elena.
2. — ¿ _Dónde_ estudian Uds.?
   — En la biblioteca.
3. — ¿ _Cuánta_ necesitas?
   — Cincuenta dólares.
4. — ¿ _Cuál_ desea? ¿La tiza roja o la tiza verde?
   — La tiza roja.
5. — ¿ _Cómo_ está Ud.?
   — Bien, gracias.
6. — ¿ _Cuándo_ terminan las clases?
   — En junio.
7. — ¿ _Qué_ día es hoy?
   — Jueves.
8. — ¿ _Cuántas_ clases tomas este semestre?
   — Tres.

B.   You need the information provided in each of these statements. What questions will you ask?

     MODELO: Trabaja *en la cafetería.*
               ¿Dónde trabaja?

   1. Terminan *este trimestre.*
   2. Tomo *cinco clases.*
   3. Estudia *historia y literatura.*
   4. *El profesor Gómez* habla español.
   5. Estudian *en la Universidad de Salamanca.*
   6. Estudiamos español *porque necesitamos hablar español.*
   7. *Tomás y Carlos* toman seis asignaturas.
   8. Habla inglés *bien.*

D.   **Telling Time** (*La hora*)

   1. The following points should be remembered when telling time in Spanish.

     a. **Es** is used with **una.**

       Es la una y cuarto.   **It is** a quarter after one.

      Son is used with all the other hours.

       Son las dos y cuarto.   **It is** a quarter after two.
       Son las cinco y diez.   **It is** ten after five.

     b. The definite article is always used before the hour.

       Es **la** una y veinte.   **It is** twenty after one.
       Son **las** cuatro y media.   **It is** four thirty.

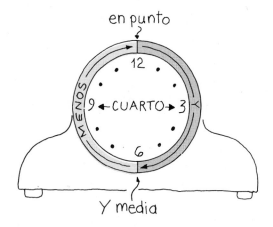

c. The hour is given first, then the minutes.

Son las **cuatro** y **diez.**   *It is **ten** after **four.***
                                            (lit., "four and ten").

d. The equivalent of *past* or *after* is **y.**

Son las doce **y** cinco.   *It is five **after** twelve.*

e. The equivalent of *to* or *till* is **menos.** It is used with fractions of time up to a half hour.

Son las ocho **menos** veinte.   *It is twenty **to** eight.*

f. The following word order is used for telling time in Spanish:

- **Es** or **Son**
- **la** or **las**
- the hour
- **y** or **menos**
- the minutes

Es la una y veinte   Son las cinco menos diez.

¡ATENCIÓN!   To find out at what time an event will take place, use **¿A qué hora...?** as shown below. Observe that in the responses the equivalent of *at + time* is **a + la(s) + time.**

¿A qué hora es la clase de física?   ***What time** is physics class?*

A la una.   ***At** one o'clock.*

¿A qué hora termina Julio hoy?   ***What time** does Julio get through today?*

A las cinco y media.   ***At** five thirty.*

2. Note the difference between **de la** and **por la** in expressions of time.

    a. When a specific time is mentioned, **de la... (mañana, tarde, noche)** should be used. This is the equivalent to the English A.M. and P.M.

        Estudiamos a las **cuatro de la tarde.**   *We study at* **4 P.M.**

    b. When a specific time is *not* mentioned, **por la... (mañana, tarde, noche)** should be used.

        Yo trabajo **por la mañana** y ella trabaja **por la noche.**   *I work **in the morning** and she works **at night.***

■ ¡Vamos a practicar! ■

    A.   Give the time indicated on the following clocks, writing out the numerals in Spanish. Start with clock number one, then read the times aloud.

B. Using your imagination and the vocabulary you have learned, supply the missing lines in the following dialogue.

1. — ¡Oye! ¿Qué materias tomas por la mañana?
2. — _____
3. — ¿Dónde trabajas por la tarde?
4. — _____
5. — ¿A qué hora tomas la clase de informática?
6. — _____
7. — _____
8. — ¿El horario de clases? A ver..., aquí está.
9. — _____
10. — Son las seis y cuarto. Ya es tarde. Me voy.

Y AHORA, ¿QUÉ?

Palabras y más palabras   (Words and More Words)

Find the missing word in each sentence.

1. ¿Qué _____ toma Ana este semestre?
2. En Madrid, ¿hablan _____ ?
3. ¿Deseas una _____ de café?
4. Necesito el _____ de clases.
5. Trabajo en el _____ de lenguas.
6. Estudiamos en la _____ de California.
7. ¿ _____ clases tomas? ¿Tres o cuatro?
8. ¿Trabajamos cuatro _____ al día?

¡Vamos a conversar!

A. What happens at the University of California? Base your answers on the dialogues.

1. ¿Con quién habla Jorge? *JORGE HABLA CON PEDRO*
2. ¿Jorge toma biología este semestre? *NO, JORGE NO TOMA BIOLOGIA ESTE SEMESTRE*
3. ¿Dónde trabaja Pedro? *PEDRO TRABAJA EN EL LABORATORIO DE LENGUAS*
4. ¿Susana y Adela trabajan en la cafetería? *NO, SUSANA Y ADELA TRABAJAN EN LA BIB.*
5. ¿Cuántas horas al día trabaja Susana? *SUSANA TRABAJA TRES HORAS AL DÍA*
6. ¿Dora toma café o Coca-Cola? *DORA TOMA CAFÉ*
7. ¿Qué toma Elsa? *ELSA TOMA EL VASO DE LECHE.*
8. A qué hora es la clase de informática? *LA CLASE DE INFORMÁTICA ES A LAS NUEVE.*

B. Choose a partner, then interview each other using the **tú** form.

Pregúntele a su compañero de clase...

1. ... cuántas clases toma este semestre.
2. ... si (*if*) toma inglés este semestre.
3. ... cuántas horas al día estudia español.
4. ... si necesita el horario de clases.
5. ... si trabaja en la biblioteca.
6. ... a qué hora termina la clase de español.
7. ... qué hora es.
8. ... qué desea tomar.

Situaciones

You find yourself in the following situations. What do you say?
What might the other person say?

1. You want to ask a friend what subjects he or she is taking this semester.
2. You tell someone what subjects you are taking.
3. You want to ask someone where he or she works.
4. You want to order something to drink.
5. You want to know the time.

Adaptación del diálogo (Dialogue Adaptation)

With a classmate, adapt the dialogues at the beginning of this lesson by making the following changes.

Cambien (*Change*) ...

1. las asignaturas que toma Jorge
2. las asignaturas que toma Pedro
3. el lugar (*place*) donde trabaja Pedro
4. el lugar donde trabajan Adela y Susana
5. lo que (*what*) toman Dora y Elsa
6. la hora en que ofrecen la clase de informática
7. la hora que es
8. la hora a que termina Dora

2 Día de matrícula

En una universidad en Miami:
Hoy es el último día para pagar la matrícula. Juan habla con la cajera.

Juan	— ¿Cuánto debo pagar por cada unidad?
Cajera	— ¿Es Ud. residente?
Juan	— Sí, soy residente.
Cajera	— Treinta dólares por unidad.
Juan	— ¿Aceptan cheques?
Cajera	— Sí, pero necesita una identificación.
Juan	— ¿La licencia para conducir es suficiente?
Cajera	— Sí. Aquí tiene el recibo.

Juan escribe el horario de clases en un cuaderno.

Juan y Roberto deciden comer en la cafetería. Allí hablan con Olga, la novia de Roberto.

Olga	— ¿De dónde eres tú, Juan?
Juan	— Soy de México. Tú eres cubana, ¿no?
Olga	— No, soy norteamericana.[1] Soy de Arizona.
Juan	— ¿Vives en la residencia universitaria?
Olga	— No, vivo en un apartamento, cerca de la universidad.
Juan	— ¿Qué clases tomas este trimestre?
Olga	— Matemáticas, francés, italiano y portugués.
Juan	— ¡Caramba! Estudias muchos idiomas.
Olga	— Sí. Oye, ¿deseas una taza de café?
Juan	— No, gracias. Yo no bebo café.
Olga	— ¿Y tú, Roberto?
Roberto	— Sí. ¿Corremos[2] mañana por la mañana?
Olga	— Bueno, a las seis, como siempre.

[1]A man would say **norteamericano** or **cubano.**
[2]The present indicative is often used in Spanish to convey an event in the near future: **¿Corremos mañana por la mañana?** *Are we running tomorrow morning?*

REGISTRATION DAY

At a university in Miami:
Today is the last day to pay for
registration. Juan speaks with the
cashier.

J: How much do I have to (must I)
   pay for each unit?
C: Are you a resident?
J: Yes, I'm a resident.
C: Thirty dollars per unit (of credit).
J: Do you accept checks?
C: Yes, but you need identification.
J: Will a driver's license do?
C: Yes. Here's the receipt.

Juan writes the class schedule in a
notebook.

Juan and Roberto decide to eat in the
cafeteria. There they speak with Olga,
Roberto's girlfriend.

O: Where are you from, Juan?
J: I'm from Mexico. You're Cuban,
   aren't you?
O: No, I'm (a) North American. I'm
   from Arizona.
J: Do you live in the dorm?
O: No, I live in an apartment, near
   the university.
J: What classes are you taking this
   quarter?
O: Math, French, Italian and
   Portuguese.
J: Wow! You're studying a lot of
   languages.
O: Yes. Listen, do you want a cup
   of coffee?
J: No, thanks. I don't drink coffee.
O: How about you, Roberto?
R: Yes. Are we running tomorrow
   morning?
O: Okay, at six o'clock, as usual.

VOCABULARIO

Cognados

el apartamento apartment
  cubano(-a) Cuban
el cheque check
el dólar dollar
la identificación
  identification
el italiano Italian (*language*)

norteamericano(-a)
  (North) American
el portugués Portuguese
  (*language*)
el, la residente resident
  suficiente sufficient
la unidad unit

NOMBRES

el (la) cajero(-a) cashier
  el francés French
  (*language*)
el idioma language
**la licencia para conducir
  (manejar)** driver's license
la matrícula registration,
  tuition
la novia girlfriend
el novio boyfriend
el recibo receipt
la residencia universitaria
  dormitory

VERBOS

aceptar to accept
beber to drink
comer to eat
correr to run
deber to have to, must,
  should

decidir to decide
escribir to write
pagar to pay
ser to be
vivir to live

OTRAS PALABRAS Y
EXPRESIONES

allí, ahí there
Aquí tiene... Here is . . .
Bueno Okay

cerca (de) near
como siempre as usual
de from
el último día para... the last
  day to . . .
muchos(-as) many
pero but
sí yes
también also, too

Notas culturales

1. The city of **Miami,** Florida, is one of the most important tourist centers in the world. Over 195,000 Hispanics — most of them Cuban — live in Miami. Since the 1960s, Cubans unhappy with the Castro government have been arriving in Miami. The Cuban influence is thus seen everywhere, from both a cultural and economic standpoint. Spanish is used so much in Miami that there are stores with signs that read "English spoken here."

Today, Miami is a first-rate commercial and financial center. Twenty years ago, the city's major source of income was the annual influx of winter tourists. Now, tourism is a year-round industry in Miami, thanks to the large numbers of Latin Americans who visit the city each summer. Miami is also the gateway to the United States' increasing commercial trade with Latin America, and its share of the revenues thus generated already equals or surpasses the city's income from tourism.

ALABAMA GEORGIA

Océano
Atlántico

★Tallahassee

Golfo de México

Orlando

Tampa

Miami

200
km.

CUBA

Un grupo de estudiantes de la Universidad de Miami.

In addition to the large Cuban colony, sizable groups from other Latin American nations reside in Miami, most notably Salvadoreans, Nicaraguans, and Argentinians. Each of these diverse groups contributes its own special character to the international flavor of the city. North American visitors can thus enjoy the sensation of traveling abroad without leaving their own country.

In contrast with their experience in other areas, Latin Americans living in Miami have achieved positions of importance in business, industry and banking. Many of the key sources of the city's increasing wealth are, in fact, controlled by Latin Americans.

2. In most Spanish-speaking countries, students do not live in dorms — they live with their families or in boarding houses for students.

3. Public universities in the majority of Spanish-speaking countries are either free or charge only a nominal fee.

Pronunciación

Practice linking[1] by reading aloud the following sentences:

1. Hoy es el último día.
2. Juan habla con Norma.
3. Necesita una identificación.

4. Juan escribe el horario.
5. Vivo en un apartamento.

Puntos para recordar

A. Masculine or Feminine, Part II
(*Masculino o femenino, parte II*)

There are practical rules to help you determine the gender of those nouns that do not end in **-o** or **-a.** There are also a few important exceptions.

1. Nouns ending in **-ción, -sión, -tad,** and **-dad** are feminine.

la lec**ción**	*the lesson*
la televi**sión**	*the television*
la liber**tad**	*the liberty*
la universi**dad**	*the university*

2. Many words ending in **-ma** are masculine.

el telegra**ma**	*the telegram*
el progra**ma**	*the program*
el siste**ma**	*the system*
el idio**ma**	*the language*
el cli**ma**	*the climate*
el proble**ma**	*the problem*

3. The gender of nouns that have other endings and that do not refer to male or female beings must be learned. Remember that it is helpful to memorize a noun with its corresponding article.

el español	*Spanish (language)*
el francés	*French (language)*
el café	*the coffee*
la tarde	*the afternoon*
el borrador	*the eraser*
la noche	*the evening*

[1]See Appendix A for an explanation of linking.

■ ¡Vamos a practicar! ■

For each of the following illustrations, give the noun together with its
corresponding definite article.

1. _____   _____   2. _____   _____

3. francés, italiano, portugués   4. Harvard, Yale, Stanford

_____   _____   _____   _____

5. _____   _____   6. _____   _____

7. _____   _____   8. _____   _____

B. The Present Indicative of *-er* and *-ir* Verbs

(*El presente de indicativo de los verbos terminados en* **-er** *y en* **-ir**)

comer (*to eat*)			vivir (*to live*)		
yo	com-	**o**	yo	viv-	**o**
tú	com-	**es**	tú	viv-	**es**
Ud. él ella	com-	**e**	Ud. él ella	viv-	**e**
nosotros	com-	**emos**	nosotros	viv-	**imos**
vosotros	com-	**éis**	vosotros	viv-	**ís**
Uds. ellos ellas	com-	**en**	Uds. ellos ellas	viv-	**en**

— Uds. **beben** café, ¿no?   *You **drink** coffee, don't you?*
— No, **bebemos** Coca-Cola.   *No, **we drink** Coca-Cola.*

— Tú **escribes** en francés, ¿no?   *You **write** in French, don't you?*
— No, **escribo** en español.   *No, **I write** in Spanish.*

— **¿Debemos** hablar con el profesor Vega?   ***Do we have to** speak with Professor Vega?*
— No, **deben** hablar con la profesora Martínez.   *No, **you have to** speak with Professor Martínez.*

— ¿Dónde **viven** Uds.?   *Where do you **live**?*
— **Vivimos** en Buenos Aires.   ***We live** in Buenos Aires.*

1. Regular verbs ending in **-er** are conjugated like **comer.**

2. Regular verbs ending in **-ir** are conjugated like **vivir.**

¡ATENCIÓN!   When two verbs are used together, the second verb remains in the infinitive: **Debemos *hablar.***

3. Other **-er** verbs conjugated like **comer** are **beber, correr,** and **deber.**
Other **-ir** verbs conjugated like **vivir** are **decidir** and **escribir.**

■ ¡Vamos a practicar! ■

A. Practice the forms of the following verbs.

1. yo: beber, decidir, correr, escribir
2. tú: comer, vivir, deber, decidir
3. Ana: correr, escribir, comer, vivir
4. tú y yo: deber, decidir, correr, escribir
5. Ana y Eva: comer, vivir, deber, decidir

B. Using your imagination, complete each sentence.

MODELO: Yo **bebo** Coca-Cola, pero Tito...
*Yo **bebo** Coca-Cola, pero Tito **bebe** café.*

1. Tú escribes con lápiz, pero yo...
2. Nora decide estudiar francés, pero ellos...
3. Nosotros comemos en un restaurante, pero Uds. ...
4. Jorge debe pagar veinte dólares, pero tú...
5. Carlos vive en la residencia universitaria, pero nosotros...
6. Luis corre con Dora, pero yo...
7. Uds. deben hablar con la cajera, pero nosotros...
8. Yo escribo en el cuaderno, pero el profesor...
9. Tú comes en la cafetería y yo también...
10. Ellos viven en California y tú...

C. The Present Indicative of *ser*   (*El presente de indicativo de* **ser**)

The verb **ser** (*to be*) is irregular; its forms must therefore be memorized.

yo	**soy**	I am
tú	**eres**	you (*fam.*) are
Ud.		you (*formal*) are
él	**es**	he is
ella		she is
nosotros(-as)	**somos**	we are
vosotros(-as)	**sois**	you (*fam.*) are
Uds.		you are
ellos	**son**	they (*m.*) are
ellas		they (*f.*) are

— ¿Ud. **es** el doctor Rivas, ¿no?   *You **are** Dr. Rivas, aren't you?*
— No, **soy** el profesor Vera.   *No, I **am** Professor Vera.*

■ ¡Vamos a practicar! ■

A. Complete each of the following sentences in a logical manner.

1. Carlos es de Colorado y yo...
2. Ellas son estudiantes y el doctor Alvarado...
3. Ellos son cubanos y nosotros...
4. Yo soy residente de Utah y tú...
5. Ella es María Vega y yo...
6. Marcos es de Argentina y Uds. ...
7. Elsa es de Lima y tú y yo...
8. Ellos son doctores y Ud. ...

D. Interrogative and Negative Sentences

(*Oraciones interrogativas y negativas*)

1. Interrogative sentences

In Spanish, there are three ways of asking a question to elicit a *yes/no* response.

1. ¿**Elena** habla español?
2. ¿Habla **Elena** español?   } Sí, Elena habla español.
3. ¿Habla español **Elena**?

The three questions above have the same meaning and ask for the same information. Example 1 is a declarative sentence that is made interrogative by a change in intonation.

Affirmative Statement   Elena habla español.

Question   ¿Elena habla español?

Example 2 is formed by placing the subject (Elena) after the verb. In the third example, the subject (Elena) has been placed at the end of the sentence. Note that Spanish requires two question marks, an inverted one at the beginning of the sentence and a standard one at the end.

— ¿**Viven** Uds. en un apartamento?

*Do you **live** in an apartment?*

— No, vivimos en la residencia universitaria.

No, we live in the dormitory.

— ¿**Habla** italiano la profesora?

*Does the professor **speak** Italian?*

— Sí, y también habla francés y portugués.

Yes, and she also speaks French and Portuguese.

— ¿Carmen **es** de Venezuela?

Is Carmen from Venezuela?

— Sí, es de Caracas.

Yes, she's from Caracas.

¡ATENCIÓN!   Spanish does not use an auxiliary verb, such as *do* or *does,* in an interrogative sentence.

¿**Habla** Ud. inglés?   *Do you **speak** English?*

¿POR QUÉ VIVIR CON DOLOR?

■ ¡Vamos a practicar! ■

A. Using your imagination and the vocabulary you have learned thus far, complete the following dialogues by supplying all the questions.

1. *Cajero*   — ¿ _____ ?
   Raquel   — No, soy cubana.
   Cajero   — ¿ _____ ?
   Raquel   — Sí, soy residente de Vermont.
   Cajero   — Debe pagar treinta dólares por cada unidad.
   Raquel   — ¿ _____ ?
   Cajero   — Sí, aceptamos cheques.
   Raquel   — ¿ _____ ?
   Cajero   — Sí, necesita una identificación.
   Raquel   — Aquí tiene la licencia para conducir. ¿ _____ ?
   Cajero   — Sí, es suficiente.

2. *Roberto*   — ¿ _____ ?
   Anita   — Sí, vivo cerca, en un apartamento.
   Roberto   — ¿ _____ ?
   Anita   — No, este trimestre tomo italiano.
   Roberto   — ¿ _____ ?
   Anita   — No, deseo una taza de café, por favor.

¿IDEAS PARA SU HOGAR?
¡UD. NO TIENE QUE INVENTAR!

2. Negative sentences

To make a sentence negative in Spanish, simply place the word **no** in front of the verb.

Yo bebo café.	*I drink coffee.*
Yo **no** bebo café.	*I **don't** drink coffee.*

If the answer to a question is negative, the word **no** will appear twice: once at the beginning of the sentence, as in English, and again before the verb:

— ¿Aceptan Uds. cheques?	*Do you accept checks?*
— **No,** nosotros **no** aceptamos cheques.	*No, we do **not** accept checks.*

The subject pronoun may be omitted.

— **No, no** aceptamos cheques.

¡ATENCIÓN! Spanish does not use an auxiliary verb, such as the English *do* or *does,* in a negative sentence.

■ ¡Vamos a practicar! ■

This person has the wrong information. Using the cues provided, give him the right information.

MODELO: Ud. es de Chile, ¿no? (No / México)
        No, no soy de Chile: soy de México.

1. Tú necesitas el recibo, ¿no? (No / el horario de clases)
2. Uds. comen en el restaurante, ¿no? (No / cafetería)
3. Tú tomas café, ¿no? (No / Pepsi)
4. Ud. escribe con lápiz, ¿no? (No / pluma)
5. Ellos corren con Olga, ¿no? (No / Elsa)
6. Uds. viven allí, ¿no? (No / Las Vegas)
7. Necesitamos muchos libros, ¿no? (No / dos)
8. Rebeca es norteamericana, ¿no? (No / cubana)

E. Possession with *de* (*El caso posesivo*)

The **de** + *noun* construction is used to express possession or relationship. Unlike English, Spanish does not use the apostrophe.

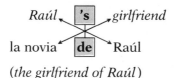

Raúl **'s** *girlfriend*

la novia **de** Raúl

(*the girlfriend of Raúl*)

— ¿Es la pluma **de** Carlos?   *Is it Carlos's pen?*
— No, es la pluma **de** Rodolfo.   *No, it's Rodolfo's pen.*

¡ATENCIÓN! Note the use of the definite article before the words **novia** and **pluma.**

■ ¡Vamos a practicar! ■

A.   Express the relationship of the elements in each figure below, using
de + noun (i.e., the Spanish equivalent of Marta's *boyfriend*).

1. _____   2. _____

3. _____   4. _____

B.   Express the relationship that exists among these people.

MODELO: La señora López tiene (*has*) dos estudiantes: Eva y Ana.
*Eva y Ana son las estudiantes **de la** señora López.*

1. Elena tiene un secretario: Roberto.
2. La profesora Vargas tiene tres alumnos: Ana, Eva y Luis.
3. Jorge tiene una novia: Carmela.
4. La señora Rosales tiene una secretaria: Alicia.
5. Marisa tiene un novio: Pepe.

Y AHORA, ¿QUÉ?

Palabras y más palabras

What words are missing in the following sentences?

1. Luigi es de Roma y Michele es de Paris. Él habla _____ y ella habla _____ .
2. No vivimos en un apartamento; vivimos en la _____ .
3. ¡_____ ! Hoy es el _____ día para _____ la matrícula.
4. Ellos _____ sándwiches y _____ café.
5. Necesito veinticinco _____ porque ellos no _____ cheques.
6. _____ tiene el recibo, señora.
7. ¿ _____ Ud. tomar una _____ de café?
8. Ella _____ el horario en el cuaderno.
9. Yo _____ pagar veinte dólares por _____ unidad.
10. María es de La Habana; es _____ . Susan es de Montana; es _____ .
11. La _____ para conducir es una _____ .
12. El _____ de Portugal es el _____ .
13. _____ siempre, ellos comen en la cafetería.
14. Andrés es el _____ de Rebeca.

¡Vamos a conversar!

A. What happens on registration day? Base your answers on the dialogue.

1. ¿Cuándo es el último día para pagar la matrícula? EL ÚLTIMO DÍA PAGAR ES HOY,
2. ¿Cuánto debe pagar Juan por cada unidad? JUAN PAGA TREINTA DOLARES POR UNIDAD
3. ¿Juan es residente? SÍ, JUAN ES RESIDENTE
4. ¿Qué necesita Juan? JUAN NECESITA UNA IDENTIFICACIÓN
5. ¿La licencia para conducir es suficiente? SI, LA LICENCIA PARA CONDUCIR ES SUFICIENTE,
6. ¿Dónde escribe Juan el horario de clases? JUAN ESCRIBE EL HORARIO DE CLASES EL CUADERNO
7. ¿Dónde deciden comer Juan y Roberto? JUAN Y ROB. DECIDEN COMER EN LA CAFETERIA.
8. ¿Con quién hablan en la cafetería? HABLAN CON OLGA.
9. ¿Olga es norteamericana o cubana? OLGA ES NORTEAMERICANA
10. ¿Vive Olga en la residencia universitaria? NO, OLGA VIVE EN UN APARTAMENTO
11. ¿Qué idiomas toma Olga este trimestre? OLGA TOMA FRANCÉS, ITALIANO Y PORTUGUES,
12. ¿Por qué no desea Juan una taza de café? JUAN NO BEBE CAFÉ
13. ¿Cuándo corren Olga y Juan? OLGA Y JUAN CORREN MAÑANA, POR LA MAÑANA
14. ¿A qué hora corren? CORREN A LAS SEIS, COMO SIEMPRE.

B. Choose a partner and then practice interviewing each other using **tú.**

Pregúntele a su compañero(-a) de clase...

1. ... si (*if*) es norteamericano(-a)
2. ... si es residente de... (*your state*)
3. ... dónde vive
4. ... si vive cerca de la universidad
5. ... cuántas unidades toma este trimestre (semestre)
6. ... qué idiomas toma este trimestre (semestre)
7. ... qué clases toma este trimestre (semestre)
8. ... si escribe en inglés o en español
9. ... dónde come
10. ... si desea una taza de café

En una cafetería cubana, en Miami. ¿Qué crees tú que comen y beben estos hombres?

Situaciones

You find yourself in the following situations. What do you say? What might the other person say?

1. You need to find out when the last day to pay registration is, and how much you have to pay for each unit.
2. You are at a store. You want to know if they accept checks there and, if so, whether you need identification.
3. You are telling a little about yourself to someone you just met: where you are from, where you live, and what classes you are taking.

Adaptación del diálogo

With a classmate, adapt the dialogues at the beginning of this lesson by making the following changes.

Cambien (*Change*):

1. cuánto debe pagar Juan por cada unidad
2. el estado (*state*) de origen de Olga
3. el lugar donde vive Olga
4. los idiomas que toma Olga. *Some possibilities:* **ruso** (*Russian*), **alemán** (*German*), **chino** (*Chinese*), **hebreo** (*Hebrew*), **japonés** (*Japanese*)
5. lo que *no* bebe Juan
6. cuándo corren

Para escribir (*To write*)

You are writing to a new pen-pal. Tell him (her) something about yourself.

1. your name
2. where you are from
3. which state you are a resident of
4. the city where you live
5. at which university you study
6. what languages you study

En la residencia universitaria

3

Dos estudiantes hablan en una universidad en San Juan, Puerto Rico. Mario acaba de llegar a su habitación, y allí conoce a Gustavo, su compañero de cuarto.

En el cuarto:

| Mario | — Yo soy Mario Aranda. Creo que somos compañeros de cuarto. |
| Gustavo | — Sí. Gustavo Allende. ¡Bienvenido! |

(Mario y Gustavo conversan un rato mientras esperan a Carmen, la novia de Gustavo, que asiste a la misma universidad.)

Mario	— ¿Dónde pongo mi ropa?
Gustavo	— Aquí, en el armario.
Mario	— ¿Cuál es mi cama?
Gustavo	— Esta. Tienes que poner tus maletas debajo de la cama.

Mario	— ¿Por qué?
Gustavo	— Porque no tenemos mucho espacio.
Mario	— ¿Pongo mis libros en el estante?
Gustavo	— Sí. Oye, Carmen no viene. ¿Vamos al salón de recreo? Allí llamo a Carmen y tomamos algo.

En el salón de recreo, Mario conoce a la novia de Gustavo, que es la hija del profesor Torres.

Gustavo	— ¿Deseas comer algo, Carmen?
Carmen	— No, no tengo hambre, pero tengo sed...
Gustavo	— ¿Qué deseas tomar?
Carmen	— Jugo de naranja. *(A Mario)* ¿De qué universidad vienes?
Mario	— De la Universidad de Caracas.
Carmen	— ¿Cuál es tu especialización?
Mario	— Ciencias económicas.
Gustavo	— ¿Qué asignaturas tienes que tomar?
Mario	— Estadística, contabilidad y dos requisitos, inglés y una ciencia.
Carmen	— ¿Ya sabes quién es tu consejero?
Mario	— Sí, el doctor González.

IN THE DORM

Two students talk at a university in San Juan, Puerto Rico. Mario has just arrived at his room, and there he meets Gustavo, his roommate.

In the room:

M: I'm Mario Aranda. I think we're roommates.

G: Yes. Gustavo Allende. Welcome!

(Mario and Gustavo talk for a while while they wait for Carmen, Gustavo's girlfriend, who attends the same university.)

M: Where shall I put my clothes?

G: Here, in the closet.

M: Which (one) is my bed?

G: This one. You have to put your suitcases under the bed.

M: Why?

G: Because we don't have much room.

M: Shall I put my books on the shelf?

G: Yes. Listen, Carmen isn't coming. Shall we go to the recreation room? I'll call Carmen there, and we'll have something to drink.

In the recreation room, Mario meets Gustavo's girlfriend, who is Professor Torres's daughter.

G: Do you want to eat something?

C: No, I'm not hungry, but I'm thirsty . . .

G: What do you want to drink?

C: Orange juice. *(To Mario)* What university do you come from?

M: From the University of Caracas.

C: What's your major?

M: Economics.

G: What courses do you have to take?

M: Statistics, accounting and two requirements, English and a science class.

C: Do you already know who your advisor is?

M: Yes, Dr. González.

VOCABULARIO

Cognados

el espacio space	**mucho(-a)** much,
la idea idea	a lot (of)

NOMBRES

el armario, el ropero closet
la cama bed
las ciencias económicas economics
el, la compañero(-a) de cuarto roommate
el, la consejero(-a) advisor
el cuarto, la habitación room
la especialización major
el estante shelf
la hija[1] daughter
el hijo[1] son
el jugo de naranja orange juice
la maleta, la valija suitcase
el requisito requirement
la ropa[2] clothes
el salón de recreo recreation room

VERBOS

asistir (a) to attend
conocer (yo conozco)[3] to meet; to be acquainted with; to know
creer to think, believe
esperar to wait for
llamar to call, to telephone
llegar (a) to arrive (at)
poner (yo pongo)[3] to put, place

saber (yo sé)[3] to know (*a fact; how to do something*)
tener to have ⎫ STEM CHANGING
venir to come ⎭ VERBS

ADJETIVOS

algunos(-as) some
mismo(-a) same

OTRAS PALABRAS Y EXPRESIONES

acabar de + *infinitive* to have just + *past participle*
aquí here
¡Bienvenido(-a)! Welcome!
comer algo to have something to eat
esta(-e) this (one)
mientras while
que that, who
tener hambre to be hungry
tener que + *infinitive* to have to + *infinitive*
tener sed to be thirsty
tomar algo to have something to drink
un rato a while
¿Vamos...? Shall we go . . . ?

[1]**Hijos** is also the equivalent of *children* (sons and daughters).
[2]**Ropa** is always used in the singular.
[3]These verbs are only irregular in the first person **(yo).** All other forms are regular.

Notas culturales

1. Puerto Rico, one of the islands comprising the **Antillas Mayores,** was discovered by Columbus during his second voyage to the New World and was later colonized by **Juan Ponce de León.** History tells us that upon his arrival, at the sight of Puerto Rico's beautiful bay, Ponce de León exclaimed: **"¡Qué puerto rico!"** (*What a rich port!*) Thus the island called **San Juan Bautista** by Columbus received the name by which it is known today. However, many Puerto Ricans prefer the Indian name for the island, **Borinquen,** and refer to themselves as **boricuas.**

Since 1952 Puerto Rico has been a Free Associated Commonwealth of the United States.Puerto Ricans, who are citizens of the United States, vote in all national elections and are free to enter the United States without visas. **San Juan,** the island's capital and largest city, combines the comfort of a modern city with the charm of its colonial past as a major port of trade between Spain and its colonies in the New World. One of the city's major tourist attractions is **el Morro,** a fortress built by the Spaniards to defend the port from attacks by the corsairs and pirates that roamed the seas during the period when Spain governed the island.

Dos estudiantes de la Universidad de Puerto Rico, en San Juan, celebrando (*celebrating*) el fin de curso.

Futuros abogados *(lawyers)* en la Facultad de
Derecho en Salamanca, España.

2. Education.   Although the systems of
education in the various Spanish-speaking
countries of the world are not identical, certain
general similarities among them are perceptible.
In most cases, elementary education **(la escuela
primaria)** is completed in the first six years.
Secondary schools, called **colegios** or **liceos,**
provide education equivalent to that received
in the United States in junior and senior high
schools.

Before starting their secondary education,
students face several choices. They may attend a
business school **(escuela comercial),** where
they will prepare to work as bookkeepers or to
enter the university's School of Economics. Or
they may enter a normal school **(escuela
normal)** for training as elementary school
teachers or preparation for admission to the
School of Education. Or finally, they may
choose to learn a trade, such as carpentry,
electricity or plumbing, at a technical or
vocational school. College-bound students may
prefer to continue their studies at a preparatory
school **(escuela preparatoria** or **instituto),**
which confers upon its graduates the degree of a
Bachiller. In some countries, students must
choose to concentrate their studies either in the
sciences or the humanities at this time; many
solve this dilemma by opting to study for
degrees in both areas at once.

Universities are generally divided into
facultades: the **Facultad de Medicina** (*Medical
School*), the **Facultad de Derecho** (*Law
School*), the **Facultad de Filosofía y Letras**
(*School of Liberal Arts*), the **Facultad de
Ciencias Económicas** (*School of Economics*),
and so on. The concept of major and minor
fields of study does not exist in Hispanic
educational systems because university students
take only subjects directly related to their field.

Pronunciación

In Spanish, **b** and **v** have the same bilabial sound.[1] To practice this sound, pronounce the following words, paying particular attention to the sound of **b** and **v**.

b	**v**
aca**b**a	Gusta**v**o
ha**b**itación	con**v**ersar
de**b**ajo	no**v**ia
buenos	**v**amos
biología	**v**aso
bienvenido	

Puntos para recordar

A. The Present Indicative of *tener* and *venir*
(*El presente de indicativo de* **tener** *y* **venir**)

tener (*to have*)		**venir** (*to come*)	
yo	**tengo**	yo	**vengo**
tú	**tienes**	tú	**vienes**
Ud.		Ud.	
él	**tiene**	él	**viene**
ella		ella	
nosotros	**tenemos**	nosotros	**venimos**
vosotros	**tenéis**	vosotros	**venís**
Uds.		Uds.	
ellos	**tienen**	ellos	**vienen**
ellas		ellas	

— ¿**Tienen** Uds. salón de recreo?   *Do you **have** a recreation room?*
— No, no **tenemos** salón de recreo.   *No, we don't **have** a recreation room.*

— ¿**Vienes** mañana?   *Are **you coming** tomorrow?*
— No, **vengo** el jueves.   *No, **I'm coming** on Thursday.*

— ¿Cuántas materias **tienes que tomar**?   *How many courses **do you have to take**?*
— **Tengo que tomar** cuatro materias.   *I **have to take** four courses.*

[1]See Appendix A for further explanation of bilabial sounds.

1. Note that in Spanish the construction **tener que** + infinitive is used to express the English concept *to have to* + infinitive.

Tengo que	tomar	cuatro materias.
I have	*to take*	*four courses.*

■ ¡Vamos a practicar! ■

A.   Replace the italicized words with each of the suggested subjects.

1. *Clara* tiene dos maletas.
   (Yo, Nosotros, Ellos, Tú, Ud.)
2. *Yo* vengo con el consejero.
   (Mi compañero de cuarto, Eva y yo, Uds., Tú)
3. *Ellos* tienen que estudiar.
   (Ana, Yo, Nosotros, Tú)

B.   Supply the missing forms of **tener** and **venir** to complete these dialogues.

1. — ¿Cuándo _____ Uds.?
   — Mi novia _____ el sábado y yo _____ el domingo.
   — ¿Con quién _____ tú?
   — _____ con Marta.
   — ¿Cuántas maletas _____ (tú)?
   — _____ dos.
2. — ¿Tú _____ a la clase de biología mañana?
   — No, porque _____ que estudiar ciencias económicas.
3. — ¿Dónde ponen Uds. la ropa?
   — _____ que poner la ropa en el ropero.

4. — ¿Cuántas habitaciones _____ la residencia?
   — _____ doscientas habitaciones.
5. — ¿Cuándo _____ que venir Uds.?
   — Yo _____ que venir mañana y Rosa _____ que venir el jueves.

B. Expressions with *tener* (*Expresiones con tener*)

The following idiomatic expressions are formed with **tener.**

tener (mucho) frío	to be (very) cold
tener (mucha) sed	to be (very) thirsty
tener (mucha) hambre	to be (very) hungry
tener (mucho) calor	to be (very) hot
tener (mucho) sueño	to be (very) sleepy
tener prisa	to be in a hurry
tener miedo	to be afraid, scared
tener razón	to be right
no tener razón	to be wrong
tener ... años (de edad)	to be . . . years old

— **¿Tienes hambre?**   *Are you hungry?*
— No, pero **tengo** mucha **sed.**   *No, but I am very thirsty.*

— ¿Cuántos **años tiene** Eva?   *How old is Eva?*
— **Tiene** veinte **años.**   *She is twenty years old.*

■ ¡Vamos a practicar! ■

A. **¿Qué tienen?** Answer the question according to the illustrations below, using an expression with **tener.**

B. Tell us why you are or are not doing the following.

   1. ¿Por qué no abres las ventanas?
   2. ¿Por qué corres?
   3. ¿Por qué no comes algo?
   4. ¿Por qué tomas jugo de naranja?
   5. ¿Por qué abres las ventanas?

C. Tell your English-speaking friend how to say the following in Spanish.

   1. Helena is twenty years old.
   2. You're right, Miss Peña.
   3. I'm scared.
   4. Are you in a hurry, Doctor Valdés?
   5. We are very sleepy.

C. Personal *a* (*La a personal*)

The preposition **a** is used in Spanish before a direct object (recipient of the action expressed by the verb) when the direct object is a specific person or group of persons. When the preposition **a** is used in this way, it is called *personal* **a** and has no English equivalent.

(Direct object)

Yo conozco | a | Roberto.
I know | | Robert.

— ¿A quién espera Gustavo?   *Who's Gustavo waiting for?*
— Espera **a** Carmen.   *He's waiting for Carmen.*

1. Personal **a** is *not* used when the direct object is a thing or place.

Yo conozco   Los Ángeles.
I know   *Los Angeles.*

2. Personal **a** is seldom used following the verb **tener** even if the direct object is a person or group of persons.

Tengo dos hijos.   *I have two children.*

Paco espera a Olga

■ ¡Vamos a practicar! ■

A. Add personal **a** to the following sentences, when appropriate.

1. Yo no conozco _____ Julián.
2. Tengo _____ tres hijos.
3. Espero _____ un taxi.
4. ¿Tú conoces _____ Madrid?
5. Tenemos _____ un compañero de cuarto.
6. ¿Esperamos _____ Teresa y _____ Rosa un rato?
7. Ellos llaman _____ los estudiantes.
8. ¿Comemos algo mientras esperamos _____ Paco?

B. You are the interpreter. What are these people saying? (Remember to use the Spanish dialogue dash before each sentence.)

   1. "Do you know Raquel's children?"
      "I know Elena, but I don't know Luis."
      "How many children does Elena have?"
      "She doesn't have (any) children."
   2. "Are you waiting for Teresa?"
      "No, I'm waiting for Lupe."

D. **Possessive Adjectives** (*Los adjetivos posesivos*)

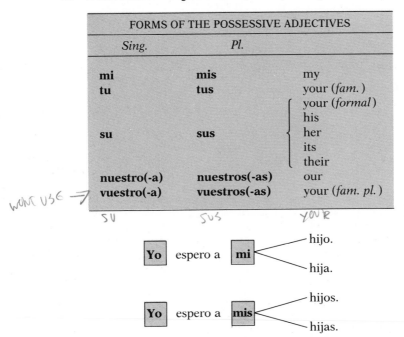

FORMS OF THE POSSESSIVE ADJECTIVES		
Sing.	*Pl.*	
mi	**mis**	my
tu	**tus**	your (*fam.*)
su	**sus**	your (*formal*)
		his
		her
		its
		their
nuestro(-a)	**nuestros(-as)**	our
vuestro(-a)	**vuestros(-as)**	your (*fam. pl.*)

WONT USE →

SU   SUS   YOUR

Yo espero a mi — hijo. / hija.

Yo espero a mis — hijos. / hijas.

   1. Possessive adjectives always precede the nouns they introduce and are never given vocal emphasis in Spanish as they sometimes are in English.

All of the Spanish possessive adjectives agree in number (singular or plural) with the nouns they precede.

2. Two of the possessive adjectives, **nuestro(s)** and **vuestro(s)** also have feminine forms, **nuestra(s)** and **vuestra(s).** These two possessive adjectives must agree with the nouns they precede in gender, as well as in number.

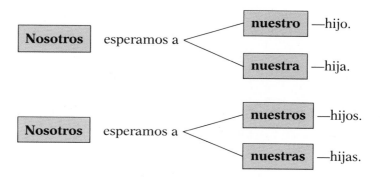

| Nosotros | esperamos a | **nuestro** —hijo. |
| | | **nuestra** —hija. |

| Nosotros | esperamos a | **nuestros** —hijos. |
| | | **nuestras** —hijas. |

3. Note that possessive adjectives agree with the thing possessed and *not* with the possessor.

4. Because **su** and **sus** each have several possible meanings, the forms **de él, de ella, de ellos, de ellas, de Ud.,** or **de Uds.** can be substituted to avoid confusion. The "formula" is: *article + noun +* **de** *+ pronoun.*

— ¿Es la valija **de él?**   *Is it **his** suitcase?*
— Sí, **es su** valija.   *Yes, it's **his** suitcase.*

■ **¡Vamos a practicar!** ■

A. Complete each sentence with the correct form of the appropriate possessive adjective. Add alternative forms to express possession where they are requested.

MODELO: Yo tengo un novio. Es _____ novio.
          Yo tengo un novio. Es mi novio.

1. Ella tiene dos armarios. Son _____ armarios. (*or:* Son los armarios ___ ___.)
2. Nosotros tenemos una cama. Es _____ cama.
3. Yo tengo tres estantes. Son _____ estantes.
4. Él tiene mucha ropa. Es _____ ropa. (*or:* Es la ropa ___ ___.)
5. Tú tienes un cuarto. Es _____ cuarto.
6. Nosotros tenemos tres profesoras. Son _____ profesoras.
7. Ellos tienen una biblioteca. Es _____ biblioteca. (*or:* Es la biblioteca ___ ___.)
8. Nosotros tenemos un escritorio. Es _____ escritorio.

B. Answer our questions using the appropriate possessive adjective.

1. ¿Cuál es tu especialización? ¿El español?
2. ¿A qué hora termina tu clase de español?
3. ¿Quién es el profesor (la profesora) de español de Uds.?
4. ¿Dónde ponen Uds. su ropa?
5. ¿Tu compañero(-a) de cuarto tiene que hablar con su consejero(-a)?
6. ¿Los profesores de Uds. son norteamericanos?

E. **The Contractions** *al* **and** *del* (*Las contracciones* **al** *y* **del**)

1. The preposition **a** and the article **el** contract to form **al.**

   TO或 AT

   Esperamos   **a**   +   **el**   profesor.

   Esperamos   **al**   profesor.

2. Similarly, the preposition **de** may never be followed by the definite article **el.** Instead, **de** + **el** contract to form **del.**

   Tiene los libros   **de**   +   **el**   profesor.

   Tiene los libros   **del**   profesor.

PERSONAL A - USED IN FRONT OF DIRECT OBJECT WHEN THE OBJECT IS A PERSON

¡ATENCIÓN! **A** + **el** and **de** + **el** must *always* be contracted to **al** and **del.**

— ¿Vienes **del** laboratorio?	*Are you coming **from** the lab?*
— No, vengo **de la** biblioteca.	*No, I'm coming **from** the library.*
— ¿Vamos **al** salón de recreo?	*Shall we go **to** the recreation room?*
— Bueno, vamos a tomar algo.	*Okay, let's go have something to drink.*

None of the other combinations of preposition and definite article **(de la, de los, de las, a la, a los, a las)** is contracted.

El hijo **de la** profesora viene **a la** clase de español.

EX: PACO ESPERA A MARTA
OR A MARTA ESPERA PACO
BOTH MEAN: PACO WAITS FOR MARTA

¿Vamos al laboratorio de lenguas?

■ **¡Vamos a practicar!** ■

A. Complete the following sentences with **al, a la, a los, a las, del, de la, de los,** or **de las.**

1. ¿Vamos _____ cuarto de Rosa?
2. Tengo el lápiz _____ profesor.
3. Ella llama _____ novia de Juan.
4. Vengo _____ laboratorio de lenguas.
5. Tenemos los mapas _____ señor Quiroga.
6. Vamos _____ salón de recreo.
7. Vienen _____ clase de computadores.
8. Pagan la matrícula _____ trimestre.
9. No conocemos _____ hijas _____ señora Rojas.
10. ¿Esperas _____ profesor?

B. Answer these questions, using the cues provided.

1. ¿De dónde vienes?   (el hospital)
2. ¿A quién llamas?   (la señorita Soto)
3. ¿A quién esperas?   (el señor Vega)
4. ¿A quién llamas?   (los estudiantes)
5. ¿De dónde viene el profesor?   (la clase)
6. ¿A qué universidad asistes?   (la Universidad de Puerto Rico)

F. *Saber* vs. *conocer*

The verb *to know* has two Spanish equivalents: **saber** and **conocer.**

1. Saber means to know something by heart, to know how to do something, or to know a fact (information).

ExQUALLY
sé
sabes
sabe
sabemos
sabéis
saben

— **¿Sabes** el poema
    «The Raven» de
    memoria?
— ¡No!

*Do you know the poem
"The Raven" by heart?*

No!

— ¿Ana **sabe** hablar
    francés?
— No muy bien...

*Does Ana know how to speak
French?*
Not very well . . .

— ¿Ud. **sabe** el número de
    teléfono de David?
— Sí, es ocho-dos-seis-cero-
    dos-uno-cinco.

*Do you know David's phone
number?*
*Yes, it's eight-two-six-zero-
two-one-five.*

2. Conocer means to be familiar or acquainted with a person, a thing, or a place.

conozco
conoces
conoce
conocemos
conocéis
conocen

— **¿Conoces** a Hugo?
— Sí, es el compañero
    de cuarto de Alberto.

Do you know Hugo?
Yes, he's Alberto's roommate.

— **¿Conocen** Uds. las
    novelas de Cervantes?
— Sí, **conocemos** algunas.

*Are you acquainted with
Cervantes' novels?*
Yes, we know some of them.

— **¿Conoces** San Francisco?

— Sí, es una ciudad muy
    interesante.

*Have you been to (Do you know)
San Francisco?*
Yes, it is a very interesting city.

■ **¡Vamos a practicar!** ■

Choose a partner and interview each other, using the **tú** form. Ask if the other *knows* the following:

1. el número de teléfono de la universidad
2. Buenos Aires
3. las novelas de Hemingway
4. hablar italiano
5. a la mamá de usted
6. el poema «The Raven» de memoria
7. dónde vive el profesor (la profesora) de español
8. escribir en francés
9. cuál es la especialización de usted
10. al consejero (a la consejera) de usted

Y AHORA, ¿QUÉ?

Palabras y más palabras

Find the missing word in each sentence.

1. Pongo la ropa aquí en el _____ y los libros en el _____ .
2. Tienes que poner las maletas _____ de la cama porque no tenemos mucho _____ en el cuarto.
3. Yo converso con Elsa, mi _____ de cuarto, en el salón de _____ .
4. ¿_____ a tomar _____ ?
5. La profesora _____ de llegar a la clase.
6. ¡Sí! Ella estudia _____ económicas.
7. Su _____ es física.
8. Yo no _____ a la señora Torres. No sé quién es.
9. ¿Tú eres el novio de mi compañera de cuarto? ¡ _____ !
10. Tengo dos hijos: un _____ y una _____ .
11. Conversamos un _____ mientras _____ al consejero. Él viene a las cuatro.
12. Tú tienes _____ tomar inglés porque es un _____ .
13. ¿Desea tomar _____ de naranja?
14. Yo _____ a la Universidad de Asunción.
15. Juan y yo tenemos la misma profesora de ciencias económicas. _____ profesora es la doctora Carreras.

¡Vamos a conversar!

A. What happens in the dorm? Base your answers on the dialogues.

1. ¿A dónde acaba de llegar Mario?
2. ¿Quién es Gustavo Allende?
3. ¿A quién esperan Mario y Gustavo?
4. ¿Dónde pone Mario su ropa?
5. ¿Por qué tiene que poner las maletas debajo de la cama?
6. ¿Qué pone Mario en el estante?
7. ¿A quién conoce Mario en el salón de recreo?
8. ¿Por qué no desea comer Carmen?
9. ¿Qué desea tomar? ¿Por qué?
10. ¿De qué universidad viene Mario?
11. ¿Cuál es la especialización de Mario?
12. ¿Qué requisitos tiene que tomar Mario?
13. ¿Sabe Mario quién es su consejero?
14. ¿Quién es el consejero de Mario?

B. Choose a partner, then interview each other using the **tú** form.

Pregúntele a su compañero(-a) de clase...

1. ...si conoce al novio (a la novia) de su compañera(-o) de cuarto
2. ...dónde pone su ropa
3. ...dónde pone sus libros
4. ...si tiene mucho espacio en su cuarto
5. ...si pone sus maletas debajo de la cama
6. ...si su especialización es ciencias económicas (biología, química, física)
7. ...si tiene que tomar algunos requisitos
8. ...quién es su consejero
9. ...si tiene sed (hambre)
10. ...si tiene frío o calor
11. ...cuántos años tiene
12. ...si tiene sueño

Situaciones

You find yourself in the following situations. What do you say? What might the other person say?

1. You have a new roommate. Introduce yourself and welcome him or her to the university.
2. You are moving into a new apartment. Ask your roommate where to put your things. Then suggest you both go to have something to eat.
3. Give your roommate some information about yourself: what city you come from, what your major is, and who your girlfriend or boyfriend is (if you have one).
4. Someone asks you to go to the cafeteria, but you have only five minutes to get to your next class. Arrange to go to the cafeteria at another time.

Adaptación del dialogo

With a classmate, adapt the dialogue at the beginning of this lesson by making the following changes.

Cambien:

1. el lugar donde Mario y Gustavo toman algo
2. lo que desea tomar Carmen
3. la universidad de donde viene Mario
4. la especialización de Mario
5. los requisitos que tiene que tomar Mario
6. el nombre de su consejero
7. lo que desea tomar Carmen

Para escribir

Compare your own circumstances to those of Mario, Gustavo and Carmen by completing the following statements. Use **también** when appropriate.

1. Mario, Gustavo y Carmen asisten a la Universidad de San Juan. Yo...
2. Mario necesita un compañero de cuarto. Yo...
3. La novia de Gustavo se llama Carmen. Mi novio(a)...
4. Mario y Gustavo ponen su ropa en el ropero. Yo...
5. Mario y Gustavo no tienen mucho espacio en su habitación. Yo...
6. La especialización de Mario es ciencias económicas. Mi especialización...
7. Mario tiene que tomar algunos requisitos. Yo...
8. El consejero de Mario es el doctor González. Mi consejero...

4

Una fiesta de bienvenida

Eva llega a Quito y José Luis da una fiesta para ella.
Estela llama por teléfono a Pablo.

Estela	— Hola, ¿Pablo? Habla Estela.
Pablo	— Hola, ¿qué tal?
Estela	— Bien. Oye, José Luis da una fiesta de bienvenida para Eva. ¿Quieres ir?
Pablo	— Sí, cómo no. ¿Cuándo es?
Estela	— El[1] próximo sábado. Empieza a las ocho de la noche.
Pablo	— Gracias por la invitación. ¿Juan y Olga van también?
Estela	— No estoy segura, pero creo que piensan ir.
Pablo	— ¿Tú vas a llevar tus discos y tus cintas?

[1]Note the use of the definite article before the word **próximo.**

Estela	— Sí, pero el tocadiscos de José Luis no es muy bueno.
Pablo	— Si quieres, llevo mi tocadiscos.
Estela	— ¡Magnífico! Hasta el sábado[1] entonces.

THEN

Pablo y Estela están en la fiesta. Pablo es alto, moreno y guapo. Estela es una muchacha bonita: rubia, de[1] ojos azules, delgada, de estatura mediana. Los dos conversan mientras bailan.

Estela	— Tú conoces a Sandra, ¿no?
Pablo	— ¿La chica morena de ojos castaños y pelo negro?
Estela	— Sí. Ella estudia administración de negocios también.
Pablo	— Es muy inteligente y simpática. Oye, ¿tienes sed?
Estela	— Sí. ¿Quieres ponche?
Pablo	— No, prefiero cerveza o vino blanco.
Estela	— Bueno... , estoy cansada y tengo mucha hambre. ¿Qué tienen para comer?
Pablo	— Sándwiches, ensaladas, tortas...
Estela	— ¿Vamos?
Pablo	— ¿A dónde?
Estela	— ¡A comer algo!

[1]Note the use of the definite article before the word **sábado.**
[2]In this case **de** means *with.*

A WELCOME PARTY

Eva arrives in Quito and José Luis gives a party for her.
Estela phones Pablo.

E: Hello, Pablo? This is Estela speaking.

P: Hi, how's it going?

E: Fine. Listen, José Luis is giving a welcome party for Eva. Do you want to go?

P: Yes, sure. When is it?

E: Next Saturday. It starts at eight P.M.

P: Thanks for the invitation. Are Juan and Olga going too?

E: I'm not sure, but I think they're planning to go.

P: Are you going to take your records and your tapes?

E: Yes, but José Luis's record player isn't very good.

P: If you want, I'll take my record player.

E: Great! I'll see you Saturday, then.

Pablo and Estela are at the party.
Pablo is tall, dark and handsome.
Estela is a pretty girl: blonde with blue eyes, slim, of medium height.
The two talk while they are dancing.

E: — You know Sandra, don't you?

P: — The olive-skinned girl with brown eyes and black hair?

E: — Yes. She studies business administration, too.

P: — She's very intelligent and fun to be with. Listen, are you thirsty?

E: — Yes. Do you want (some) punch?

P: — No, I prefer beer or white wine.

E: — Well . . . , I'm tired and I'm very hungry. What do they have to eat?

P: — Sandwiches, salads, cakes . . .

E: — Shall we go?

P: — Where to?

E: — To have something to eat!

VOCABULARIO

Cognados

la ensalada salad	**el ponche** punch
inteligente intelligent	**el sándwich** sandwich
la invitación invitation	**el teléfono** telephone

NOMBRES

la cerveza beer
la cinta, el caset tape
la chica, la muchacha girl
el chico, el muchacho boy
el disco record
la fiesta party
los ojos eyes
el pelo hair
el tocadiscos record player
la torta cake
el vino wine

VERBOS

bailar to dance
dar to give
empezar[1] **(e>ie), comenzar**[1] **(e>ie)** to start, begin
estar to be
ir to go
llevar to take (*something or someone somewhere*)
pensar (e>ie) to think
pensar + *infinitive* to plan to + *infinitive*
preferir (e>ie) to prefer
querer (e>ie) to want

ADJETIVOS

alto(-a) tall
bonito(-a) pretty

cansado(-a) tired
castaño brown (*hair or eyes*)
delgado(-a) slim, thin
guapo(-a) handsome, good-looking
moreno(-a) dark; brunette
próximo(-a) next
rubio(-a) blond
seguro(-a) sure
simpático(-a) charming, nice, fun to be with

OTRAS PALABRAS Y EXPRESIONES

¿a dónde? (to) where?
cómo no of course, sure
de estatura mediana of medium height
entonces then
la fiesta de bienvenida welcome party
hasta until
llamar por teléfono to phone
magnífico great
o or
para comer to eat
por teléfono on the phone
¿Qué tal? How's it going?
si if

---

[1]**Empezar** and **comenzar** take the preposition **a** when followed by an infinitive: **Empiezan (Comienzan) a estudiar.**

Notas culturales

1. Quito (*pop.* 557,000), the capital of Ecuador, is located just south of the equator. It lies on the lower slopes of the Pichincha volcano, in a narrow Andean valley, at an altitude of 9,350 feet above sea level. Because of its elevation, Quito has a pleasant, moderate climate despite its proximity to the equator. Quito is the oldest of all South American capitals, and it still has much of the colonial atmosphere: old churches, peaceful squares, fountains, and steep, narrow streets. The first art school in South America was established in Quito in 1533. This marked the foundation of a religious art movement that flourished throughout the Spanish colonial period

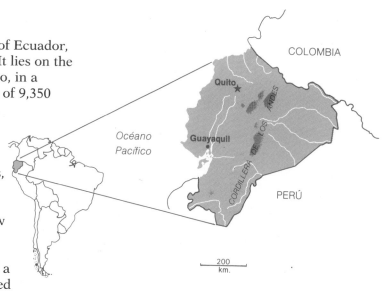

Gente caminando *(walking)* y haciendo compras *(shopping)* en una calle de Quito, capital de Ecuador

and produced paintings and sculpture that were unequaled in the New World. Quito is also one of Ecuador's two major industrial centers, and textiles, leather, gold, and silver objets d'art are produced there. Ecuador enjoys the distinction of being the first Latin American nation to grant women the right to vote in 1929.

2. In Spanish-speaking countries, a student's social life does not necessarily revolve around the university. However, university students take an active part in politics. They often organize student strikes, join workers' strikes or stage demonstrations for social justice or to promote changes in government policies. In fact, many key political figures in Latin America began careers as political activists in university hallways.

Conversando o esperando el ómnibus en la Plaza de la Independencia en Quito, Ecuador

Pronunciación

In Spanish, **c** has two different sounds: [*s*] and [*k*]. The [*s*] sound occurs in **ce** and **ci,** the [*k*] sound in **ca, co, cu, cl,** and **cr.** Read the following words aloud.

[s]		[k]	
cerveza	**ci**encias	**Ca**rmen	**cu**ándo
gra**ci**as	ne**ce**sito	**ca**staño	**cl**ase
invita**ci**ón	li**ce**ncia	**có**mo	**cr**eo

Puntos para recordar

A. Formation of Adjectives and Agreement of Articles, Nouns and Adjectives (*La formación de adjetivos y la concordancia de artículos, nombres y adjetivos*)

1. Formation of adjectives

   a. Most adjectives in Spanish have two basic forms: the masculine form ending in **-o** and the feminine form ending in **-a.** Their corresponding plural forms end in **-os** and **-as,** respectively.

muchach**o** alt**o**	muchach**a** alt**a**
muchach**os** alt**os**	muchach**as** alt**as**

   b. When an adjective ends in **-e** or a consonant, the same form is normally used with both masculine and feminine nouns.

libro ver**de**	pluma ver**de**
lápiz az**ul**	tiza az**ul**

   The only exceptions are as follows:

   - Adjectives of nationality that end in a consonant have feminine forms ending in **-a.**

niñ**o** español	niñ**a** español**a**
señor inglés (*English*)	señora ingles**a**

   - Adjectives ending in **-or, -án, -ón** or **-ín** have feminine forms ending in **-a.**

el alumno trabajad**or**	the hardworking student
la alumna trabajad**ora**	

   c. In forming the plural, adjectives follow the same rules as nouns.

   alt**o** → alt**os**   fel**iz** (*happy*) → fel**ices**   az**ul** → az**ules**

d. In Spanish, qualifying adjectives (*tall, good,* and so on) generally *follow* nouns, while adjectives of quantity precede them.

Estela es una mujer **alta.**   *Estela is a **tall** woman.*
Tengo **tres** plumas.   *I have **three** pens.*

2. Agreement

In Spanish, the article, the noun, and the adjective agree in gender and number.

el chic**o** moren**o**   **los** chic**os** moren**os**
la chic**a** moren**a**   **las** chic**as** moren**as**

■ ¡Vamos a practicar! ■

Rewrite the following sentences according to the cues given in parentheses. Make all necessary changes.

1. Necesito *un lápiz rojo.*   (una pluma)
2. *La muchacha* española es muy inteligente.   (Los muchachos)
3. *La mujer* es alta y delgada.   (El hombre)
4. Tiene *el pelo* castaño.   (los ojos)
5. *La consejera* es inglesa.   (El señor Smith)
6. Son *unas chicas* muy simpáticas.   (un chico)
7. *La hija* es muy inteligente.   (El hijo)
8. *La valija* es azul.   (El teléfono)
9. *El novio* es rubio y muy guapo.   (La novia de Juan)
10. *La pluma* es verde.   (Los lápices)
11. Es *un chico* muy trabajador.   (una señora)
12. *Los hombres* son muy felices.   (La mujer)

B. The Present Indicative of *estar, ir,* and *dar*
(*El presente de indicativo de **estar, ir** y **dar***)

	ir (*to go*)	**dar** (*to give*)	**estar** (*to be*)
yo	**voy**	**doy**	**estoy**
tú	**vas**	**das**	**estás**
Ud. él ella	**va**	**da**	**está**
nosotros	**vamos**	**damos**	**estamos**
vosotros	**vais**	**dais**	**estáis**
Uds. ellos ellas	**van**	**dan**	**están**

— ¿Dónde **está** Aurora? *Where **is** Aurora?*
— **Está** en la biblioteca. ***She** is at the library.*
— ¿No **da** ella una fiesta hoy? *Isn't she **giving** a party today?*
— No, mañana. *No, tomorrow.*

— ¿Adónde **vas?** *Where are **you going** (to)?*
— **Voy** al laboratorio. ***I'm going** to the laboratory.*
— ¿No **estás** cansada? ***Aren't you** tired?*
— No, no **estoy** cansada. *No, **I am** not tired.*

¡ATENCIÓN! The verb **estar** is used to indicate location and current condition.

Location: Aurora está en la biblioteca.
Current condition: No estoy cansada.

■ ¡Vamos a practicar! ■

A.   Replace the italicized words with each of the suggested subjects.

1. *Oscar* da una fiesta hoy.   (Yo, Nosotros, Ellos, Tú, Ud.)
2. *Uds.* van al laboratorio.   (Carmen, Tú y yo, Ellos, Tú, Yo)
3. *Yo* estoy en la clase.   (El hombre, Nosotros, Tú, Uds.)

B.   Use your imagination to complete each sentence.

1. Roberto da diez dólares y nosotros...
2. Jorge está en la clase de literatura y yo...
3. Mi novio va a la fiesta y las chicas...
4. Carlos está cansado y nosotros también...
5. Yo doy una fiesta de bienvenida para los profesores y Uds. ...
6. Nosotros vamos a la cafetería y Uds. ...
7. Yo doy veinte dólares y tú...
8. La ropa está en el armario y los libros...
9. Tú vas al apartamento de Raúl y yo...
10. Yo estoy en la biblioteca y tú...

Esta hermosa plaza, rodeada de edificios de arquitectura colonial, está
en Quito, Ecuador.

C. *Ir a* + **Infinitive** (*Ir a más el infinitivo*)

The **ir a** + *infinitive* construction is used in Spanish to express future time. It is used much in the same way English uses the expression *to be going to* + *infinitive*.

ir (*conjugated*) + **a** + *infinitive.*
Voy　　　　　**a**　**estudiar.**
I am going　　　　　*to study.*

— ¿Tú **vas a bailar** con Jorge?　　　*Are you **going to dance** with Jorge?*

— No, **voy a bailar** con el hijo del profesor.　　　*No, I'm **going to dance** with the professor's son.*

Ahora voy a estudiar un poco.

■ ¡Vamos a practicar! ■

A. What is going to happen tomorrow?

1. Nosotros / llevar / los discos / a la fiesta
2. Yo / bailar / con Carlos
3. Tú / poner / las maletas / debajo de la cama
4. Él / dar / una fiesta
5. Ellas / llamar por teléfono / a Rosa
6. Ud. / terminar / la lección

B.   What reaction is each situation going to cause?

MODELO: Jorge is hungry.
           Jorge va a comer algo.

1. You have a test tomorrow.
2. Anita's boyfriend wants her to phone him.
3. You and I are very thirsty.
4. Your records are needed at a party.
5. Raquel and Luis are going to a dance.
6. Pedro thinks his roommate needs exercise and they decide to jog together.

D.   Stem-Changing Verbs: $e > ie$[1] (*Verbos que cambian en la raíz:* $e > ie$)

Spanish verbs have two parts: a stem and an ending (**-ar, -er,** or **-ir**). Some Spanish verbs undergo a change in stem in the present indicative tense. When **e** is the last stem vowel and is stressed, it changes to **ie** as shown below.

preferir (*to prefer*)			
yo	prefiero	nosotros	preferimos
tú	prefieres	vosotros	preferís
Ud.		Uds.	
él	prefiere	ellos	prefieren
ella		ellas	

1. Note that the stem vowel is not stressed in the verb forms used with **nosotros** and **vosotros;** therefore, the **e** does not change to **ie.**

2. Stem-changing verbs have regular endings like other **-ar, -er,** and **ir** verbs.

[1]In this lesson and subsequent lessons, the symbol > will be used in the **Vocabulario** to indicate any new verbs with stem changes. The vowel on the left is the vowel in the infinitive form, while the vowel(s) on the right represent(s) the change that takes place in the various present-tense forms (e.g., **e>ie**).

PARA EMPEZAR BIEN EL AÑO

lotería nacional
La Lotería
88

3. Other verbs that also change from **e** to **ie** are **pensar, querer, comenzar,** and **empezar.** For a complete list of stem-changing verbs, see Appendix B.

— ¿**Quieres** cerveza?

— No, **prefiero** vino.

*Do **you want** beer?*

*No, **I prefer** wine.*

— ¿**A qué hora comienzan** Uds. la clase?

— **Comenzamos** a las diez.

*At what time **do you begin** class?*

We begin at ten.

■ ¡Vamos a practicar! ■

A. Alicia and Sergio cannot agree on anything. Supply the correct form for each verb and act out the conversation with a classmate.

Alicia — ¿Tú _____ (pensar) ir a la fiesta de Olga?

Sergio — Yo no _____ (querer) ir a fiestas; _____ (preferir) ir a un restaurante con los muchachos.

Alicia — ¡Ellos también _____ (querer) ir a la fiesta!

Sergio — ¿A qué hora _____ (empezar) la fiesta?

Alicia — _____ (comenzar) a las nueve, pero Beatriz y yo _____ (querer) estar allí a las ocho porque tenemos que llevar las cintas.

Sergio — Carlos y yo _____ (pensar) ir a la biblioteca.

Alicia — ¡¿Uds. _____ (pensar) ir a la biblioteca hoy?! Entonces yo voy a la fiesta con Roberto.

Sergio — ¡Magnífico! Yo voy al restaurante con Marisa.

B.   Answer the following questions with complete sentences, using the illustrations as cues.

1. ¿Qué quieres tomar?

2. ¿A qué hora empieza la clase?

3. ¿A dónde quieren ir Uds.?

4. ¿Qué prefiere comer Adela?

5. ¿Cuándo comienzan las clases?

6. ¿Con quién piensas ir?

7. ¿Qué prefieren beber Uds.?

8. ¿En qué mes empieza el invierno?

E. The Cardinal Numbers 40 to 199
(*Los números cardinales 40 a 199*)

40	**cuarenta**	70	**setenta**
41	**cuarenta y uno**	80	**ochenta**
42	**cuarenta y dos**	90	**noventa**
49	**cuarenta y nueve**	100	**cien** (to)
50	**cincuenta**	101	**ciento uno**
51	**cincuenta y uno**	102	**ciento dos**
60	**sesenta**	199	**ciento noventa y nueve**

Hay muchas calles como esta — angostas *(narrow)* y empinadas *(steep)* — en el Ecuador.

■ **¡Vamos a practicar!** ■

A.   Tell us how much everything costs:

MODELO: — ¿Cuánto cuesta...?   *How much does . . . cost?*
         — Cuesta...dólares.   *It costs . . . dollars.*

1. ¿Cuánto cuesta el escritorio?   5. ¿Cuánto cuesta el tocadiscos?
2. ¿Cuánto cuesta el libro?   6. ¿Cuánto cuesta el reloj?
3. ¿Cuánto cuesta el vino?   7. ¿Cuánto cuesta la mesa?
4. ¿Cuánto cuesta la silla?   8. ¿Cuánto cuesta la pluma?

B.   Solve the following mathematical problems in Spanish. Remember
     that + means **y** or **más** and − means **menos.**

1. 30 + 115 =   6. 81 − 9 =
2. 25 + 15 =   7. 100 − 40 =
3. 65 + 25 =   8. 67 − 17 =
4. 70 + 12 =   9. 95 − 20 =
5. 80 + 20 =   10. 75 − 35 =

Y AHORA, ¿QUÉ?

Palabras y más palabras

Find the missing word in each sentence.

1. Tengo una _____ para ir a la fiesta de bienvenida.
2. Es alto y moreno y tiene _____ castaños.
3. Necesito llamar al profesor Vera por _____ .
4. —¿Quieres bailar?
   —Sí, ¡_____ no!
5. La fiesta es el _____ sábado.
6. _____ mañana, y muchas _____ por la invitación.
7. No _____ segura, pero creo que piensan ir.
8. Hola, Roberto. ¿Qué _____?
9. ¿Qué tienen Uds. _____ _____? ¿Ensalada?
10. Ella es una _____ bonita.
11. Antonio no _____ bailar porque _____ muy cansado.
12. ¿Es _____ o moreno?
13. Mi novio es un _____ guapo y simpático.
14. Ella come mucho, pero es muy _____.
15. ¿A quién vas a _____ a la fiesta?
16. No quiero discos; prefiero _____.

¡Vamos a conversar!

A. What happens before and during the party? Base your answers on the dialogues.

1. ¿Quién llama a Pablo por teléfono?
2. ¿Qué día es la fiesta de bienvenida?
3. ¿A qué hora empieza la fiesta?
4. ¿Juan y Olga van a la fiesta? ¿Qué cree Estela?
5. ¿Qué lleva Estela a la fiesta?
6. ¿Qué lleva Pablo?
7. ¿Cómo es Pablo? ¿y Estela?
8. ¿Sandra es rubia o morena? ¿Tiene ojos azules?
9. ¿Qué estudia Sandra?
10. ¿Qué prefiere beber Pablo?
11. ¿Quién está cansada y tiene hambre?

B. Choose a partner, then interview each other using the **tú** form.

Pregúntele a su compañero(-a) de clase...

1. ... si piensa dar una fiesta
2. ... si llama a su novio(-a) por teléfono
3. ... a dónde quiere ir el próximo sábado

4.   ... a qué hora empiezan sus clases
5.   ... cómo es su novio(-a)
6.   ... si su novio(-a) es inteligente y simpático(-a)
7.   ... a dónde va a ir con su novio(-a)
8.   ... si prefiere beber cerveza, vino o leche
9.   ... si prefiere comer sándwiches o ensalada
10.   ... si desea torta
11.   ... si tiene discos o cintas en español
12.   ... si tiene un tocadiscos en su habitación

Cuando vd. piensa dejarnos

Situaciones

You find yourself in the following situations. What do you say? What might the other person say?

1. You want to invite a friend to go to a party with you next Friday.
2. Someone asks you to go to a party. Find out when it is and at what time it starts. Then accept and thank the person for inviting you.
3. You are hosting a party. Ask your guests what they prefer to eat and drink.
4. You are trying to convince a friend to go on a blind date with someone you have just recently met. Describe your new acquaintance to your friend.

Regateando *(Bargaining)* en un mercado al aire libre en Otavalo, Ecuador.

LA NAVIDAD

Adaptación del diálogo

With a classmate, adapt the dialogues at the beginning of this lesson by making the following changes.

Cambien:

1. el nombre de la persona que da la fiesta
2. el día de la fiesta
3. la hora en que empieza
4. quienes van también
5. lo que va a llevar Pablo
6. lo que va a llevar Estela
7. la apariencia (appearance) de Pablo
8. la apariencia de Estela
9. la apariencia de Sandra
10. lo que estudia Sandra
11. lo que prefiere beber Pablo

Para escribir

You are planning a welcome party. Tell us about your plans. (For additional vocabulary, you may wish to refer to the **Un paso más** section.)

1. Who is the party for?
2. When is it? What time does it start?
3. Where is it?
4. Who is going to be there?
5. Are you going to have tapes or records?
6. What are you going to serve (servir)?

Un paso más

Learn some additional words and phrases that relate to the ones you have acquired in this unit.

◆ Ordering drinks

yo quiero una taza de
{
café
té — *tea*
chocolate caliente — *hot chocolate*
café con leche — *coffee and milk*
}

yo deseo un vaso de
{
agua con hielo — *iced water*
leche
cerveza
té helado, té frío — *iced tea*
}

yo quiero un vaso de jugo de
{
manzana — *apple*
naranja
tomate
toronja — *grapefruit*
uvas — *grapes*
}

yo deseo una botella de agua mineral
    (*a bottle of*)

yo quiero una botella de vino
{
blanco
rosado — *rosé*
tinto — *red*
}

◆ Asking someone out

¿Quieres ir
{
a un concierto? — *concert*
al cine? — *movies*
a un club nocturno? — *night club*
de picnic? — *on a picnic*
al teatro? — *theatre*
al parque de diversiones? — *amusement park*
a bailar? — *to dance*
a cenar? — *to dinner*
}

¿Qué deciden...?

A. Choose what you will have to drink according to the circumstances described in each case. Then indicate your choice, using **Voy a tomar...**

1. You are allergic to citrus fruit.
   a. un vaso de jugo de toronja
   b. un vaso de jugo de manzana
   c. un vaso de jugo de naranja
2. You are very hot and thirsty.
   a. una taza de chocolate caliente
   b. un vaso de té helado
   c. una taza de café
3. You don't drink alcohol.
   a. una botella de agua mineral
   b. una botella de cerveza
   c. un vaso de vino tinto
4. You're having breakfast in Madrid.
   a. un vaso de vino rosado
   b. un vaso de agua con hielo
   c. una taza de café con leche
5. It's a cold winter night.
   a. un vaso de jugo de uvas
   b. una taza de chocolate caliente
   c. un vaso de leche fría

B. Your friend has accepted your invitation. Where are you going to go? Begin your answers with: **Vamos a ir...**

1. You want to see a good movie.
2. You want to see a play.
3. You want to go to Disneyland.
4. You want to do the **salsa.**
5. You want to go to dinner.
6. You want to hear good music.
7. You want to have lunch and commune with nature.
8. You want to go someplace to dance.

¡VAMOS A LEER!

Una carta de Mario

20 de septiembre de 1988

Queridos papá y mamá:

Acabo de recibir la carta de Uds. y estoy preocupado porque mamá está enferma. ¿Cómo estás, mamá? Y, ¿cómo están los niños?

Ya tengo dos amigos en San Juan: Carmen, una muchacha baja, pelirroja y de ojos verdes, y Gustavo, un chico delgado, un poco feo pero simpático. Gustavo es mi compañero de cuarto y Carmen es su novia. Carmen es la hija del profesor de historia. Ella no vive en la residencia universitaria; vive en un apartamento cerca de la universidad. Mañana voy con ellos al Gato Gordo, un restaurante mexicano muy bueno que está cerca de aquí.

Mis clases son muy interesantes. Este trimestre tomo muchas asignaturas: inglés, francés, sociología, educación física y ciencias económicas. Mis profesores son buenos, excepto uno que es muy antipático. Mi consejero, el Dr. Johnson, es muy inteligente.

Mi cuarto no tiene mucho espacio, pero es bonito y tiene muchas ventanas. Termino porque tengo que leer un libro para mi clase de ciencias económicas; mañana tenemos un examen.

Abrazos,

Mario

P.D.   ¿Pueden mandarme mis discos y mis cintas de música española, por favor? Quiero dar una fiesta.

Nuevas palabras

el abrazo hug
el, la amigo(-a) friend
antipático(-a) unpleasant
bajo(-a) short
bueno(-a) good
la carta letter
la educación física physical
  education
enfermo(-a) sick, ill
feo(-a) ugly
el gato cat
gordo(-a) fat
leer to read

la madre, la mamá mother, mom
mañana tomorrow
el, la niño(-a) child
P.D. (post data) P.S.
el padre, el papá father, dad
pelirrojo(-a) redheaded
preocupado(-a) worried
¿pueden mandarme? can you send
  me?
querido(-a) dear
recibir to receive
un poco a little
ya already

¿Recuerda usted...? (Do you remember . . . ?)

1. ¿Cuándo escribe Mario la carta?
2. ¿Qué acaba de recibir Mario?
3. ¿Por qué está preocupado Mario?
4. ¿Cuántos amigos tiene ya Mario en San Juan?
5. ¿Cómo es Carmen: rubia o pelirroja? ¿Alta o baja?
6. ¿Gustavo es guapo o un poco feo?
7. ¿Dónde vive Carmen?
8. ¿A qué restaurante van Mario y sus amigos mañana?
9. ¿Son interesantes las clases de Mario?
10. ¿Qué clases toma Mario este semestre?
11. ¿Cómo son los profesores de Mario?
12. ¿Cuántos profesores antipáticos tiene?
13. ¿Cómo es el consejero de Mario?
14. ¿Cómo es el cuarto de Mario?
15. ¿Qué tiene que leer Mario?
16. ¿Qué tiene Mario mañana?
17. ¿Qué quiere Mario?
18. ¿Por qué necesita los discos y las cintas?

Dígame...

1. ¿Qué clases interesantes tiene usted este semestre (trimestre)?
2. ¿Sus profesores son simpáticos o antipáticos?
3. ¿Quién es su consejero(-a)?
4. ¿Tiene usted muchos amigos en la universidad?
5. ¿Cómo es su mejor amigo(-a)?
6. ¿Tiene usted novio(-a)?
7. ¿Es una buena idea vivir en la residencia universitaria?
8. ¿Cómo es su cuarto?
9. ¿Come usted generalmente en restaurantes mexicanos o italianos?
10. ¿A dónde va usted mañana?
11. ¿Con quién va?
12. ¿Tiene usted que estudiar hoy?
13. ¿Cuándo tienen ustedes examen en la clase de español?
14. ¿Está usted preocupado(-a)?
15. ¿Está usted enfermo(-a)?

Lección 1 ◆ **A. Present indicative of -*ar* verbs**

Give the Spanish equivalent of the verbs in parentheses.

1. ¿Tú _____ leche? (*drink*)
2. La señora Paz _____ con los alumnos. (*talk*)
3. Nosotros _____ inglés con la doctora Torres. (*speak*)
4. Yo _____ tomar café. (*wish*)
5. ¿Ud. _____ matemáticas o biología? (*study*)
6. Ana y Paco _____ en la biblioteca. (*work*)
7. Ernesto _____ la pluma roja. (*needs*)
8. Eva y yo _____ en agosto. (*finish*)

B. Interrogative words

Complete the following sentences, using the appropriate interrogative words.

1. ¿_____ día es hoy? A ver... ¡lunes!
2. ¿_____ trabajas? ¿En la cafetería?
3. ¿_____ está usted? ¿Bien?
4. ¿_____ trabajas este semestre? ¿Por la mañana?
5. ¿_____ materias toman este trimestre? ¿Cuatro?
6. ¿_____ toma la clase de computadores? ¿Jorge?
7. ¿_____ me voy? ¡Porque ya es tarde!
8. ¿_____ necesitas? ¿El libro de historia o el libro de literatura?

C. Telling time

Give the Spanish equivalent of the following sentences.

1. Listen, what time is it? One o'clock?
2. He takes chemistry at nine thirty in the morning.
3. We study Spanish in the afternoon.
4. It is a quarter to eight.

D. Vocabulary

Complete the following sentences, using the vocabulary you have learned thus far.

1. ¿Cómo _____ «*thank you very much*» en español?
2. ¿Dónde está el _____ de clases? ¡Ah! ¡_____ está!
3. Yo trabajo en el _____ de lenguas.
4. _____ Carlos García. Mucho _____.

5. ¿Ellos _____ café en la cafetería?
6. ¿Qué quiere _____ «el gusto es mío»?
7. Buenos _____, señora Vega. ¿Cómo _____ usted?
8. _____ mañana, señor Fuentes.
9. Los alumnos estudian en la _____ de clase.
10. ¿_____ se llama Ud.?

Lección 2 ◆ **A. Gender**

Write the definite article corresponding to the following nouns.

1. _____ mano   6. _____ problemas
2. _____ lecciones   7. _____ café
3. _____ apartamento   8. _____ días
4. _____ idioma   9. _____ libertad
5. _____ unidades   10. _____ televisión

B. Present indicative of *-er* and *-ir* verbs

Complete the following sentences, using the present indicative of the verbs in parentheses.

1. El profesor _____ (escribir) en la pizarra.
2. Ana y yo _____ (vivir) en la residencia universitaria.
3. Ellos _____ (deber) pagar la matrícula.
4. ¿Tú _____ (correr) por la noche?
5. Yo _____ (beber) leche.
6. Esteban _____ (comer) en la cafetería de la universidad.
7. María _____ (decidir) estudiar portugués.
8. Uds. _____ (deber) hablar con el cajero.

C. The Present indicative of *ser*

Complete the following sentences with the correct form of **ser**.

1. Ellos _____ cubanos, no norteamericanos.
2. ¿Tú _____ de Chicago también?
3. La tiza _____ blanca.
4. Sí, yo _____ residente de California.
5. Nosotros _____ profesores.

D. Interrogative and negative sentences

Give the Spanish equivalent of the following sentences.

1. Do they speak Italian?
   No, they don't speak Italian.
2. Do you (*pl.*) accept checks, sir?
3. Is today the last day to pay (the) tuition?
4. Gee! I don't need to take French.
5. I'm sorry, but I don't drink coffee.

E. Possession with *de*

Give the Spanish equivalent of the following expressions.

1. Pedro's girlfriend
2. Alicia's driver's license
3. Mrs. Peña's apartment
4. Carlos's checks

F. Vocabulary

Complete the following sentences appropriately, using the vocabulary you have learned in this lesson.

1. La _____ para conducir es una _____.
2. Él _____ veinte dólares por _____ unidad.
3. Aquí _____ el recibo, señora.
4. Ellos viven _____ de la universidad, en un _____.
5. El profesor _____ en la pizarra con una tiza amarilla.
6. Ella habla muchos _____: español, francés, italiano...
7. Como _____, ellos estudian en la biblioteca.
8. Raquel _____ en la cafetería, _____ habla con Paco.
9. Ellos son _____; son de Texas.
10. Hoy es el _____ día para _____ la matrícula.

Lección 3 ◆ ### A. Present indicative of *tener* and *venir*

Give the Spanish equivalent of the following sentences.

1. I have two roommates.
2. We don't have children.
3. Are you coming with Mario, Miss Soto?
4. They have to wait.
5. I come in the morning.
6. How many suitcases do you have, Rita?

B. Expressions with *tener*

Give the Spanish equivalent of the following sentences.

1. I'm very hungry.
2. She's not cold; she's hot.
3. Are you thirsty, sir?
4. They are in a hurry.
5. We are very sleepy.
6. He's wrong: she's twenty years old.

C. Personal *a*

Make complete sentences with each group of words below, adding any necessary words.

1. Yo / conocer / Roberto
2. Nosotros / tener / una hija
3. ¿Uds. / esperar / la profesora?
4. ¿Tú / conocer / San Francisco?

D. Possessive adjectives

Complete the following sentences, using the Spanish equivalent of the words in parentheses.

1. _____ consejero acaba de llegar. (*My*)
2. Tiene muchos estantes en _____ habitación. (*his*)
3. No tenemos mucho espacio en _____ cuarto. (*our*)
4. Ponemos _____ ropa en el armario. (*our*)
5. Ella no conoce a _____ hijos, Silvia. (*your*)
6. _____ hijo no sabe español. (*Their*) or (_____ hijo de _____ no sabe español.*)
7. ¿Cuál es _____ especialización, Elena? (*your*)
8. _____ compañeros de cuarto desean tomar algo. (*My*)

E. Contractions *al* and *del*

Rewrite the following sentences according to the cues in parentheses. Make all necessary changes.

1. Esperamos *a la profesora.* (profesor)
2. Vengo *de la clase.* (laboratorio)
3. Es la hija *de la secretaria.* (secretario)
4. No conozco *a los hijos* de Pilar. (hijo)

F. Vocabulary

Complete the following sentences, using the vocabulary you have learned in this lesson.

1. — ¿Vamos a comer _____?
   — ¡Buena _____!
2. Tienes que _____ las maletas _____ de la cama, porque no tenemos mucho _____.
3. Adrián estudia _____ económicas.
4. ¿Vamos al salón de _____?
5. Creo que _____ es mi cama.
6. Ellos conversan un _____ mientras _____ a Guillermo.
7. El inglés es uno de los _____ en la universidad.
8. ¿Acaba de llegar? ¡_____ a la universidad!
9. ¿Pongo mi ropa _____ o allí?
10. ¿Tienes que tomar _____ requisitos?
11. Él _____ a la misma universidad que nosotros.
12. Voy a tomar _____ de naranja.

Lección 4   ◆   ### A. Agreement of articles, nouns, and adjectives

Complete the following sentences with the Spanish equivalent of the words in parentheses.

1. Ella tiene _____ . (*blue eyes*)
2. La novia de Ariel es _____ . (*a slim girl*)

3. Hablo con _____ .   (*the blond boys*)
4. Ellas son _____ .   (*intelligent and pretty*)
5. Gerardo es _____ .   (*tall and charming*)
6. Necesito _____ .   (*the red pens*)

B.   Present indicative of *estar*, *ir*, and *dar*

Complete the following sentences, using **estar, ir,** or **dar** as appropriate.

1. Ellos _____ una fiesta de bienvenida.
2. El chico _____ cansado.
3. Nosotros _____ al laboratorio.
4. ¿Dónde _____ sus hijos, señora?
5. Yo no _____ con Uds. a la clase.
6. ¿Tú no _____ tu número de teléfono?
7. ¿A dónde _____ tú?
8. Yo no _____ segura.

C.   *Ir a* + Infinitive

Rewrite the following sentences, using **ir a** + *infinitive*.

1. Yo llevo a los chicos a la biblioteca.
2. Tú y yo damos una fiesta de bienvenida.
3. ¿Tú llamas por teléfono a tu novio?
4. ¿A dónde van ellos?
5. Él baila con Teresa.

D.   Stem-changing verbs: *e >ie*

Rewrite the following sentences, using the verbs in parentheses.

1. Yo *como* ensalada.   (preferir)
2. Las clases *terminan* en junio.   (comenzar)
3. ¿Tú *bebes* ponche?   (querer)
4. Elsa y yo *debemos* ir.   (pensar)
5. ¿A qué hora *terminan* Uds.?   (empezar)
6. ¿Qué vino *toma* Ud.?   (preferir)

E.   The cardinal numbers 40 to 199

Write the following numbers in Spanish.

1. 78	5. 142	9. 199
2. 156	6. 69	10. 63
3. 95	7. 81	11. 101
4. 100	8. 70	12. 175

F. Vocabulary

Complete the following sentences, using the vocabulary you have learned in this lesson.

1. Él llama por ———— a su hijo.
2. Ellos reciben una ———— para la fiesta.
3. No tiene pelo castaño; tiene pelo ———— .
4. Para ————, deseo sándwiches.
5. No quiero cerveza; prefiero ———— blanco o Coca-Cola.
6. Quiero tomar matemáticas el ———— semestre.
7. No es rubio; es ———— .
8. —¿Quieres bailar?
   —¡———— no!
9. Vamos a estar allí ———— las cinco y media.
10. No voy a llevar los discos porque no tienen ———— .
11. ¿Vas a llevar las ———— de Julio Iglesias?
    ¡Magnífico!
12. ¿Quieres comer ———— de chocolate?

Haciendo diligencias

By the end of this unit, you will be able to:

- open an account and cash checks at the bank
- mail letters and buy stamps at the post office
- discuss haircuts, hairstyles and other related matters with beauticians and barbers
- shop for clothing and shoes, conveying your needs with regard to sizes, styles and colors
- discuss your likes and dislikes
- converse about the weather

En el banco y en la oficina de correos

5

En el Banco de América, en la ciudad de Lima:
Son las diez de la mañana y Alicia entra en el banco, que acaba de abrir. Tiene que hacer cola porque hay mucha gente.

Cajero	— ¿En qué puedo servirle, señorita?
Alicia	— Deseo abrir una cuenta de ahorros. ¿Qué interés pagan?
Cajero	— Pagamos el 8 por ciento.
Alicia	— ¿Puedo sacar mi dinero en cualquier momento?
Cajero	— Sí, pero va a perder parte del interés.
Alicia	— Bueno... Ahora deseo cobrar este cheque.
Cajero	— ¿Cómo quiere el dinero?
Alicia	— Mil intis en efectivo. Voy a depositar diez mil en mi cuenta corriente.

Cajero — Necesito el número de su cuenta.

Alicia — Un momento... No encuentro el talonario de cheques y no recuerdo el número...

Cajero — No importa. Yo puedo buscar el número.

Ahora Alicia está en la oficina de correos. Está comprando estampillas y pidiendo información.

Alicia — Deseo mandar estas cartas por vía aérea.

Empleado — ¿Certificadas?

Alicia — Sí, por favor. ¿Cuánto es?

Empleado — Son quinientos intis, señorita.

Alicia — También necesito estampillas para tres tarjetas postales.

Empleado — Aquí están.

Alicia — Gracias. ¿Cuánto cuesta enviar un giro postal a México?

Empleado — Doscientos cincuenta intis.

Alicia está un poco cansada y, como está lloviendo a cántaros, decide tomar un taxi para volver a su casa y tomar una siesta.

AT THE BANK AND THE POST OFFICE

At the Bank of America, in the city of Lima:
It is ten o'clock in the morning and Alicia goes into the bank, which has just opened. She has to stand in line because there are many people.

T: What can I do for you, Miss?

A: I want to open a savings account. What interest do you pay?

T: We pay 8 percent.

A: Can I take my money out at any time?

T: Yes, but you're going to lose part of the interest.

A: Well, . . . Now I wish to cash this check.

T: How do you want the money?

A: One thousand intis in cash, please. I am going to deposit ten thousand in my checking account.

T: I need your account number.

A: One moment . . . I can't find the checkbook, and I don't remember the number.

T: It doesn't matter. I can look up the number.

Now Alicia is at the post office. She is buying stamps and asking for information.

A: I want to send these letters by air mail.

C: Registered?

A: Yes, please. How much is it?

C: It's five hundred intis, Miss.

A: I also need stamps for three postcards.

C: Here you are.

A: Thanks. How much does it cost to send a money order to Mexico?

C: Two hundred and fifty intis.

Alicia is a little tired and, since it's raining cats and dogs, decides to take a taxi to return home and take a nap.

VOCABULARIO

Cognados

el banco bank	**el interés** interest	**el taxi** taxi
el cheque check	**la parte** part	

NOMBRES

el, la cajero(-a) teller
la casa house, home
la ciudad city
la cuenta account
la cuenta de ahorros savings account
la cuenta corriente checking account
el dinero money
el, la empleado(-a) clerk
la estampilla, el sello stamp
la gente people
el giro postal money order
el número number
la oficina de correos, el correo post office
el talonario de cheques checkbook
la tarjeta postal postcard

VERBOS

abrir to open
buscar to look up, to look for
comprar to buy
costar (o>ue) to cost
depositar to deposit
dormir (o>ue) to sleep
encontrar (o>ue) to find
entrar (en) to enter, to go into
enviar, mandar to send
llover (o>ue) to rain
perder (e>ie) to lose
poder (o>ue) to be able to, can

recordar (o>ue) to remember
sacar to take out
volver (o>ue) to return, to go (come) back

ADJETIVO

certificado(-a) registered

OTRAS PALABRAS Y EXPRESIONES

a casa home
ahora now
cobrar un cheque to cash a check
cualquiera any
en cualquier momento at any time
en efectivo in cash
¿En qué puedo servirle? What can I do for you?
estas cartas these letters
hacer cola to stand in line
haciendo diligencias running errands
llover (o>ue) a cántaros to rain cats and dogs
no importa it doesn't matter
pidiendo información asking for information
por ciento percent
por vía aérea air mail
tomar una siesta to take a nap

Notas culturales

1. Lima, the capital of Peru, is surrounded by the Peruvian coastal desert and overshadowed by the Andes mountains. Lima was founded in 1535 by the Spanish explorer Francisco Pizarro. Today, the capital is the commercial and industrial center of Peru. Because of the influx of Indians into the cities since World War II, 25 percent of Lima's population is of Indian origin. Lima has blended colonial styles with the advances of modern architecture; there are many buildings remaining from the Spanish colonial period.

2. The **inti** is the monetary unit of Peru. Chile, Colombia, Cuba, Mexico, the Dominican Republic, and Uruguay use the **peso.** Other monetary units in Hispanic countries are the **boliviano** in Bolivia, the **colón** in Costa Rica and El Salvador, the **austral** in Argentina, the **sucre** in Ecuador, the **quetzal** in Guatemala, the **lempira** in Honduras, the **córdoba** in Nicaragua, the **balboa** in Panama, the **guaraní** in Paraguay, the **bolívar** in Venezuela, and the **peseta** in Spain.

Pronunciación

A. Practice the sound of Spanish **g** in the following words.

gato	**gordo**	**guapo**
Guevara	**gracias**	**guitarra**

B. Practice the sound of Spanish **j** (or **g** before **e** and **i**) in the following words.

mujer	**tarjeta**	**Julio**
jueves	**anaranjado**	**debajo**
Gerardo	**generoso**	**giro**

C. Repeat the following words. Remember that the Spanish **h** is silent.

ahora	**hasta**	**hoy**
ahorros	**hola**	**horario**
hora	**historia**	**hablar**

Puntos para recordar

A. Stem-Changing Verbs: *o>ue*
(*Verbos que cambian en el radical:* ***o>ue***)

As you learned in Lección 3, some Spanish verbs undergo a change in stem in the present indicative tense. When **o** is the last stem vowel and it is stressed, it changes to **ue,** as shown below.

poder (*to be able to*)			
yo	**puedo**	nosotros	**podemos**
tú	**puedes**	vosotros	**podéis**
Ud.		Uds.	
él	**puede**	ellos	**pueden**
ella		ellas	

— ¿A qué hora **vuelven** Uds. al banco?	*What time do you* **go back** *to the bank?*
— **Volvemos** a las dos.	*We go back at two o'clock.*

1. Note that the stem vowel is not stressed in the verb forms used with **nosotros** and **vosotros;** therefore the **o** does not change to **ue.**

2. Other verbs that undergo the same changes are **costar, encontrar, recordar, volver** and the impersonal verb **llover.** For a complete list of stem-changing verbs, see Appendix B.

¡Vamos a practicar! ■

A. Rewrite the following sentences, using the verbs given in parentheses. Then read them aloud.

1. El cajero *viene* a las nueve.   (volver)
2. ¿Cuánto *es?*   (costar)
3. No *quiero* enviar estas cartas por via aérea.   (poder)
4. ¿No *tienes* el talonario de cheques?   (encontrar)
5. No *sé* el número de mi cuenta corriente.   (recordar)
6. *Venimos* en cualquier momento.   (Volver)
7. Ellos no *tienen* el dinero.   (encontrar)
8. No *queremos* pagar el diez por ciento.   (poder)
9. ¿Uds. no *saben* el número de su habitación?   (recordar)
10. ¿*Vas* a la oficina de correos?   (Volver)

B. In the following dialogue, supply the correct forms of the verbs **costar, encontrar, poder, recordar, volver,** and **llover** in the spaces provided.

1. — ¿A qué hora _VUELVEN_ Uds. a su casa?
2. — Yo _VUELVO_ a las doce y Andrés _VUELVE_ a las dos.
3. — ¿_PUEDE_ Andrés ir al banco con nosotros?
4. — No, él no _PUEDE_ ir, pero nosotros _PODEMOS_ ir con Uds.
5. — ¿Tú _RECUERDAS_ el número de tu cuenta?
6. — No, no _RECUERDO_ el número, pero aquí tengo el talonario de cheques.
7. — Yo no _ENCUENTRO_ mi talonario de cheques. ¿Tú sabes dónde está?
8. — Sí, está en tu escritorio.
9. — Oye, _LLUEVE_ a cántaros. ¿_LLOVEMOS_ (nosotros) tomar un taxi?
10. — No, _CUESTA_ mucho dinero.

B.   Present Progressive (*Presente + gerundio*)

The present progressive describes an action that is in progress. It is
formed with the present tense of **estar** and the **gerundio** (equivalent to
the English *-ing* form) of the verb.

THE FORMATION OF THE **GERUNDIO**		
Infinitive habl**ar**	com**er**	escrib**ir**
Gerundio habl **-ando**	com **-iendo**	escrib **-iendo**

> Yo **estoy comiendo.**
> I   **am   eating.**

USE ESTAR
BEFORE
↓

— ¿**Estás estudiando?**   *Are you studying?*
— No, **estoy escribiendo**   *No, **I am writing** a letter.*
    una carta.

1.   Following are some irregular **gerundios.** Note the change in their
stems.

pedir	→ **p**i**diendo**	*asking for*
decir	→ **d**i**ciendo**	*saying*
servir	→ **s**i**rviendo**	*serving*
dormir	→ **d**u**rmiendo**	*sleeping*
traer	→ **tra**y**endo**	*bringing*
leer	→ **le**y**endo**	*reading*

2.   Note also that the **i** of **-iendo** becomes **y** between vowels.

¡Mamá! ¡Mamá!
¿Estás
durmiendo?

¡ATENCIÓN!   In Spanish, the present progressive is *never* used to indicate a
future action. Some verbs, such as **ser, estar, ir,** and **venir,** are rarely
used in the progressive construction.

■ **¡Vamos a practicar!** ■

A. Describe what is happening in the dorm, using the cues provided.

1. Yo / estudiar / química
2. Antonio y yo / buscar / el talonario de cheques
3. Rafael / pedir / un diccionario
4. Tú / poner / la ropa / en el armario
5. José y Raúl / hablar / por teléfono

B. Use your imagination to complete each sentence.

1. Yo estoy comprando estampillas y tú...
2. Él está abriendo una cuenta corriente y nosotros...
3. Ellos están haciendo diligencias y yo...
4. Tú estás tomando café y ellas...
5. Yo estoy trabajando y Rafael...

C. Tell what the following people are doing.

1. Tú...   2. Yo...   3. Ellos...

4. Eva...   5. La profesora...   6. Nosotros... y el niño...

C. Uses of *ser* and *estar* (*Usos de los verbos* **ser** *y* **estar**)

The English verb *to be* has two Spanish equivalents, **ser** and **estar**. As a general rule, **ser** expresses *who* or *what* the subject is essentially, while **estar** indicates a current state, condition, or location. **Ser** and **estar** are *not* interchangeable.

1. Uses of ser

Ser expresses a fundamental quality, and serves to identify the essence of a person or thing.

a. It describes the basic nature or inherent characteristics of a person or thing, including age.

Ernesto **es** moreno y guapo.	*Ernesto **is** dark and handsome.*
Estela **es** joven.	*Estela **is** young.*

b. It describes the material that things are made of.

1) DESCRIBES—PEOPLE, PLACES, THINGS

2) TELLING TIME

El teléfono **es** de plástico.	*The telephone **is** (made of) plastic.*
La mesa **es** de metal.	*The table **is** (made of) metal.*

3) EXCEPTION: LOCATION OF EVENTS (SUBSTITUTE IN "TAKES PLACE")

c. It is used to indicate origin, and with adjectives denoting nationality.

Carmen **es** cubana; **es** de La Habana.	*Carmen **is** Cuban; she **is** from Havana.*

d. It is used with professions and jobs.

Yo **soy** profesor(-a).	*I **am** a professor.*

e. It is used with expressions of time, and with dates.

Son las cuatro y media.	*It **is** four thirty.*
Hoy **es** jueves, primero **de** julio.	*Today **is** Thursday, July first.*

f. It is used to indicate possession or relationship.

Ellas **son** las hijas del profesor.	*They **are** the professor's daughters.*

¡ATENCIÓN! Note that the verb **ser** serves as union between the subject and an adjective, noun, or pronoun.

Estela **es** una chica bonita.

2. Uses of **estar**

Estar has a more transitory quality than **ser,** and implies the possibility of change. It also describes *where* things are located.

a. It indicates place or location.

Alicia **está** en la oficina   *Alicia **is** at the post office.*
de correos.

b. It is used to indicate the result of an action (when used with the past participle).

La puerta **está** cerrada.   *The door **is** closed.*

c. It is used to indicate a current condition.

Yo **estoy** cansado(-a).   *I **am** tired.*
Juan **está** enfermo.   *Juan **is** sick.*

d. With personal reactions, it describes what is perceived through the senses — that is, how a subject tastes, feels, looks, or seems.

¡**Estás** muy bonita hoy!   ***You look** very pretty today!*

1) LOCATION OF PEOPLE, PLACES, THINGS
2) HEALTH CONDITION
3) EXCEPTION: DESCRIPTIONS THAT ARE CHANGEABLE (DIFFERENT FROM NORMAL)

■ ¡Vamos a practicar! ■

A. Tell us something about yourself.

1. ¿Es Ud. norteamericano(-a)?
2. ¿De dónde es Ud.?
3. ¿Es Ud. profesor(-a) o estudiante?
4. ¿Es Ud. alto(-a) o bajo(-a)?

5. ¿Es Ud. rubio(-a) o moreno(-a)?
6. ¿Dónde está Ud. ahora?
7. ¿Está cansado(-a) Ud.?
8. ¿Qué está haciendo Ud.?

B. Complete the following story about Carlos Alberto and his girlfriend, using the present indicative of **ser** or **estar,** as appropriate.

Carlos Alberto __es__ un muchacho alto y delgado. __Es__ estudiante de la Universidad de la Plata. El __es__ de Lima, pero ahora __está__ en la Argentina. Carlos Alberto quiere ir a la biblioteca, pero no puede ir ahora porque __son__ las nueve de la noche y la biblioteca __está__ cerrada. Decide visitar a Marisa. Marisa __es__ su novia y __es__ una chica muy inteligente y simpática. —¡Qué bonita __está__ hoy, Marisa! — exclama Carlos Alberto cuando ella abre la puerta.

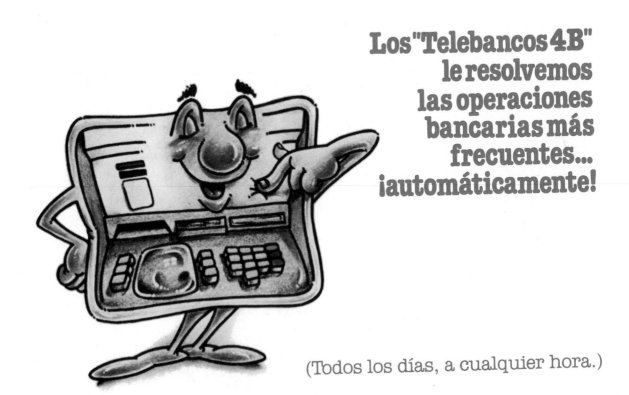

C. Make statements about each illustration, using **ser** or **estar** as needed.

MODELO:

Pedro _____ y Luis _____.
*Pedro es **alto** y Luis es **bajo**.*

1.   Mario _es_____ y
     Ana _es____ rubia.

5.

     Hoy _____

2.   Eva _estã___

6.

     Los estudiantes _estan___

3.   El doctor Torres _____

7.

     _es___

4.   Yo _estoy___

8.

     Nosotras _somos__

D.   Be an interpreter. What are these people saying?

   1. "Is the table (made of) plastic?"
      "No, it's (made of) metal."
   2. "Are the windows closed?"
      "Yes, and the door is closed also."
   3. "Where is the clerk?"
      "He's talking with the teller."
   4. "Where is Mr. Vega from?"
      "He's from Cuba."
   5. "You look very pretty today!"
      "Thank you!"

D.   Demonstrative Adjectives and Pronouns

(*Los adjetivos y los pronombres demostrativos* **)**

DETERMINER

1. Demonstrative adjectives

Demonstrative adjectives point out persons and things. Like all other adjectives, they agree in gender and number with the nouns they modify. The forms of the demonstrative adjectives are as follows:

Masculine		Feminine		English Equivalent	
Sing.	*Pl.*	*Sing.*	*Pl.*	*Sing.*	*Pl.*
este	**estos**	**esta**	**estas**	this	these
ese	**esos**	**esa**	**esas**	that	those
aquel	**aquellos**	**aquella**	**aquellas**	that (*over there*)	those (*at a distance*)

NEAR SPEAKER
NEAR PERSON SPOKEN TO (NO T)
AWAY FROM BOTH
FROM BOTH PEOPLE

— ¿Qué quieres comprar?
— **Estos** vasos y **aquellas** tazas.

What do you want to buy?
These *glasses and **those** cups.*

Aquella mesa

Esa mesa

Esta mesa

■ ¡Vamos a practicar! ■

Describe in Spanish the following illustrations, using the suggested demonstrative adjectives.

1. this, these:

         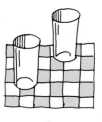

      a.   b.   c.   d.

2. that, those:

      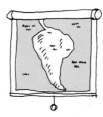   

      a.   b.   c.   d.

3. that (over there); those (over there):

      a.   b.   c.   d.

2. Demonstrative pronouns

The forms of the demonstrative pronouns are as follows.

Masculine		Feminine		Neuter	
Sing.	*Pl.*	*Sing.*	*Pl.*		
éste	éstos	ésta	estas	esto	this (*one*), these
ése	ésos	esa	esas	éso	that (*one*), those
aquel	aquéllos	aquella	aquellas	aquello	that (*one*), those (*at a distance*)

a. The forms of the demonstrative pronouns are the same as those of the demonstrative adjectives.

b. Each demonstrative pronouns has a neuter form. The neuter forms are used to refer to situations, ideas, or things that are equivalent to the English *this, this matter* and *that, that business.*

c. Note that the demonstrative pronouns are used without a noun to follow them.

— ¿Qué libro quiere Ud., **este** o **aquel?**   *Which book do you want, **this one** or **that one?***
— Quiero **aquel.**   *I want **that one.***

— ¿Qué crees de **eso?**   *What do you think about **that?***
— Creo que **eso** es un problema.   *I think that **that** is a problem.*

■ **¡Vamos a practicar!** ■

Complete the following sentences with the Spanish equivalent of the pronouns given in parentheses.

1. Quiero este libro y _____ (*that one*).
2. Necesitamos esa pluma y _____ (*that one over there*).
3. Compramos esos lápices y _____ (*these*).
4. ¿Prefiere Ud. este poncho o _____ (*that one over there*)?
5. ¿Pongo los libros en este estante o en _____ (*those over there*)?
6. ¿Van Uds. a comprar esas mesas o _____ (*this one*)?
7. Deseo aquellas sillas y _____ (*these*).
8. ¿Estudia él con ese profesor o con _____ (*this one*)?
9. ¿Compramos esta tarjeta o _____ (*that one*)?
10. Necesitamos estas plumas y _____ (*those*).

FROM ADJECTIVES

E. Formation of Adverbs (*La formación de los adverbios*)

1. Most Spanish adverbs are formed by adding **-mente** (the equivalent of the English *-ly* to the adjective.

general	*general*	general**mente**	*generally*
reciente	*recent*	reciente**mente**	*recently*

— ¿La fiesta de bienvenida es para Olga?   *The welcome party is for Olga?*

— Sí, es **especialmente** para ella.   *Yes, it's **especially** for her.*

2. Adjectives ending in **-o** change the **-o** to **-a** before adding **-mente**.

len**to**	*slow*	lent**amente**	*slow**ly***
rápid**o**	*rapid*	rápid**amente**	*rapid**ly***

3. If two or more adverbs are used together, both change the **-o** to **-a,** but only the last one in the sentence ends in **-mente**.

DONT WORRY ABOUT

Habla clar**a** y lent**amente**.   *She speaks clear**ly** and slow**ly**.*

4. If the adjective has an accent mark, the adverb retains it.

fácil	*easy*	**fá**cil**mente**	*easily*

La fiesta es especialmente para él.

■ ¡Vamos a practicar! ■

A. You can recognize the following Spanish adjectives because they are
    cognates. Change them to adverbs.

    1. real   3. raro   5. posible   7. franco
    2. completo   4. frecuente   6. general   8. normal

B. Use some of the adverbs you have learned to complete the following
    sentences appropriately.

    1. Ellos hablan _____ y _____.
    2. Viene a casa _____.
    3. Yo _____ estudio por la mañana.
    4. _____, no quiero bailar con Ud.
    5. Ellos vuelven mañana, _____.
    6. Los chicos escriben muy _____.
    7. _____ estoy muy cansado.
    8. Yo no escribo cartas; _____ escribo tarjetas postales.

F. The Cardinal Numbers 200 to 1,000

(*Números cardinales 200 a 1.000*)

200 doscientos	500 quinientos	800 ochocientos
300 trescientos	600 seiscientos	900 novecientos
400 cuatrocientos	700 setecientos	1.000 mil

1. Spanish does not count in hundreds beyond a thousand — after a
    thousand, the numbers are represented thus: **dos mil, tres mil,
    catorce mil,** and so on. Note that in Spanish a period is used between
    digits, instead of a comma and the decimal comma is used to indicate
    values below one. For example: 1.095,99.

2. When a number from 200 to 900 is used before a feminine noun, it
    takes a feminine ending: **doscientas mesas.**

■ ¡Vamos a practicar! ■

Solve the following mathematical problems in Spanish.

1. 308 + 70 = _____   6. 1,000 − 450 = _____
2. 500 − 112 = _____   7. 700 + 280 = _____
3. 653 + 347 = _____   8. 125 + 375 = _____
4. 892 − 163 = _____   9. 900 − 520 = _____
5. 216 + 284 = _____   10. 230 + 725 = _____

Y AHORA, ¿QUÉ?

Palabras y más palabras

Find the missing word in each sentence.

1. Voy a depositar el dinero en mi _____ de ahorros.
2. El banco paga el 8 por ciento de _____.
3. Puede sacar su dinero en _____ momento, pero pierde _____ del interés.
4. Voy a mandar las cartas por _____ aérea y _____.
5. Ahora deseo _____ un cheque. Quiero quinientos dólares en _____.
6. Buenos días. ¿En qué puedo _____, señora?
7. ¿Puede Ud. _____ el número, por favor?
8. ¿No tienes el talonario de cheques? No _____; yo tengo dinero.
9. Voy al correo para enviar un giro _____.
10. ¿Cuánto _____ las tarjetas postales? Necesito _____ dos.
11. Necesito _____ para estas cartas.
12. ¿A qué hora _____ Uds. a casa?
13. Tenemos que volver a casa porque llueve a _____.
14. Voy a tener que hacer _____ porque hay mucha _____ en el banco.
15. Está hablando con el empleado, _____ información.

Oficina de correos en Lima, Perú.

¡Vamos a conversar!

A.   What happens at the bank and at the post office?

[handwritten: ENTRA EN EL BANCO A ILAS DIEZ] 1. ¿Qué hora es cuando Alicia entra en el banco?

[handwritten: PORQUE HAY MUCHA GENTE] 2. ¿Por qué tiene que hacer cola Alicia?

[handwritten: EL BANCO PAGA EL 8 PORCIENTO INTERÉS] 3. ¿Qué interés paga el banco en las cuentas de ahorros?

[handwritten: VA A PERDER PARTE DEL INTERÉS] 4. Alicia puede sacar su dinero en cualquier momento, pero ¿qué va a perder?

[handwritten: ALICIA QUIERE MIL INTIS EN EFECTIVO] 5. ¿Cuánto dinero quiere Alicia en efectivo?

[handwritten: VA A DEPOSITAR DIEZ MIL EN SU CUENTA CORRIENTE] 6. ¿Cuánto va a depositar en su cuenta corriente?

[handwritten: NO RECUERDA EL NÚMERO DE SU CUENTA] 7. ¿Qué no recuerda Alicia?

[handwritten: VA LA OFICINA DE CORREOS] 8. ¿A dónde va Alicia después?

[handwritten: QUIERE ENVIAR LAS CARTAS POR VIA AÉREA] 9. ¿Cómo quiere enviar las cartas?

[handwritten: VA A PAGAR QUINIENTOS INTIS] 10. ¿Cuánto va a pagar?

[handwritten: NECESITA ESTAMPILLAS PARA TRES LAS TARJETAS POSTALES] 11. ¿Para qué necesita estampillas Alicia?

[handwritten: CUESTA DOCIENTO CINCUENTA INTIS] 12. ¿Cuánto cuesta enviar un giro postal a México?

[handwritten: PORQUE ESTA UN POCO CANSADA] 13. ¿Por qué decide la muchacha volver a su casa?

[handwritten: VUELVE EN UN TAXI.] 14. ¿Cómo vuelve Alicia a su casa?

B.   Choose a partner, then interview each other using the **tú** form.

Pregúntele a su compañero(-a) de clase...

1. ...si tiene cuenta de ahorros
2. ...si tiene cuenta corriente
3. ...en qué banco tiene su dinero
4. ...si sabe el número de su cuenta
5. ...si tiene su talonario de cheques
6. ...cuándo va a cobrar un cheque
7. ...dónde está la oficina de correos
8. ...cómo manda sus cartas generalmente
9. ...si sabe cuánto cuesta mandar una carta a Chicago
10. ...si recibe giros postales frecuentemente
11. ...si está cansado(-a)
12. ...a qué hora va a volver a su casa
13. ...si va a dormir un rato

Banco de Occidente

Pensamos como usted, lo que vale es la gente.

Situaciones

You find yourself in the following situations. What do you say? What might the other person say?

1. You are at a bank and want to open a savings account. Ask for the necessary information.
2. You need to cash a check. Tell the cashier how much you want to deposit in your checking account, and how much cash you want.
3. You are at the post office in a Spanish-speaking country, and you need to send some letters and postcards to the States. Tell the employee how you want to send the letters, and ask about prices.

Adaptación del diálogo

With a classmate, adapt the dialogues at the beginning of this lesson by making the following changes.

Cambien:

1. la hora en que Alicia entra en el banco
2. el interés que paga el banco
3. cuánto dinero quiere Alicia en efectivo
4. en qué cuenta va a depositar el dinero
5. cuánto cuesta enviar las cartas por vía aérea
6. cuántas tarjetas postales quiere enviar Alicia
7. cuánto cuesta enviar un giro postal a México
8. a dónde decide volver Alicia

Para escribir

Write about the status of your finances. Tell us:

1. the name of your bank
2. types of accounts you have
3. the interest your bank pays
4. whether or not you can withdraw your money at any time without losing interest
5. why you save **(ahorrar)** money
6. whether you generally pay for purchases by check or with a credit card **(tarjeta de crédito)**

6

En la peluquería y en la barbería

Nora y su esposo, Gerardo, viven en Santiago, Chile. Hoy los dos piden turno para cortarse el pelo. Nora está ahora en la peluquería.

Nora	— Tengo turno para las dos: corte, lavado y peinado.
Peluquera	— En seguida la atiendo. Aquí hay unas revistas. Puede leerlas mientras espera.
Nora	— Gracias. (*Nora se sirve una taza de café y lee una revista.*)

(*Más tarde...*)

Peluquera	— ¿Quiere el pelo corto?
Nora	— No, córtelo solamente acá arriba y a los costados, por favor.
Peluquera	— Tiene el pelo muy lacio. ¿No quiere una permanente?

Nora	— No, yo siempre lo rizo con un rizador.
Peluquera	— ¿Dónde quiere la raya, a la derecha o a la izquierda?
Nora	— A la izquierda.
Peluquera	— Muy bien. (*Más tarde.*) Venga; voy a ponerla debajo del secador.

Gerardo está ahora en la barbería.

Barbero	— ¿Sr. Vargas? Siéntese aquí, por favor.
Gerardo	— Mi esposa dice que tengo el pelo muy largo.
Barbero	— Es verdad, y tiene mucha caspa.
Gerardo	— El champú que Ud. usa es muy bueno. ¿Dónde puedo conseguirlo?
Barbero	— ¿Este? Lo vendemos aquí.
Gerardo	— ¿Es muy caro?
Barbero	— No, es barato. ¿Lo afeito?
Gerardo	— Sí, aféiteme, por favor. Tengo la barba muy larga.
Barbero	— ¿Y el bigote?
Gerardo	— Déjelo como está.
Barbero	— ¿Quiere turno para el mes que viene?
Gerardo	— Sí, para mí y para mi hijo.

AT THE BEAUTY SALON AND AT THE BARBER SHOP

Nora and her husband, Gerardo, live in Santiago, Chile. Today the two of them make appointments to have their hair cut. Nora is now at the beauty salon.

N: I have an appointment for two o'clock: haircut, shampoo, and set.

B: I'll be with you (wait on you) (right away). Here are some magazines. You can read them while you wait.

N: Thanks. (*Nora helps herself to a cup of coffee and reads a magazine.*)

(*Later . . .*)

B: Do you want your hair short?

N: No, cut it only on the top and on the sides, please.

B: You have very straight hair. Don't you want a permanent (wave)?

N: No, I always curl it with a curling iron.

B: Where do you want the part, on the right or on the left?

N: On the left.

B: Very well. (*Later.*) Come, I'm going to put you under the dryer.

Gerardo is now at the barber shop.

B: Mr. Vargas? Sit here, please.

G: My wife says my hair is very long.

B: It's true, and you have a lot of dandruff.

G: The shampoo that you use is very good. Where can I get it?

B: This one? We sell it here.

G: Is it very expensive?

B: No, it's cheap. Shall I give you a shave?

G: Yes, give me a shave, please. My beard is very long.

B: And your mustache?

G: Leave it as it is.

B: Do you want an appointment for next month?

G: Yes, for me and for my son.

VOCABULARIO

Cognados

el, la barbero(-a) barber
el champú shampoo

la permanente permanent (wave)

NOMBRES

la barba beard
la barbería barber shop
el bigote mustache
la caspa dandruff
el corte haircut
el costado, lado side
el esposo husband
la esposa wife
el lavado shampooing
el mes month
el peinado set, hairdo
el pelo hair
la peluquería, el salón de belleza beauty salon
el, la peluquero(-a) hairdresser, beautician
la raya part (*in hair*)
la revista magazine
el rizador curling iron
el secador (*hair*) dryer
el turno appointment
la verdad truth

VERBOS

afeitar to shave
atender (e>ie) to wait on
comprar to buy
conseguir (e>i) to obtain, get
cortar to cut
decir (e>i) (yo digo) to say, tell
dejar to leave
pedir (e>i) to ask for, request
rizar to curl

usar to use
vender to sell

ADJETIVOS

barato(-a) inexpensive, cheap
bueno(-a) good
caro(-a) expensive
corto(-a) short
lacio(-a) straight (*hair*)
largo(-a) long
rizado(-a) curly (*hair*)

OTRAS PALABRAS Y EXPRESIONES

a la derecha on the right
a la izquierda on the left
acá arriba here on top
como as, like
cortarse el pelo to get a haircut
el mes que viene next month
en seguida right away
es verdad it's true
más tarde later
pedir turno to make an appointment
que viene, próximo(-a) next
se sirve helps herself to
siempre always
Siéntese. Sit down.
solamente, sólo only

Notas culturales

1. Santiago (*pop.* 3,069,000) is the capital of Chile. It was founded by the Spaniards in 1541, and has developed into a sprawling urban complex. It is the country's largest industrial center.

Santiago lies in a depression formed by the coastal mountain range, the Cordillera Occidental, to the West; the Chacabuco Ridge to the North; and the towering Andes to the East. Its climate resembles that of the Mediterranean region.

The city's cultural life is cosmopolitan, its native institutions exhibiting both European and North American influences. As for recreation, Santiago has several beautiful parks, a stadium that has a seating capacity of eighty thousand people, and excellent ski slopes. The popularity of drama and motion pictures in Santiago is evidenced by its eight theaters and 90 movie houses.

2. In most Spanish-speaking countries, if a woman marries, she retains her maiden name. She can also add her husband's last name to hers along with the words **de.** For example, if Eva Rivas marries Jorge Vega, her full name will then be **Eva Rivas de Vega.**

Most Hispanics use two last names: their father's family name and their mother's maiden name, in that order. If Eva Rivas and Jorge Vega have a son named Esteban, his full name will be **Esteban Vega Rivas.**

Aquí anuncian una buena película. ¿Quién quiere ir al cine...?

Pronunciación

A. Practice the sound of Spanish **ll** in the following words:

llegar	**ll**ama	si**ll**a
llamar	A**ll**ende	a**ll**í
estampi**ll**a	se**ll**o	ventani**ll**a

B. Practice the sound of Spanish **ñ** in the following words:

se**ñ**or	se**ñ**ora	se**ñ**orita
a**ñ**o	oto**ñ**o	Pe**ñ**a
espa**ñ**ol	ma**ñ**ana	Espa**ñ**a

Puntos para recordar

A. Stem-Changing Verbs: *e > i*
   (*Verbos que cambian en el radical: e > i*)

1. In Spanish, some verbs undergo special changes in stem in the present indicative. When **e** is the last stem vowel and is stressed, it changes to **i** as shown below.

servir (*to serve*)			
yo	sirvo	nosotros	servimos
tú	sirves	vosotros	servís
Ud.		Uds.	
él	sirve	ellos	sirven
ella		ellas	

— ¿A qué hora **sirven** Uds. el café?	*What time do you **serve** coffee?*
— **Servimos** el café a las ocho.	*We **serve** coffee at eight o'clock.*

2. Note that the stem vowel is not stressed in the verb forms used with **nosotros** and **vosotros;** therefore the **e** does not change to **i.**

3. Other verbs that undergo the same change are **decir,**[1] **pedir,** and **conseguir.**[2] (For a complete list of stem-changing verbs, see Appendix A.)

---

[1]First person: **yo digo**
[2]Verbs like **conseguir** drop the **u** before **a** or **o: yo consigo.**

■ **¡Vamos a practicar!** ■

A. Rewrite the following sentences, using the verbs in parentheses.

1. Nosotros depositamos dinero los jueves.   (pedir)
2. Carmen no compra el champú para la caspa.   (conseguir)
3. ¿Tú lees esa revista?   (pedir)
4. Tú y yo deseamos una habitación.   (conseguir)
5. Eva y yo creemos que él es simpático.   (decir)
6. Raúl y yo comemos ensalada.   (servir)
7. Yo creo que hablan portugués.   (decir)
8. Yo tomo café.   (servir)

B. This is what my friends and I do. Tell us what you and your friends do.

1. Yo siempre sirvo ensalada en mis fiestas. ¿Y tú?
2. Nosotros siempre servimos torta? ¿Y Uds.?
3. Yo siempre pido turno en la peluquería para las tres. ¿Y tú?
4. Nosotros no conseguimos dinero fácilmente. ¿Y Uds.?
5. Yo siempre digo la verdad. ¿Y tú?
6. Nosotros siempre pedimos café en la peluquería. ¿Y Uds.?

LET'S REVIEW STEM-CHANGING VERBS

Add to this list whenever you come across stem-changing verbs.

e>ie	o>ue	e>i
empezar	costar	conseguir
comenzar	encontrar	decir
preferir	poder	pedir
querer	recordar	servir
pensar	volver	
perder	llover (*imp.*)	
atender	dormir	

B. Pronouns as Objects of Prepositions

(*Pronombres usados como complemento de preposición*)

Sing.		*Pl.*	
mí	me	**nosotros**	us
ti	you (*fam.*)	**vosotros**	you (*fam. pl.*)
Ud.	you (*form.*)	**Uds.**	you (*form. pl.*)
él	him	**ellos**	them (*m.*)
ella	her	**ellas**	them (*f.*)

1. Note that only the first and second persons singular, **mí** and **ti,** have special forms. The other persons are the same as the subject pronouns.

2. When used with the preposition **con, mí** and **ti** become **conmigo** and **contigo,** respectively. The other forms do not combine: **con él, con ella, con ustedes,** and so on.

— ¿La revista es para **mí?**	*Is the magazine for **me?***
— No, no es para **ti;** es para **él.**	*No, it's not for **you;** it's for **him.***
— ¿Vas a la peluquería **conmigo?**	*Are you going **with me** to the beauty parlor?*
— No, no voy **contigo;** voy con **ellos.**	*No, I'm not going with **you;** I'm going with **them.***

■ ¡Vamos a practicar! ■

Complete the following sentences with the correct forms of the pronouns in parentheses.

1. Elena no puede ir _____, Anita. (*with you*)
2. Esas cintas son para _____, y el disco es para _____. (*me / her*)
3. Teresa está hablando de _____. (*us*)
4. Elsa va a venir con _____. (*them*)
5. Olga no va a ir a la peluquería _____; va a ir _____. (*with you, pl. / with me*)
6. El champú no es para _____, Paquito; es para _____. (*him / you*)

C. Direct Object Pronouns
(*Pronombres usados como complemento directo*)

1. In addition to a subject, most sentences have an object.

> Él compra **el champú.**   *He buys **the shampoo.***
> **S.**   **V.**   **D.O.**

In the preceding sentence, the subject **Él** performs the action, while **el champú,** the direct object, directly receives the action of the verb. (The direct object of a sentence can be either a person or a thing.)

The direct object can be easily identified as the answer to the questions *whom?* and *what?* about what the subject is doing.

> Él compra **el champú.**   (***What** is he buying?*)
> **S.**   **V.**   **D.O.**

> Alicia llama **a Luis.**   (***Whom** is she calling?*)
> **S.**   **V.**   **D.O.**

2. Direct object pronouns can be used in place of direct objects. The forms of the direct object pronouns are as follows.

Sing.		Pl.	
me	me	**nos**	us
te	you (*fam.*)	**os**	you (*fam. pl.*)
lo	him, you (*m.*), it (*m.*)	**los**	them, you (*m.*)
la	her, you (*f.*), it (*f.*)	**las**	them, you (*f.*)

¿Dónde quiere **la raya?**   ¿**La** quiere a la derecha?

*Where do you want **the part?***   *Do you want **it** on the right?*

3. Position of direct object pronouns

    a. In Spanish, object pronouns are normally placed before a conjugated verb.

       Yo compro **el champú.**   *I buy **the shampoo.***
       Yo   **lo**   compro.   *I buy **it.***

    b. In a negative sentence, **no** must precede the object pronoun.

       Yo compro **el champú.**   *I buy **the shampoo.***
       Yo   **lo**   compro.   *I buy **it.***
       Yo **no** **lo**   compro.   *I **don't** buy it.*

    c. When a conjugated verb and an infinitive appear together, the direct object pronoun is either placed before the conjugated verb or attached to the infinitive. This is also the case in a negative sentence.

       La   voy a llamar.
       Voy a llamar**la.**   } *I'm going to **call her.***

       No **la** voy a llamar.
       No   voy a llamar**la.**   } *I'm not going to **call her.***

    d. In the present progressive, the direct object pronoun can be placed either before the verb **estar** or after the **gerundio.**

       Lo está   leyendo.
            Está   leyéndo**lo.**   } *He's reading **it.***

¡ATENCIÓN!   Note the use of the written accent in **leyéndolo.**

■ ¡Vamos a practicar! ■

A. Nora is talking to the beautician. Supply the missing direct object
    pronouns in the dialogue.

    Peluquero: — ¿Dónde quiere Ud. *la raya*, Sra.?
    Nora: — _____ quiero a la izquierda.
    Peluquero: — ¿Quiere *una permanente*?
    Nora: — No, no _____ necesito porque no tengo el pelo muy
                    lacio.
    Peluquero: — ¿Ud. usa *rizador*?
    Nora: — Sí, siempre _____ uso.
    Peluquero: — Tiene caspa. ¿No usa el champú Anticaspa?
    Nora: — No, no _____ uso, pero voy a empezar a usar _____ .
                    ¿Dónde puedo conseguir _____ ?
    Peluquero: — Nosotros _____ vendemos aquí.

B. Susan has a car and her teacher and her friends need rides. Susan
    always says yes. What does she answer?

    Ana: — ¿Puedes llevarme a casa?
    Raúl y Jorge: — ¿Puedes llevarnos a la biblioteca?
    Profesora: — ¿Puede llevarme a mi apartamento?
    Teresa: — ¿Puedes llevar a Rosa y a Carmen a casa?
    Sergio: — ¿Puedes llevar a Pedro y a Luis a la residencia?
    Marta y Raquel: — ¿Puedes llevarnos a casa?

C. You and your friends, Gustavo and Jaime, are making plans to go out for the evening. Answer Gustavo's questions, using direct object pronouns and the cues provided.

1. ¿A qué hora *me* llamas? (a las cinco)
2. ¿A dónde *nos* llevas? (a un restaurante)
3. ¿Dónde *nos* esperas? (en la biblioteca)
4. ¿Recuerdas *el número de teléfono de Jaime?* (no)
5. ¿Tienes *tu licencia para conducir?* (sí)
6. ¿Cuándo llamas *a Teresa y a Susana?* (más tarde)
7. ¿Dónde *te* esperan las chicas? (en la residencia universitaria)
8. ¿El novio de Teresa *los* conoce a Uds.? (no)

D. You are the interpreter. What is the hairstylist saying to the customers?

1. I'm going to put you under the dryer, madam.
2. This shampoo is very good. We sell it here.
3. Shall I shave you, sir?
4. Can you call me tomorrow, Miss Vera?
5. I can't wait on you now.
6. I have these magazines. Do you want to read them?

D. Command Forms: *Ud.* and *Uds.*
(*Las formas de mandato para* **Ud.** *y* **Uds.**)

1. The command forms for **Ud.** and **Uds.**[1] are formed by dropping the **-o** of the first-person singular of the present indicative and adding **-e** and **-en** for the **-ar** verbs and **-a** and **-an** for the **-er** and **-ir** verbs.

ENDINGS OF THE FORMAL COMMANDS		
	Ud.	**Uds.**
-ar verbs	**-e**	**-en**
-er verbs	**-a**	**-an**
-ir verbs	**-a**	**-an**

[1] The command form for **tú** will be studied in Lesson 14.

The following table describes the formation of the **Ud.** and **Uds.** commands.

Infinitive	First-Person Sing. Present Indicative	Stem	Commands Ud.	Uds.
habl**ar**	yo habl**o**	habl-	habl**e**	habl**en**
com**er**	yo com**o**	com-	com**a**	com**an**
abr**ir**	yo abr**o**	abr-	abr**a**	abr**an**
cer**rar**	yo ci**err**o	cierr-	ci**err**e	ci**err**en
volv**er**	yo v**uelv**o	vuelv-	v**uelv**a	v**uelv**an
ped**ir**	yo p**id**o	pid-	p**id**a	p**id**an
dec**ir**	yo d**ig**o	dig-	d**ig**a	d**ig**an

— ¿Con quién debo hablar?   *With whom must I speak?*
— **Hable** con el cajero.   ***Speak** with the cashier.*

— ¿Cuándo debemos volver?   *When must we come back?*
— **Vuelvan** mañana.   ***Come back** tomorrow.*

2. The command forms of the following verbs are irregular.

	dar	estar	ser	ir
Ud.	**dé**	**esté**	**sea**	**vaya**
Uds.	**den**	**estén**	**sean**	**vayan**

— ¿Vamos a la peluquería ahora?   *Shall we go to the beauty salon now?*
— No, no **vayan** ahora; **vayan** a las dos.   *No, don't **go** now; **go** at two o'clock.*

■ ¡Vamos a practicar! ■

A. The receptionist at a hairstyling salon must give the customers certain
    instructions. Following the model, change each sentence to the
    appropriate command.

MODELO: **Tiene** que **hablar** con la peluquera.
         Hable *con la peluquera.*

1. Tiene que volver mañana.
2. Tiene que pedir turno.
3. Tiene que estar aquí a las tres.
4. Tiene que hablar con el peluquero.
5. Tiene que esperar un momento.
6. Tiene que venir más tarde.
7. Tiene que dar su nombre.
8. Tiene que dejar su número de teléfono.
9. Tiene que llamar a su esposo.
10. Tiene que poner las revistas aquí.

B. You are the teacher and your students are asking you what to do.
    Answer, using the command forms and the cues provided.

1. ¿Qué lección estudiamos?   (la lección 3)
2. ¿Dónde escribimos?   (en la pizarra)
3. ¿Cuándo venimos?   (por la tarde)
4. ¿A qué hora debemos estar aquí?   (a las siete)
5. ¿Qué debemos comprar?   (un diccionario)
6. ¿Qué libro usamos?   (*¡Hola, amigos!*)
7. ¿A dónde vamos?   (al laboratorio de lenguas)
8. ¿A qué hora volvemos?   (a las 4)
9. ¿Qué requisitos debemos tomar?   (inglés y matemáticas)
10. ¿A qué hora empezamos a estudiar?   (a las 5)
11. ¿A quién llamamos?   (al consejero)
12. ¿Dónde esperamos? (en la biblioteca)

E. Position of Object Pronouns with Direct Commands
(*La posición de los pronombres con las formas de mandato*)

With all direct *affirmative* commands, object pronouns are placed after the verb and are attached to it, thus forming only one word. With all negative commands, the object pronouns are placed in front of the verb.

— ¿Dónde pongo los rizadores?	*Where shall I put the curling irons?*
— Pónga**los** aquí; no **los** ponga en la cama.	*Put **them** here; don't put **them** on the bed.*

¡ATENCIÓN!   Note the use of the written accent in **póngalos.**

■ ¡Vamos a practicar! ■

A. Andrés says *yes* to everything, while Ana always says *no.*

Answer these questions as Andrés or Ana would, using a direct object pronoun to replace each direct object.

1. ¿Mando *la carta* hoy?   (Andrés)
2. ¿Compramos *las tarjetas postales?*   (Ana)
3. ¿Deposito *el dinero?*   (Ana)
4. ¿Cobramos *el cheque?*   (Andrés)
5. ¿*Lo* afeito (a Ud.), señor?   (Andrés)
6. ¿Compro *el champú?*   (Ana)
7. ¿Vendo *la barbería?*   (Ana)
8. ¿Pido *turno?*   (Andrés)
9. ¿*Los* llamo (a Uds.) mañana?   (Andrés)
10. ¿Usamos *los rizadores?*   (Ana)

B. Write at least one affirmative and one negative command for each of the following situations.

1. a man at the barber shop
2. a woman at the beauty salon
3. a teacher in class
4. a lady to a taxi driver, telling him where to wait for her and where to take her
5. a man at a hotel, telling the bellhop where to put his books and his suitcases

Y AHORA, ¿QUÉ?

Palabras y más palabras

Match the questions in column A with the answers in column B.

A

1. ¿Es caro?
2. ¿Dónde quiere la raya?
3. ¿Acá arriba?
4. ¿Tiene el pelo lacio?
5. ¿Qué desea?
6. ¿A qué hora es su turno?
7. ¿Puede atenderme ahora?
8. ¿Quién lo afeita?
9. ¿A dónde vas?
10. ¿Y el bigote?
11. ¿Qué voy a hacer mientras espero?
12. ¿Qué se sirve Ud.?
13. ¿Cuándo viene la peluquera?
14. ¿Quién es esa señora?
15. ¿Dónde está el rizador?
16. ¿Cuándo vienen los chicos?

B

a. No, a los costados.
b. Sí, siéntese aquí, por favor.
c. A las tres.
d. Lea una revista.
e. En seguida.
f. El barbero.
g. Debajo de aquella silla.
h. No, es muy rizado.
i. Mi esposa.
j. Vienen el mes que viene.
k. No, es muy barato.
l. Déjelo como está.
m. Corte, lavado y peinado.
n. A la peluquería.
o. A la derecha.
p. Una taza de café.

¡Vamos a conversar!

A.   What happens at the beauty salon and at the barber shop? Base your answers on the dialogues.

   1. ¿Quién pide turno en la peluquería?
   2. ¿A dónde va el esposo de Nora?
   3. ¿Qué hace Nora mientras espera?
   4. ¿Qué se sirve Nora?
   5. ¿Tiene Nora el pelo rizado?
   6. ¿Dónde quiere Nora la raya, a la derecha o a la izquierda?
   7. ¿Dónde va a poner la peluquera a Nora?
   8. ¿Qué dice Nora del pelo de Gerardo?
   9. ¿Quién tiene caspa, Nora o Gerardo?
   10. ¿Dónde puede comprar Gerardo un champú muy bueno?
   11. ¿Es muy caro el champú?
   12. ¿Tiene bigote Gerardo?
   13. ¿Para cuándo quiere el turno Gerardo?
   14. ¿Quién viene con él?

B.   Choose a partner, then interview each other using the **tú** form.

   Pregúntele a su compañero(-a) de clase...

   1. ...si tiene permanente
   2. ...si prefiere el pelo largo o corto
   3. ...qué champú usa
   4. ...si quiere la raya a la derecha o a la izquierda
   5. ...cuántas veces al mes (*each month*) va a la peluquería (barbería)
   6. ...a qué peluquería (barbería) va
   7. ...si tiene secador en su casa
   8. ...si prefiere el pelo lacio o rizado
   9. ...si tiene turno hoy en la peluquería (barbería)
   10. ...qué revistas lee
   11. ...cuántos estudiantes hay en la clase
   12. ...si tiene clase los domingos

Situaciones

You find yourself in the following situations. What do you say? What might the other person say?

   1. You have to call the beauty parlor or barber shop to make an appointment for a haircut, shampoo, and set.
   2. Someone has to wait for you, and you suggest he or she read a magazine while waiting.
   3. You have to tell a beautician or barber how you want your hair cut and where you want the part.
   4. You and a friend who has dandruff are discussing a good type of shampoo, and where your friend can get it.

Adaptación del diálogo

With a classmate, adapt the dialogues at the beginning of this lesson by making the following changes.

Cambien:

1. la hora del turno de Nora
2. lo que quiere Nora
3. lo que se sirve Nora
4. cómo quiere el pelo Nora
5. dónde quiere la raya
6. lo que dice la esposa de Gerardo
7. cómo quiere Gerardo la barba y el bigote
8. para cuándo pide turno Gerardo
9. quién viene con Gerardo

Para escribir

Following the style of the dialogue in this lesson, write a dialogue between a man and wife in which each criticizes the other's hair and gives suggestions on how to improve it. Finally, both make appointments with their hairstylists.

7 Ana y Enrique van de compras

PROBADOR

Ana Martelli es estudiante de ingeniería. Es de Rosario, pero ahora vive en Buenos Aires con sus tíos. Hoy se levanta muy temprano, se baña y se viste para ir de compras. Va a la tienda París, que hoy abre a las nueve porque tiene una gran liquidación. Allí habla con Eva, la dependienta.

En el departamento de señoras:

Ana — Me gusta esa blusa rosada. ¿Cuánto cuesta?

Eva — Mil australes. ¿Qué talla usa Ud.?

Ana — Talla treinta. ¿Puedo probarme la blusa?

Eva — Sí, el probador está a la derecha.

Ana — También voy a probarme este vestido y esa falda.

Eva — ¿Necesita un abrigo...? Hoy tenemos una gran liquidación.

Ana — A lo mejor compro uno... ¿La ropa interior y las pantimedias
también están en liquidación?

Eva — Sí, le damos un veinte por ciento de descuento.

*Ana compra la blusa y la falda, pero el vestido le queda grande. Después
compra un par de sandalias y también una cartera para su amiga Nora, porque
hoy es su cumpleaños.*

Enrique está en una zapatería porque necesita un par de zapatos y unas botas.

Empleado — ¿Qué número calza Ud.?

Enrique — Calzo el cuarenta.

Empleado — (*Le prueba unos zapatos.*) ¿Le gustan?

Enrique — Sí, pero me aprietan un poco; son muy estrechos.

Empleado — ¿Quiere unos más anchos?

Enrique — Sí, y unas botas del mismo tamaño, por favor.

Empleado — ¿Algo más?

Enrique — No, nada más. Gracias.

*Enrique va al departamento de caballeros de una tienda muy elegante, donde
compra un traje, un pantalón, una camisa, dos corbatas y un par de calcetines.
Como hace mucho frío y está lloviendo, decide comprarse también un
impermeable y un paraguas.*

ANA AND ENRIQUE GO SHOPPING

*Ana Martelli is an engineering student. She is from Rosario, but now lives in Buenos Aires with her aunt and uncle. Today she gets up very early, bathes, and dresses to go shopping. She goes to the **París** store, which opens at nine o'clock today because it is having a big sale. There she talks with Eva, the clerk.*

In the women's department:

A: I like that pink blouse. How much does it cost?

E: A thousand australes. What size do you wear?

A: Size thirty. May I try on the blouse?

E: Yes, the fitting room is on the right.

A: I'm also going to try on this dress and that skirt.

E: Do you need a coat . . . ? We're having a big sale today.

A: Maybe I'll buy one . . . Are underwear and pantyhose also on sale?

E: Yes, we give you a 20 percent discount.

Ana buys the blouse and skirt, but the dress is big on her. Later she buys a pair of sandals, and also a purse for her friend Nora because today is her birthday.

Enrique is at a shoe store because he needs a pair of shoes and some boots.

C: What size shoe do you wear?

E: I wear (size) forty.

C: *(Tries the shoes on him.)* Do you like them?

E: Yes, but they're a little tight (on me); they're very narrow.

C: Do you want some wider ones?

E: Yes, and some boots in the same size, please.

C: Anything else?

E: No, nothing else. Thank you.

Enrique goes to the men's department of a very elegant store, where he buys a suit, (a pair of) pants, a shirt, two ties, and a pair of socks. Since it's very cold and it's raining, he decides also to buy himself a raincoat and an umbrella.

VOCABULARIO

Cognados

el departamento   department   **la sandalia**   sandal
elegante   elegant

NOMBRES

el abrigo   coat
el, la amigo(-a)   friend
la blusa   blouse
la bota   boot
el caballero   gentleman
el calcetín   sock
la camisa   shirt
la cartera, el bolso   purse, handbag
la corbata   tie
el cumpleaños   birthday
el departamento de caballeros   men's department
el, la dependiente(-ta)   clerk
el descuento   discount
la falda   skirt
el impermeable   raincoat
la ingeniería   engineering
la liquidación, la venta   sale
los pantalones (el pantalón)   pants, trousers
las pantimedias   pantyhose
el par   pair
el paraguas   umbrella
el probador   fitting room
la ropa   clothes
la ropa interior   underwear
la talla, el tamaño   size
la tienda   store
la tía   aunt
el tío   uncle
los tíos   aunt and uncle
el traje   suit

el vestido   dress
la zapatería   shoe store
el zapato   shoe

VERBOS

apretar (e>ie)   to be tight
bañarse   to bathe
calzar   to take a certain size in shoes
gustar   to like, be pleasing to
levantarse   to get up
probarse (o>ue)   to try on
quedar   to fit; to suit
usar   to wear
vestirse (e>i)   to dress oneself, get dressed

ADJETIVOS

ancho(-a); más ancho(-a)   wide; wider
estrecho(-a)   narrow
grande,[1] gran   big

OTRAS PALABRAS Y EXPRESIONES

a lo mejor   maybe, perhaps
¿Algo más?   Anything else?
como   since
hace mucho frío   it is very cold
ir de compras   to go shopping
quedarle grande (a uno)[2]   to be too big *(on someone)*
temprano   early

---

[1]**Gran** is used instead of **grande** before a singular noun.
[2]**quedarle chico(-a) (a uno)** to be too small *(on someone)*

Notas culturales

1. Buenos Aires (*pop.* 8,500,000), the capital of Argentina, is the largest city in the Southern Hemisphere and the sixth largest city in the world. It is the national center of commerce, industry, politics, and culture. The population of Buenos Aires is almost entirely European: Spaniards and Italians predominate, and there are also sizable English, French, and German communities. The people of Buenos Aires call themselves **porteños,** *people of the port.*

There are more than 40 universities in Buenos Aires, and the city has an active cultural life: there are several important museums, theaters, and halls. The **Teatro Colón** is one of the most famous theaters in the world. The famous **Avenida 9 de Julio** is the widest avenue in the world. Cars are not permitted on Florida Street, so that people can window shop at their leisure. The city has many beautiful parks.

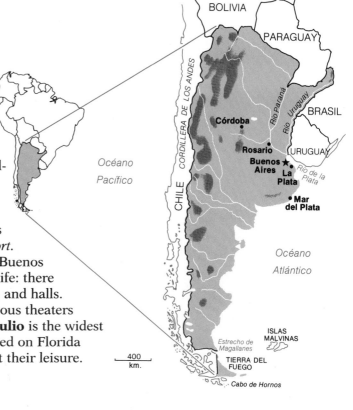

La calle Florida, donde están algunas de las tiendas más elegantes de Buenos Aires.

2. In most Spanish-speaking countries, clothing and shoe sizes are based on the metric system. A size 10 dress in the United States, for example, is a size 30 in Spain.

3. In Argentina, as well as in Uruguay, Paraguay, Guatemala, and Costa Rica, the **tú** form is not used in conversation; instead, the **vos** form is used. Rather than saying **tú quieres,** people in these countries say **vos querés.** This phenomenon is known as **el voseo.**

«Creo que voy a probarme unos zapatos...» Estos muchachos están en una zapatería en Buenos Aires.

Pronunciación

A. Practice the Spanish **l** in the following words.

falda	abril	el
mil	Ángel	¿qué tal?
Isabel	mal	volver

B. Practice the Spanish **r** in the following words.

corbata	probarse	número
primero	París	cuarenta
cartera	porque	derecha

C. Practice the Spanish **rr** (spelled **r** at the beginning of a word and after an **n**) in the following words.

rosado	borrador	correr
Enrique	ahorros	pelirrojo
residente	pizarra	rizador

Puntos para recordar

A. Indirect Object Pronouns

(*Los pronombres usados como complemento indirecto*)

1. A sentence can have, in addition to a subject and direct object, an indirect object.

Ella da el **dinero (a los muchachos.)**   *What does she give?*   **(el dinero)**
S.   V.   D.O.   I.O.

To whom does she give it?
(a los muchachos)

In this sentence, **Ella** is the subject who performs the action, **el dinero** the direct object, and **a los muchachos** the indirect object, the final recipient of the action expressed by the verb.

2. Indirect object nouns are for the most part preceded by the preposition **a.**

3. An indirect object usually tells to whom or for whom something is done. Compare these sentences:

Yo voy a mandar**lo** a México.   (**lo:** *direct object*)
*I'm going to send **him** to Mexico.*

Yo voy a mandar**le** dinero.   (**le:** *indirect object*)
*I'm going to send **him** money.*   (*I'm going to send money **to him.***)

4. An indirect object pronoun can be used in place of the indirect object. In Spanish, the indirect object pronoun includes the meaning *to* or *for*. The forms of the indirect object pronouns are as follows.

Sing.		Pl.	
me	(to) me	**nos**	(to) us
te	(to) you (*fam.*)	**os**	(to) you (*fam.*)
le {	(to) you (*form.*)	**les** {	(to) you (*form.*)
	(to) him		(to) them (*m.* + *f.*)
	(to) her		

a. Indirect object pronouns are the same as direct object pronouns, except in the third persons.

b. Indirect object pronouns are usually placed in front of the verb:

Le damos un descuento, señora.   *We are giving **you** a discount, madam.*

c. When used with an infinitive or in the present progressive, however, the indirect object pronoun can be placed either in front of the conjugated verb or attached to the infinitive or the **gerundio:**

Le voy a probar   los zapatos. } *I'm going to try the*
or: *shoes **on you**.*
    Voy a probar**le**   los zapatos. }

Les estoy diciendo   la verdad. } *I'm telling **them** the*
or: *truth.*
    Estoy diciéndo**les** la verdad. }

d. With commands, the indirect object pronoun is placed before a negative command and attached to an affirmative command:

No **me** diga.   *Don't tell me.*
Díga**me**.   *Tell me.*

¡ATENCIÓN!   The indirect object pronouns **le** and **les** require clarification when the context does not specify the gender or the person to which they refer. Spanish provides clarification by using the preposition **a** + *personal (subject) pronoun.*

Le doy la información.   *I give the information . . .*
but: *(to whom*)? *to him? to her? to you?*)

Le doy la información **a ella.**   *I give the information **to her**.*

The prepositional phrase provides clarification; it is not, however, a substitute for the indirect object pronoun. While the prepositional form can be omitted, the indirect object pronoun must always be used.

— ¿Qué vas a comprar**le** a
   tu hija?
— **Le** voy a comprar un
   vestido azul.

*What are you going to buy
   (for) your daughter?*
*I'm going to buy **her** a blue
   dress.*

■ ¡Vamos a practicar! ■

A. Mom is very generous and buys clothes and shoes for everyone. Say for whom she buys each item, using indirect object pronouns. Clarify when necessary.

MODELO: Mamá compra una camisa **para él.**
         *Mamá **le** compra una camisa **a él.***

1. Mamá compra un vestido *para mí.* MAMA ME COMPRA UN VESTIDO A MI
2. Mamá compra corbatas *para nosotros.* MAMA NOS COMPRA CORBATAS A NOSOTROS
3. Mamá compra una falda *para ella.* MAMA LE COMPRA UNA FALDA A ELLA
4. Mamá compra un traje *para ti.* MAMA TE COMPRA UN TRAJE A TÍ
5. Mamá compra calcetines *para Ud.* MAMA LE COMPRA CALCETINES A USTED
6. Mamá compra zapatos *para ellos.* MAMA LES COMPRA ZAPATOS A ELLOS
7. Mamá compra un paraguas *para Uds.* MAMA LES COMPRA UN PARAGUAS AUDS.
8. Mamá compra un impermeable *para él.* MAMA LE COMPRA UN IMPERMEABLE A ÉL.
9. Mamá compra ropa *para Rodolfo.* MAMA LE COMPRA ROPA A ÉL.
10. Mamá compra pantimedias *para Sofía.* MAMA LE COMPRA PANTIMEDIAS A ELLA.

B. Tell about yourself, your parents and your friends.

[handwritten: you always]   [handwritten: write]   [handwritten: to your mother]
  1. ¿Tú siempre le escribes a tu mamá?   *[handwritten: SI, SIEMPRE ESCRIBIR A TU MAMA.]*
  2. ¿Estás escribiéndole a un amigo en este momento?
  3. ¿Tus padres te escriben?
  4. ¿Cuándo vas a escribirles a tus amigos? *[handwritten: VOY A ESC. A MIS AMIGOS]*
  5. ¿Tus padres te dan dinero? *[handwritten: SI, MIS PADRES ME DAN DINERO]*
  6. ¿Tú vas a mandarles dinero a tus padres?
  7. ¿Tus padres les hablan en inglés o en español a Uds.?
  8. ¿Tú vas a decirme la verdad o no? (*Use **tú** form.*)
      [handwritten: NO, VOY A DECIRTE LA VERDAD.]

C. Using commands, tell your secretary to do the following tasks.

  1. Escribirles al señor López y al señor Smith. Escribirle al señor López
     en español y escribirle al señor Smith en inglés. Decirles que los
     libros están aquí. Mandarles las cartas hoy.
  2. Comprarle (a Ud.) papel y lápices.
  3. Darle al señor Gómez su número de teléfono, pero no darle su
     dirección (*address*).
  4. No hablarles a los empleados de la fiesta de la compañía.
  5. Llevarle los documentos al señor Soto, pero no llevarle los cheques.

D. You are the interpreter. What are these people saying?

  [handwritten left margin: TÚ COMMAND]
  *[handwritten: * YO FORM]*
  *[handwritten: * DROP O]*
  *[handwritten: * ADD ES (AR)]*
  [handwritten: AS (ER/IR)]

  1. "I'm going to buy you a pair of shoes, Mr. Vera. Tell me what size
     shoe you wear."
     "I wear (size) 39."
  2. "Are you speaking to me, Anita?" *[handwritten: ME HABLAS ANITA]*
     "No, I'm speaking to my mother." *[handwritten: NO HABLO A MI MAMA]*
  3. "Are you going to buy me a coat, Mom?" *[handwritten: ME COMPRA UN ABRIGO A MI, MAMA]*
     "No, I'm going to buy you a raincoat." *[handwritten: NO VOY A COMPRARTE]*
  4. "Don't write to me in English; write to me in Spanish." *[handwritten: NO ME ESCRIBAS EN INGLÉ ES CRIBONE IN ESPAÑOL]*
     "I always write to you in Spanish, Miss Martinez."
     [handwritten: YO SIEMPRE TE ESCRIBO EN ESPAÑOL, STA ma——]

B. The Verb *gustar* (*El verbo* ***gustar***)

  1. The verb **gustar** means to like something or somebody (literally, *to
     appeal to*)

Me **gusta** tu traje.			*Your suit* **appeals** *to me.*		
I.O.	V.	S.	S.	V.	I.O.

     A special construction is required in Spanish to translate the
     English *to like*. Note that the equivalent of the English direct object
     becomes the subject of the Spanish sentence. The English subject
     then becomes the indirect object of the Spanish sentence.

GUSTAR IS PLURAL WHEN THE SUBJECT IS PLURAL

I like *your suit.*
S.   D.O.

Me gusta **tu traje.**
I.O.   **S.**

Your suit appeals *to me.*
S.   I.O.

2. Gustar is *always* used **with an indirect object pronoun** — in this example, **me.**

3. The two most commonly used forms of **gustar** are the third-person singular **gusta** if the subject is singular or if **gustar** is followed by one or more infinitives; and the third-person plural **gustan** if the subject is plural.

*Indirect Object
   Pronouns*

Me
Te   } gust**a** — el café.
Le   comer y beber.
Nos } gust**an**   **las** chic**as** rubi**as.**
Les

4. Note that **gustar** agrees in number with the subject of the sentence, that is, the person or thing *being liked.*

   Me gust**an las chicas rubias.**

5. Note that the person who does the liking is the *indirect object.*

Me gustan las chicas rubias.   *Blonde girls appeal **to me.***
I.O.

— ¿Te **gusta** esta corbata   *Do you **like** this yellow tie?*
   amarilla?

— ¡No! No me **gustan** las   *No! I don't **like** yellow ties.*
   corbatas amarillas.

— ¿Les gusta el francés?   *Do you like French?*
— Sí, nos gusta **mucho** el   *Yes, we like French **very much,***
   francés, pero nos gusta   *but we like Spanish **better.***
   más el español.

¡ATENCIÓN!   Note that the words **más** (*more*) and **mucho** immediately follow **gustar.**

6. The preposition **a** + a noun or pronoun is used to clarify meaning or to emphasize the indirect object.

A Eva (a ella) le gusta esa zapatería, pero **a mí** no me gusta.

■ ¡Vamos a practicar! ■

A.   Tell who likes what.

MODELO: Yo / esta blusa
         Me gusta esta blusa.

1. Nosotros / más / estos vestidos
2. ¿Tú / ir de compras?
3. Ellos / mucho / Buenos Aires
4. Yo / bailar
5. Él / no / mucho / estos pantalones
6. ¿Uds. / las sandalias rojas?

B.   Tell which you like better.

1. ¿Te gusta más el invierno o el verano?
2. ¿A Uds. les gusta más venir a clase por la mañana o por la tarde?
3. ¿A Ud. le gusta más el rojo o el azul?
4. ¿Te gusta más vivir en una residencia universitaria o en un apartamento?
5. ¿Te gustan más los chicos (las chicas) rubios(-as) o los chicos (las chicas) morenos(-as)?
6. ¿A Uds. les gustan más las botas o las sandalias?

C. Tell what you, your parents, and your friends like and don't like to do on Saturdays.

MODELO: A mi papá...
          A mi papá le gusta leer revistas.

1. A mí...
2. A mí no...
3. A mi mamá...
4. A mi mamá no...
5. A mi papá...
6. A mi papá no...
7. A nosotros...
8. A nosotros no...
9. A mis amigos...
10. A mis amigos no...
11. A mi mejor amigo(-a)...
12. A mi mejor amigo(-a) no...

D. You are the interpreter. What are these people saying?

1. Alicia doesn't like this shirt. *A Alicia no le gusta esta camisa, sta*
2. Do you like these shoes, Miss Vega? *Le gustan Ud. estos zapatos, señorita Vega*
3. We don't like to go to the beauty parlor. *A nosotros no nos ir a la peluquería*
4. I don't like to go shopping. *No me gusta ir de compras*
5. Do you like this coat, Anita? *Te gusta esta chaqueta, Anita*
6. They don't like to dance. *A ellos no les gusta bailar*

C. Affirmative and Negative Expressions
(*Expresiones afirmativas y negativas*)

1. Study the words and expressions in the following table.

	Affirmative		Negative
algo	something, anything	**nada**	nothing
alguien	something, anyone	**nadie**	nobody, no one
alguno(-a) **algún** **algunos(-as)**	any, some	**ninguno(-a)** **ningún**	none, not any
siempre	always	**nunca** **jamás**	never
alguna vez	ever		
algunas veces, **a veces**	sometimes		
también	also, too	**tampoco**	neither
o... o	either . . . or	**ni... ni**	neither. . . nor

— ¿Uds. **siempre** van a Nueva   *Do you **always** go to New York?*
   York?

— No, **nunca** vamos a Nueva   *No, we **never** go to New York.*
   York.

— Nosotros **tampoco.**   ***Neither** do we.*

a. Alguno and **ninguno** drop the **-o** before a masculine singular noun, but **alguna** and **ninguna** keep the final **a.**

— ¿Hay **algún** libro o **alguna** pluma en la mesa?	*Is there **any** book or pen on the table?*
— No, no hay **ningún** libro ni **ninguna** pluma.	*No, there is **no** book or pen.*

b. Alguno(-a) can be used in the plural form, but **ninguno(-a)** is used only in the singular.

— ¿Necesita mandar **algunos** paquetes?	*Do you need to send **some** packages?*
— No, no necesito mandar **ningún** paquete.	*No, I don't need to **send any** packages.*

2. Spanish sentences frequently use a double negative. In this construction, the adverb **no** is placed before the verb. The second negative word either follows the verb or appears at the end of the sentence. **No** is never used, however, if the negative word precedes the verb.

— ¿Siempre habla Ud. español?	*Do you always speak Spanish?*
— No, yo **no** hablo español **nunca.**	*No, I **never** speak Spanish.*

or:
— No, yo **nunca** hablo español.

— ¿Compra Ud. **algo** aquí?	*Do you buy **anything** here?*
— No, **no** compro **nada nunca.**	*No, I **never** buy anything.*

or:
— **Nunca** compro **nada.**

In fact, Spanish often uses several negatives in one sentence.

Yo **no** le pido **nada**[1] a **nadie nunca.**

■ ¡Vamos a practicar! ■

A. You and your friend cannot agree on anything. Whatever he says, say the opposite.

MODELO: Yo quiero comer **algo.**
           Yo **no** quiero comer **nada.**

1. Yo *siempre* voy a esa tienda. *NUNCA VOY A ESA TIENDA*
2. Yo tengo *algunos* pantalones azules. *YO NO TENGO NINGÚN PANTALÓN AZUL*
3. Yo tomo té *o* café. *YO NO TOMO TÉ NI CAFÉ*
4. *Algunas veces* yo voy al cine. *YO NUNCA VOY AL CINE*
5. Yo quiero hablar con *alguien.* *YO NO QUIERO HABLAR CON NADIE*
6. Yo *siempre* compro *algo.* *YO NUNCA COMPRO NADA*
7. Yo tengo *algunas* camisas muy bonitas. *YO NO TENGO NINGUNA CAMISAS MUY BONITAS*
8. *A veces* yo compro botas *o* sandalias. *YO NUNCA COMPRO BOTAS NI SANDALIAS.*

STUDY

B. What do you do about shopping for clothes?

1. ¿Su tienda favorita tiene liquidaciones a veces?
2. ¿Siempre le dan el ochenta por ciento de descuento?
3. ¿Su mamá le compra ropa algunas veces?
4. ¿Alguien va siempre de compras con usted?
5. ¿Calza usted el cuatro o el cinco?
6. A mí no me gusta usar zapatos estrechos. ¿Y a usted?
7. Yo siempre uso impermeable cuando llueve. ¿Y usted?
8. Yo no tengo ninguna camisa blanca. ¿Y usted?

C. You are the interpreter. What are these people saying?

1. I don't have any Spanish friends. *YO NO TENGO NINGÚN AMIGO DE ESPAÑOL*
2. I don't have anything either. *NO TENGO NADA TAMPOCO*
3. We don't want anything to eat or drink. *A NOSOTROS NO QUEREMOS ALGO COMER O BEBER*
4. You never buy anything for anybody. *USTED NO COMPRA ALGO POR NADIE*
5. Sometimes we go shopping too. *A VECES VAMOS DE COMPRAS TAMBIÉN.*

[1]The use of the double negative in Spanish is not only correct, but necessary.

D. The Reflexive Construction (*La construcción reflexiva*)

1. The reflexive construction (e.g., I introduce myself) consists in Spanish of a reflexive pronoun and a verb.

2. Reflexive pronouns refer to the same person the subject of the sentence does.

Subjects		Reflexive Pronouns
yo	**me**	*myself, to (for) myself*
tú	**te**	*yourself, to (for) yourself* (**tú** form)
nosotros	**nos**	*ourselves, to (for) ourselves*
vosotros	**os**	*yourselves, to (for) yourselves*
Ud.		*yourself, to (for) yourself*
Uds.		*yourselves, to (for) yourselves*
él	**se**	*himself, to (for) himself*
ella		*herself, to (for) herself*
		itself, to (for) itself
ellos, ellas		*themselves, to (for) themselves*

¡ATENCIÓN!   Reflexive pronouns are positioned in the sentence in the same manner as object pronouns.

a. Note that, with the exception of **se**, reflexive pronouns have the same forms as the direct and indirect object pronouns.

b. The third-person singular and plural **se** is invariable.

3. Most verbs can be made reflexive in Spanish if they act upon the subject with the aid of a reflexive pronoun.

Julia le prueba el vestido a su hija.

Julia se prueba el vestido.

4. Some commonly-used **reflexive verbs**

vestirse (e>i) *(to dress oneself, get dressed)*	
Yo **me visto.**	*I dress myself.*
Tú **te vistes.**	*You dress yourself. (* **tú** *form)*
Ud. **se viste.**	*You dress yourself. (* **Ud.** *form)*
Él **se viste.**	*He dresses himself.*
Ella **se viste.**	*She dresses herself.*
Nosotros **nos vestimos.**	*We dress ourselves.*
Vosotros **os vestís.**	*You dress yourselves.*
Uds. **se visten.**	*You dress yourselves. (* **Uds.** *form)*
Ellos **se visten.**	*They (m.) dress themselves.*
Ellas **se visten.**	*They (f.) dress themselves.*

The following commonly used verbs are reflexive.

acostarse (o>ue)	to go to bed	**ponerse**	to put on
levantarse	to get up	**probarse (o>ue)**	to try on
vestirse (e>i)	to get dressed	**quitarse**	to take off
bañarse	to bathe	**sentarse (e>ie)**	to sit down
afeitarse, rasurarse	to shave		

— ¿A qué hora **se levantan** Uds.?   *What time do you **get up**?*

— Yo **me levanto** a las seis y Jorge **se levanta** a las ocho.   *I get **up** at six o'clock and Jorge gets **up** at eight.*

■ ¡Vamos a practicar! ■

A. Rewrite the following sentences, using the new subjects in parentheses.

1. Yo me pruebo el vestido verde.   (Ella, Tú) *Ella se prueba*
2. ¿Tú siempre te levantas temprano?   (Ud., Ellas)

 *Rosa puede bañarse y vestirse* —3. Yo puedo bañarme y vestirme en diez minutos.   (Nosotros, Rosa)

4. Él siempre se afeita por la tarde.   (Yo, Nosotros)
5. ¿Dónde nos sentamos?   (Uds., Tú)
6. Ella quiere probarse los zapatos.   (Tú, Yo)

B. Answer the following questions.

1. ¿A qué hora se levantan Uds.? *Nos levantamos a las sies.*
2. ¿Tu mamá se acuesta temprano? *Si, mi mama acuestarse temprano*
3. ¿Tú te bañas por la mañana o por la noche? *Me baño por la noche.*
4. ¿Puedes bañarte y vestirte en cinco minutos? *No puedo bañarme y vestirme*
5. ¿Cuándo se afeita usted? *Me afeito por la mañana*
6. ¿Siempre te pruebas la ropa en el probador?
7. En la clase de español, ¿te sientas cerca de la ventana o de la puerta?
8. ¿Dónde se sienta el profesor (la profesora)?

C. Look at these illustrations. How would José describe his routine and his family's?

1. Yo...

ME LEVANTO A LAS SIETE EN PUNTO

2. Mi papá...

3. Yo...

LOS SÁBADOS

SIEMPRE

4. Mi papá y mi mamá...

5. Nosotros no...

6. Papá... *SE AFEITA SIEMPRE.*

5 MINUTOS

7. Mamá puede...

1 HORA

8. Elena...

9. Roberto...

10. Nosotros...

11. Yo...

12. ¿Tú también...?

SUMMARY OF PERSONAL PRONOUNS

Subject	*Direct object*	*Indirect object*	*Reflexive*	*Object of prepositions*
yo	**me**	**me**	**me**	**mí**
tú	**te**	**te**	**te**	**ti**
usted *(f.)*	**la**			**usted**
usted *(m.)*	**lo**	**le**	**se**	**usted**
él	**lo**			**él**
ella	**la**			**ella**
nosotros	**nos**	**nos**	**nos**	**nosotros**
vosotros	**os**	**os**	**os**	**vosotros**
ustedes *(f.)*	**las**			**ustedes**
ustedes *(m.)*	**los**	**les**	**se**	**ustedes**
ellos	**los**			**ellos**
ellas	**las**			**ellas**

E. Weather Expressions *(Expresiones usadas para describir el tiempo)*

Hace (mucho) frío.	*It is* (very) *cold.*
Hace (mucho) calor.	*It is* (very) *hot.*
Hace (mucho) viento.	*It is* (very) *windy.*
Hace sol.	*It is* *sunny.*

1. All of the expressions above use the verb **hacer** followed by a noun.

— ¿Abro la ventana?	*Shall I open the window?*
— ¡Sí! ¡**Hace** mucho calor!	*Yes!* ***It's*** *very hot!*

2. The impersonal verbs **llover (o>ue),** *to rain,* and **nevar (e>ie),** *to snow,* are also used to describe the weather. They are used only in the third-person singular forms of all tenses, and in the infinitive, gerund, and past participle.

Aquí **llueve** mucho.	*It rains a lot here.*
Creo que va a **llover** hoy.	*I think it's going to rain today.*
Está **lloviendo;** no podemos salir.	*It's raining; we can't go out.*

Other weather-related words are **lluvia** *(rain)* and **niebla** *(fog).*

3. The following expressions are used in talking about the weather:

— ¿Qué tiempo hace hoy?	*What's the weather like today?*
— Hace buen (mal) tiempo.	*The weather is good (bad).*

«¡Para mí, un café con leche!» Estas personas están en un café al aire libre en la hermosa ciudad de Buenos Aires, la capital argentina.

■ ¡Vamos a practicar! ■

A.　¿Qué tiempo hace?

B. Study the words in the following list, then complete the dialogues below,
    in a logical way.

el paraguas	umbrella	**el abrigo**	coat
el impermeable	raincoat	**el suéter**	sweater
la sombrilla	parasol		

1. — ¿Necesitas un paraguas?
   — Sí, porque _____.
2. — ¿No necesitas un abrigo?
   — No, porque _____.
3. — ¿Quieres un impermeable?
   — Sí, porque _____ mucho.
4. — ¿No quieres llevar el suéter?
   — ¡No! ¡Hace _____!
5. — ¿Vas a llevar la sombrilla?
   — Sí, porque _____.
6. — ¿Necesitas un suéter y un abrigo?
   — Sí, porque _____.
7. — ¿Un impermeable? ¿Por qué? ¿Está lloviendo?
   — No, pero _____.
8. — ¡Qué lluvia! Necesito un _____ y un _____.
9. — No hay vuelos porque hay mucha _____.

Y AHORA, ¿QUÉ?

Palabras y más palabras

Read the following sentences, choosing the word or phrase that best
completes each sentence.

1. Voy a probarme el vestido en el (probador, banco, bolso).
2. Los zapatos no son anchos; son (blancos, estrechos, lacios).
3. Quiero otro par de zapatos del mismo (requisito, tamaño, secador).
4. Estas botas no me quedan bien; me quedan (grandes, ocupadas,
   simpáticas).
5. ¿Quieres comprar zapatos? ¿Qué número (atiendes, sirves, calzas)?
6. Hoy en la tienda Macy's tienen una gran (liquidación, especialización,
   pizarra).
7. Roberto se prueba (la blusa, el traje, la falda) azul.
8. ¿Qué (talla, unidad, sándwich) usa Ud., señorita?
9. ¿De qué color es la camisa? ¿(anaranjada, norteamericana, grande)?
10. Estas sandalias son muy estrechas; me (quedan muy grandes, aprietan,
    quedan muy bien).

11. Ella se va a (afeitar, bañar, probar) la blusa negra.
12. Voy a poner el dinero en mi (bolso, puerta, borrador).
13. Yo me levanto muy temprano; me levanto a las (cinco, diez, once) de la mañana.
14. Necesito ropa. Tengo que (ir, comenzar, conocer) de compras.
15. No me gusta comer (blusas, ensalada, refrescos).
16. Como el sábado es mi (pantimedias, cumpleaños, descuento), a lo mejor doy una fiesta.

¡Vamos a conversar!

A. Discuss what happens when Ana and Enrique go shopping.

1. ¿Para qué se levanta Ana muy temprano?
2. ¿Por qué va a la tienda París?
3. ¿Quién es Eva?
4. ¿Qué talla usa Ana?
5. ¿Dónde está el probador?
6. ¿Qué va a probarse Ana?
7. ¿Por qué no compra Ana el vestido?
8. ¿Qué compra Ana?
9. ¿Hoy es el cumpleaños de Ana?
10. ¿La ropa interior y las pantimedias están en liquidación?
11. ¿Qué descuento le dan?
12. ¿Por qué va Enrique a la zapatería?
13. ¿Qué número calza Enrique?
14. ¿A Enrique le gustan los zapatos?
15. ¿Le quedan bien los zapatos?
16. ¿Qué más compra Enrique en la zapatería?
17. ¿A dónde va después?
18. ¿Qué compra allí?
19. ¿Qué tiempo hace?
20. ¿Por qué compra Enrique un paraguas y un impermeable?

B. Choose a partner, then interview each other using the **tú** form.

Pregúntele a su compañero(-a) de clase...

1. ... a qué hora se levanta
2. ... si se baña por la tarde
3. ... si va a las liquidaciones
4. ... en qué tienda le gusta comprar
5. ... qué talla usa
6. ... en qué zapatería compra sus zapatos
7. ... qué número calza
8. ... si le gusta más usar zapatos, sandalias o botas
9. ... si los zapatos le quedan anchos o le aprietan
10. ... qué colores le gustan más

11. ... si usa corbata para venir a clase
12. ... qué se pone cuando hace frío
13. ... si se quita los zapatos cuando llega a su casa
14. ... a qué hora se acuesta
15. ... cuándo es su cumpleaños

Situaciones

You find yourself in the following situations. What do you say? What might the other person say?

1. You have to go clothes shopping in Mexico City. Tell the clerk what clothes you need, your size, and discuss colors and prices.
2. You go shopping for shoes, sandals, and boots. You try on several pairs, but have problems with all of them. You finally buy a pair of boots.
3. Your Mexican friend, Pablo, is coming to visit you. Tell him what the weather is generally like in your area and what clothes he is going to need.

Adaptación del diálogo

With a classmate, adapt the dialogues at the beginning of this lesson by making the following changes.

Cambien:

1. el nombre (*name*) de la tienda
2. la hora en que se abre la tienda
3. el nombre de la dependienta
4. el color y el precio de la blusa
5. dónde está el probador
6. lo que compra Ana para ella
7. lo que compra para su amiga
8. el nombre de su amiga
9. el descuento que le dan
10. el número que calza Enrique
11. cómo le quedan los zapatos
12. lo que compra Enrique en la zapatería
13. lo que compra Enrique en el departamento de caballeros
14. el tiempo que hace

Para escribir

Describe a typical day in your life: what time you get up, what you generally eat, where you go, clothes you wear, and so on. (For additional vocabulary, you may wish to refer to the **Un paso más** section.)

Un paso más

Learn some additional words and phrases that are related to the ones you have acquired in this unit.

◆ More about clothes, footwear and accessories

la bata	*robe*	el chaleco	*vest*
la billetera	*wallet*	la chaqueta	*jacket*
la bufanda	*scarf*	la faja	*girdle*
la camiseta	*T-shirt*	los guantes	*gloves*
el camisón	*nightgown*	el pijama, los pijamas	*pajamas*
el calzoncillo	*undershorts*	el sombrero	*hat*
el cinturón, cinto	*belt*	el traje de baño	*swimsuit*
la combinación	*slip*	las zapatillas	*slippers*

◆ More about the weather

el cielo está $\begin{cases} \text{nublado} \\ \text{despejado} \end{cases}$ *the sky is* $\begin{cases} cloudy \\ clear \end{cases}$

el grado — *degree*

el clima $\begin{cases} \text{cálido} & hot \\ \text{templado} & warm \\ \text{frío} & cold \\ \text{seco} & dry \\ \text{húmedo} & humid \end{cases}$ *climate*

¿Qué temperatura hace? — *What is the temperature?*
Hace ... grados. — *It's . . . degrees.*

◆ Natural phenomena

el ciclón	*cyclone*	la tormenta	*storm*
el huracán	*hurricane*	el tornado	*tornado*
la nevada	*blizzard*	el terremoto	*earthquake*

¿Qué se ponen?

Describe what Carlos and Elena are wearing.

Carlos:

1. con el traje
2. debajo del pantalón
3. debajo de la camisa
4. para sujetarse (*hold*) los pantalones

5. para dormir
6. en las manos, cuando hace frío

7. en la cabeza (*head*)
8. en los pies (*feet*)

Elena:

1. cuando hace frío
2. para dormir
3. debajo del vestido
4. para ir a la playa (*beach*)

5. con el camisón
6. en los pies (*feet*)
7. en el cuello (*neck*), cuando hace frío
8. para parecer (*to seem*) más delgada

¿Y dónde ponen los dos el dinero?

Hablando del tiempo

1. ¿Cómo es el clima de
   a. Alaska?   c. Oregón?   e. San Diego?
   b. Arizona?   d. Miami?
2. Va a llover. ¿Cómo está el cielo?
3. El cielo no está nublado. ¿Cómo está?
4. ¿Cuál es la temperatura de hoy?
5. ¿Qué fenómenos naturales ocurren en
   a. Miami?   c. Kansas?   e. Minnesota?
   b. California?   d. el trópico?

NIEVE LLUVIAS LLOVIZNAS CALOR FRIO NUBLADO

ESTADO GENERAL DEL TIEMPO: Pronóstico para Miami y sus vecindades.

CIELOS: Parcialmente nublados en la noche con posibilidades de lluvias del 20 por ciento. El jueves parcialmente soleados y en partes nublados con posibilidades de lluvias del 20 por ciento.

TEMPERATURAS: Cálidas en la noche con las mínimas en la parte inferior de los 80 grados y bastante cálidas el jueves con las máximas en la parte inferior de dé los 90 grados.

VIENTOS: Soplarán vientos del sureste de menos de 10 millas por hora en la noche y que cambiarán a vientos del sureste de 10 millas por hora el jueves.

MAREAS: Las mareas a la entrada de la bahía de Miami, serán:

ALTAS: 5:46 a.m. y 6:39 p.m.
BAJAS: 12:11 p.m.

Temperaturas mínimas (máximas entre paréntesis) en las siguientes ciudades:

Atlanta 69 (90)	Los Angeles 68 (80)
Boston 59 (72)	Miami 77 (89)
Chicago 61 (78)	Minneapolis 59 (79)
Clevelan 58 (77)	New Orleans 74 (90)
Dallas 74 (98)	New York 66 (80)
Denver 59 (88)	Phoenix 84 (104)
Duluth 53 (74)	St. Louis 64 (87)
Houston 76 (95)	San Francisco 56 (68)

Jacksonville 74 (92)   Seattle 59 (79)
Kansas City 63 (89)   Washington 69 (87).
Little Rock 69 (94)

Relación de las temperaturas, mínimas (máximas entre paréntesis), en grados centígrados registradas en las siguientes capitales:

Amsterdam 13 (15)	Miami 27 (32)
Asunción 20 (32)	Montevideo 11 (20)
Atenas 24 (32)	Nueva York 19 (26)
Berlín 13 (22)	Panamá 24 (33)
Bonn 8 (19)	París 11 (20)
Bogotá 7 (18)	Quito 8 (20)
Bruselas 11 (19)	Rio de Janeiro 15 (29)
Buenos Aires 10 (21)	Roma 20 (28)
Caracas 18 (25)	San José 15 (26)
Ginebra 10 (23)	San Juan 25 (33)
Guatemala 16 (25)	San Salvador 19 (31)
La Paz 6 (18)	Santo Domingo 23 (32)
Lima 12 (17)	Santiago de Chile 8 (16)
Lisboa 18 (31)	Tegucigalpa 18 (29)
Londres 13 (18)	Tokio 23 (33)
Los Angeles 18 (29)	Viena 14 (18)
Madrid 14 (32)	Washington 20 (28)
México 15 (23)	

Un día muy ocupado

Hoy Teresa está muy ocupada porque tiene que hacer muchas diligencias: ir al banco, al correo, a la peluquería y a la tienda.

A las diez de la mañana va al banco porque quiere cerrar su cuenta de ahorros y cobrar un cheque. También va a pedir un préstamo para comprar un coche.

Son las once y media cuando finalmente Teresa sale del banco y va a la oficina de correos. Allí compra estampillas y tarjetas postales y envía un paquete certificado para su novio, que está en México.

Sube a la oficina de telégrafos para mandar un telegrama, y luego baja para llamar por teléfono y pedir turno en la peluquería.

Teresa está un poco cansada y tiene hambre, y como su turno no es hasta las tres, decide ir a un restaurante para comer algo.

A las tres en punto llega a la peluquería y la peluquera la atiende en seguida.

— Siéntese aquí, por favor.

— Tengo el pelo muy largo. Córtelo un poco acá arriba y a los lados, por favor.

— Tiene muchas canas. ¿Quiere un tinte?

— No, déjelas como están, pero quiero una permanente.

Dos horas después, Teresa va a la tienda a comprarle un regalo a su hermana. No sabe qué regalarle porque a su hermana nunca le gusta nada. Al fin le compra un vestido de noche muy bonito. Cuando sale de la tienda, está lloviendo.

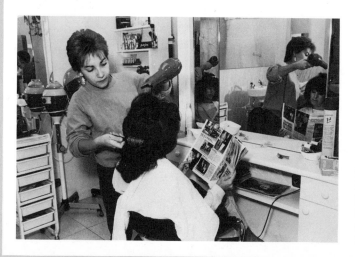

Esta muchacha está leyendo un artículo muy interesante en una revista mientras la peluquera le arregla el pelo (does her hair).

Nuevas palabras

al fin finally
bajar to go down
la cana gray hair
cerrar (e>ie) to close
el coche, automóvil, carro car
después later
en punto on the dot
hacer diligencias to run errands
la hermana sister
ocupado(-a) busy
la oficina de telégrafos telegraph office

el paquete package
para in order to
el préstamo loan
regalar to give (*as a gift*)
el regalo gift
salir (de) to leave; to go out
subir to go up
el tinte dye, coloring
el vestido de noche evening gown

¿Recuerda usted...?

1. ¿Por qué está muy ocupada Teresa hoy?
2. ¿Qué diligencias tiene que hacer Teresa?
3. ¿A qué hora va al banco?
4. ¿Qué va a hacer Teresa en el banco?
5. ¿Para qué va a pedir un préstamo?
6. ¿Qué hora es cuando Teresa sale finalmente del banco?
7. ¿Qué compra Teresa en la oficina de correos?
8. ¿Cómo envía Teresa el paquete?
9. ¿Para qué sube a la oficina de telégrafos?
10. ¿A dónde va después?
11. ¿Por qué decide Teresa ir a un restaurante?
12. ¿A qué hora llega Teresa a la peluquería?
13. ¿Tiene que esperar?
14. ¿Teresa tiene el pelo largo o corto?
15. ¿Quiere Teresa un tinte o una permanente?
16. ¿A dónde va Teresa cuando sale de la peluquería?
17. ¿Para qué va Teresa a la tienda?
18. ¿Por qué no sabe Teresa qué regalarle a su hermana?
19. ¿Qué le compra al fin?
20. ¿Qué tiempo hace cuando Teresa sale de la tienda?

Díganos...

1. ¿Qué diligencias tiene que hacer usted mañana?
2. ¿Va a cerrar Ud. su cuenta de ahorros?
3. Si Ud. necesita un préstamo, ¿va al banco o a la casa de sus padres?
4. Cuando Ud. va de vacaciones, ¿les envía tarjetas postales a sus amigos?
5. Si usted necesita comunicar algo urgente, ¿llama por teléfono o envía un telegrama?
6. ¿Ud. necesita pedir turno en la peluquería o puede ir sin (*without*) pedir turno?
7. Si una persona tiene canas, ¿necesita un tinte? ¿O son atractivas las canas?
8. ¿Qué le va a regalar Ud. a su amigo(-a)?

Lección 5 ◆ **A. The stem-changing verbs *o >ue***

Complete each sentence, using one of the following verbs: **costar, encontrar, recordar, poder** (*use twice*), **volver, dormir.**

1. Yo no _____ el número de mi cuenta de ahorros.
2. Jorge _____ a casa a las cinco.
3. Los libros _____ cincuenta dólares.
4. ¿En qué _____ (yo) servirle?
5. Nosotros no _____ el dinero. ¿Dónde está?
6. Nosotros no _____ enviar un giro postal.
7. Él _____ en su cuarto.

B. Present progressive

Rewrite the following sentences, changing the verbs to the present progressive tense.

1. *Pongo* los libros en el escritorio.
2. El niño *duerme* en el coche.
3. ¿Qué *dicen* ellos?
4. *Tomamos* una clase de educación física.
5. ¿Qué *lees*?
6. ¿Quién *sirve* el café?

C. Uses of *ser* and *estar*

Write sentences from each group of words below, using **ser** or **estar** and making any additional changes necessary.

1. Yo / empleado de banco
2. Inés / oficina de correos
3. Su novia / muy fea
   y antipática
4. La ventana / cerrada
5. Nosotros / norteamericanos
6. Las plumas / de plástico
7. Hoy / el dos de octubre
8. Estas cartas / de Luis
9. ¿Tú / de Estados Unidos?
10. El cajero / preocupado
11. La gente / haciendo / cola
12. Ellos / pidiendo / información

D. Demonstrative adjectives and pronouns

Complete the following sentences, using the Spanish equivalent of the words in parentheses.

1. ¿Quieres comprar _____ vino o _____? (*this, that one*)
2. No quiero _____ tarjetas. Prefiero _____. (*these, those over there*)

3. ¿Tus libros son _____ o _____? (*those, those over there*)
4. _____ casa es bonita, pero _____ es muy fea.   (*this, that one*)
5. No quiero _____.   (*that*) (*neuter*)

E.   Formation of adverbs

Give the Spanish equivalent of the following words.

1. easily   3. slowly   5. slowly and clearly
2. especially   4. rapidly   6. frankly

F.   The cardinal numbers 200 to 1000

Write the following numbers in Spanish.

1. 596   3. 733   5. 466   7. 315
2. 201   4. 1,000   6. 907   8. 677

G.   Vocabulary

Complete the following sentences, using the vocabulary you have learned in this lesson.

1. El banco paga un _____ del ocho por _____.
2. Puede _____ el dinero en _____ momento.
3. Ahora necesito una _____ para poder enviar la carta.
4. No tengo mi _____ de cheques aquí.
5. Voy a _____ mi dinero en el banco.
6. ¿Vas a enviar la carta por vía _____?
7. Envían el giro _____ certificado.
8. Quiero el dinero en _____.
9. No voy a sacar el dinero ahora porque pierdo _____ del interés.
10. ¿No recuerdas el número? No _____.
11. Está _____ a cántaros. Vamos a _____ en este café.
12. Tengo sueño. Voy a _____ un _____.

Lección 6   ◆   ### A.   The stem-changing verbs *e >i*

Complete these sentences, using the present indicative of the following verbs. Use each verb twice.

conseguir   **servir**   **pedir**   **decir**

1. Ellos _____ turno en la peluquería.
2. Nosotros _____ ensalada y sándwiches en la fiesta.
3. ¿Dónde _____ tú el champú?
4. El barbero _____ que está enfermo.
5. Ella se _____ una taza de café.
6. Yo _____ que es muy caro.

7. En el bar, mi esposo y yo _____ cerveza.
8. ¿Dónde _____ Ud. las revistas de México?

B. Pronouns as objects of prepositions

Give the Spanish equivalent of the following sentences.

1. The shampoo is for me, not for you, Paquito.
2. Do you want to go with me or with him, Miss Peña?
3. I can't go with you, Anita; I have to go with them.

C. Direct object pronouns

Answer the following questions in the negative, replacing the italicized words with direct object pronouns.

1. ¿Vas a leer *la revista?*
2. ¿Él *me* conoce? (*Use the* **Ud.** *form.*)
3. ¿Tú *me* esperas en la barbería?
4. ¿Ella *me* llama mañana? (*Use the* **tú** *form.*)
5. ¿Necesitas *los rizadores?*
6. ¿Tienes *el secador?*
7. ¿Ellos *los* conocen *a Uds.?*
8. ¿Uds. consiguen *las tarjetas?*

D. Command forms: *Ud.* and *Uds.*

Complete the following sentences, using the command form of the verbs in parentheses. Use the **Ud.** or **Uds.** form, as needed.

1. _____ a su esposa, Sr. García.   (llamar)
2. _____, Sr. Vega.   (afeitarlos)
3. _____ en seguida, señoritas.   (atenderlas)
4. _____ en el salón de belleza a las cinco, señora.   (estar)
5. No _____ aquí, Sra. Soto.   (dejarme)
6. _____ a la izquierda, señoras.   (ir)
7. Señor, no _____ su número de teléfono.   (dar)
8. No _____ Ud. ahora.   (hacerlo)
9. Chicos, _____ buenos, por favor.   (ser)
10. _____ aquí, señorita Pérez.   (ponerla)

E. Vocabulary

Complete the following sentences, using the vocabulary you have learned in this lesson.

1. ¿_____ Ud. la raya a la _____ o a la izquierda?
2. No quiero el _____ muy corto. Córtelo solamente _____ arriba y a los costados.

3. Ese champú no es _____; es barato.
4. Su esposa no tiene el pelo _____; lo tiene lacio.
5. Tengo _____ para las dos: corte, _____ y peinado.
6. Él tiene _____ y bigote, ¿verdad?
7. Tengo el pelo muy lacio. Necesito una _____.
8. ¿El bigote? Déjelo _____ está.
9. Lea esta revista _____ espera a la peluquera.
10. Necesito un champú para la _____.
11. Aquí tiene una silla. _____, por favor.
12. No voy a ir a la barbería porque el _____ no puede atenderme.
13. Ella va a _____ el pelo el mes que _____.
14. ¿Es _____ que venden ese champú aquí?

Lección 7 ◆ **A. Indirect object pronouns**

Answer the following questions in the negative.

1. ¿Te quedan grandes los zapatos?
2. ¿Le das un abrazo?
3. ¿Me vas a comprar una corbata?
4. ¿Les vas a dar las sandalias?
5. ¿Le aprietan las botas, señora Peña?
6. ¿Ellos les van a dar las pantimedias a Uds.?

B. The verb *gustar*

Give the Spanish equivalent of the following sentences.

1. She doesn't like that blouse.
2. I like to wear this coat.
3. We like these raincoats.
4. Do you like this skirt, Anita?
5. They like to dance.

C. Affirmative and negative expressions

Rewrite the following sentences, changing the negative expressions to the affirmative.

1. No tengo ninguna camisa negra.
2. ¿No quiere nada más de la tienda?
3. Nunca vamos al departamento de caballeros.
4. No quiero ni la blusa roja ni la blusa verde.
5. Nunca espero a nadie.

D. Reflexive construction

Complete these sentences, using the verbs from the following list appropriately. Use each verb once.

afeitarse	vestirse
levantarse	sentarse
bañarse	acostarse
probarse	

1. Mis hijos _____ muy temprano y _____ tarde.
2. Yo voy a _____ la barba.
3. ¿Tú _____ el vestido en el probador?
4. _____ en esa silla y espéreme.
5. Nosotros nunca _____ por la noche.
6. Él va a _____ ahora. Necesita el traje azul.

E. Vocabulary

Complete the following sentences, using the vocabulary you have learned in this lesson.

1. Voy a la _____ para comprar un _____ de sandalias.
2. Estos pantalones no son _____; son estrechos.
3. A lo mejor, voy a comprarte unos zapatos. ¿Qué número _____?
4. Vamos a ir de _____ porque hoy tienen una gran _____ en la tienda París y yo necesito _____ interior.
5. Quiero unas sandalias _____ treinta y seis y unas botas del _____ tamaño.
6. Ella ya tiene el talonario de cheques en la _____.
7. No necesitas probarte los calcetines en el _____.
8. Sandra trabaja como _____ en esa tienda y por eso le dan el diez por ciento de _____.
9. Después voy a subir al _____ de caballeros.
10. Mañana tengo que salir a las siete porque tengo que _____ muchas diligencias.
11. Necesito el abrigo porque hace mucho _____.
12. Está lloviendo. ¿Dónde están mi _____ y mi _____?
13. Mi _____ es el tres de septiembre.
14. Tom Sawyer es el _____ de Huckleberry Finn.

Las comidas

By the end of this unit you will be able to:

* shop for groceries in supermarkets and specialty stores
* order meals at cafes and restaurants
* request and pay your bill
* discuss events that took place in the past
* understand and discuss signs and regulations commonly found in public places

Comprando comestibles

Beto y Sara están comprando comestibles en un supermercado en la ciudad de México.

En el supermercado:

Beto — No necesitamos lechuga ni tomates porque ayer compré muchos vegetales.

Sara — ¿Tú viniste al mercado ayer?

Beto — Sí, ayer hice muchas cosas: limpié el piso, fui a la farmacia...

Sara — Dormiste... Oye, necesitamos mantequilla, leche, queso, azúcar, cereal, huevos...

Beto — No, tu mamá trajo dos docenas de huevos ayer.

Sara — ¿Mamá vino ayer? ¿Por qué no me lo dijiste?

Beto — Te lo dije anoche... Ah, ¿tenemos papel higiénico?

Sara — No. También necesitamos lejía, detergente y jabón.

Beto — Bueno, vamos a apurarnos porque hay un partido de fútbol en televisión y quiero verlo.

Sara — ¿No hubo uno ayer?

Beto — No, ese fue un juego de béisbol.

Paco y Nora están en un mercado al aire libre.

Nora — Tú estuviste aquí ayer. ¿No compraste manzanas?

Paco — Sí, pero se las di a Marta.

Nora — Necesitamos naranjas, peras, uvas y duraznos para la ensalada de frutas.

Paco — También tenemos que ir a la pescadería y a la carnicería para comprar pescado y carne.

Nora — Y a la panadería para comprar pan. Yo no pude comprarlo ayer; no tuve tiempo.

Paco — ¿Qué estás haciendo?

Nora — Estoy buscando el dinero. No sé dónde lo puse...

Paco — Yo lo tengo. Oye, necesitamos zanahorias, papas, cebollas y...

Nora — ¡Y nada más! ¡No tenemos tanto dinero! La semana pasada gastamos mucho.

BUYING GROCERIES

Beto and Sara are buying groceries at a supermarket in Mexico City.
At the supermarket:

B: We don't need lettuce or tomatoes because I bought a lot of vegetables yesterday.

S: Did you come to the market yesterday?

B: Yes, I did lots of things yesterday: I cleaned the floor, I went to the pharmacy . . .

S: You slept . . . Listen, we need butter, milk, cheese, sugar, cereal, eggs . . .

B: No, your mother brought two dozen eggs yesterday.

S: Mom came yesterday? Why didn't you tell (it to) me?

B: I told (it to) you last night . . . Oh, do we have toilet paper?

S: No. We also need bleach, detergent, and soap.

B: Well, let's hurry because there's a soccer game on T.V. and I want to see it.

S: Wasn't there one yesterday?

B: No, that was a baseball game.

Paco and Nora are at an open-air market.

N: You were here yesterday. Didn't you buy apples?

P: Yes, but I gave them to Marta.

N: We need oranges, pears, grapes, and peaches for the fruit salad.

P: We also have to go to the fish market and the meat market to buy fish and meat.

N: And to the bakery to buy bread. I couldn't buy it yesterday; I didn't have time.

P: What are you doing?

N: I'm looking for the money. I don't know where I put it . . .

P: I have it. Listen, we need carrots, potatoes, onions, and . . .

N: And nothing else! We don't have much money! Last week we spent a lot.

VOCABULARIO

Cognados

el béisbol baseball	**la farmacia** pharmacy,
el cereal cereal	drugstore
el detergente detergent	**la fruta** fruit
la docena dozen	**el tomate** tomato
	los vegetales vegetables

NOMBRES

el azúcar   sugar
la carne   meat
la carnicería   meat market
la cebolla   onion
los comestibles   groceries
la comida   food, meal
la cosa   thing
el durazno, el melocotón
  peach
el fútbol   soccer[1]
el huevo, blanquillo
  (*Mex.*) egg
el jabón   soap
la lechuga   lettuce
la lejía   bleach
la mantequilla   butter
la manzana   apple
el mercado   market
la naranja   orange
el pan   bread
la panadería   bakery
la papa, la patata   potato
el papel higiénico   toilet paper
el partido, el juego   game
la pera   pear
la pescadería   fish market
el pescado   fish
el piso   floor

el queso   cheese
el supermercado   supermarket
el tiempo   time
la uva   grape
la zanahoria   carrot

VERBOS   *means reflexive*

apurarse   to hurry
gastar   to spend (*money*)
hacer (yo hago)[2]   to do, make
limpiar   to clean
traer (yo traigo)[2]   to bring
ver (yo veo)[2]   to see

ADJETIVOS

pasado(-a)   last
tanto(-a)   so much

OTRAS PALABRAS Y EXPRESIONES

anoche   last night
ayer   yesterday
bueno   well
el mercado al aire libre
  open-air market
nada más   nothing else

---

[1] The type of football played in the U.S. is called **fútbol americano.**
[2] These three verbs are irregular only in the first-person singular.

Notas culturales

1. Mexico City, the capital of Mexico, is one of the oldest cities in the Western Hemisphere as well as one of the world's fastest-growing cities. It occupies an ancient plain that was once a lake and is now surrounded by mountains. At the center of the original Aztec city, then called **Tenochtitlán,** the Spaniards created a planned town, placing the main public buildings around a square and utilizing former Indian sites. The great cathedral, for example, stands almost on the same spot of the principal Aztec temple. A fascinating aspect of Mexico City is the contrast between the old and the new, particularly of Spanish, Indian and ultramodern architectures.

2. Although supermarkets are becoming increasingly popular in most Spanish-speaking countries, it is still the custom to shop at small stores specializing in one or two main products. To indicate in Spanish what a store sells, the suffix **-ería** is added to the name of the particular product: **panadería** (*bakery*), **pescadería** (*fish market*), **verdulería** (*greengrocery*), **frutería** (*fruit store*), **carnicería** (*butcher shop*), and so on.

Una dulcería *(candy store)* muy popular en la Ciudad de México.

Most Hispanic towns have a central marketplace with a number of small stores. The majority of the people still prefer to shop at such markets, where prices are generally lower or not fixed, and shoppers can bargain with merchants.

3. Los deportes (*sports*). The most important sport in Spain and most of Latin America is soccer. On Sundays, the stadiums are full of fans rooting for their favorite teams. Baseball is played in Cuba, Puerto Rico and Venezuela, and **jai-alai** is very popular in Spain, Cuba and Mexico.

En este mercado de la Ciudad de México se venden productos frescos. Aquí tenemos un puesto de verduras *(vegetable stand)*.

Puntos para recordar

— MEANS PAST TENSE

A. Preterit of Regular Verbs (*El pretérito de los verbos regulares*)

1. Spanish has two simple past tenses: the preterit and the imperfect. (The imperfect will be presented in Lesson 8.) The preterit of regular verbs is formed as follows. Note that the endings for **-er** and **-ir** verbs are identical.

-ar *verbs*	**-er** *verbs*	**-ir** *verbs*
tomar (*to take*)	**comer** (*to eat*)	**escribir** (*to write*)
tomé	comí	escribí
tom**aste**	com**iste**	escrib**iste**
tom**ó**	com**ió**	escrib**ió**
tom**amos**	com**imos**	escrib**imos**
tom**asteis**	com**isteis**	escrib**isteis**
tom**aron**	com**ieron**	escrib**ieron**

(handwritten margin notes: YO, TÚ, USTED/ÉL/ELLA, NOSOTROS, VOSOTROS, USTEDES; and I, You, He/She, We, They)

Ud. **tomó**	*you took; you did take*
yo **comí**	*I ate, I did eat*
ellos **decidieron**	*they decided; they did decide*

2. Use of the preterit

   a. The preterit tense is used to refer to actions or states that the speaker views as completed in the past.

   — ¿Qué **compraste** ayer?   *What **did** you **buy** yesterday?*
   — **Compré** manzanas y uvas.   *I **bought** apples and grapes.*

   — ¿Qué **comieron** Uds. anoche?   *What **did** you **eat** last night?*
   — No **comimos** nada.   *We **did** not **eat** anything.*

   ¡ATENCIÓN! Note that Spanish has no equivalent for the English *did*, used as an auxiliary verb in questions and negative sentences.

   — ¿**Encontraste** el dinero?   ***Did** you **find** the money?*
   — No lo **busqué.**   *I **didn't look** for it.*

b. Verbs ending in **-ar** and **-er** that are stem-changing in the present tense are not stem-changing in the preterit:

encontrar:	tú enc**ue**ntras	tú enc**o**ntraste
volver:	yo v**ue**lvo	yo v**o**lví
cerrar:	yo c**ie**rro	yo c**e**rré

c. Verbs ending in **-car,** such as **buscar,** change **c** to **qu** before an **e** in the first-person singular preterit: **busqué.** Similarly, verbs that end in **-gar** change **g** to **gu** before **e** in the first-person singular preterit.

Y también limpié el piso...

■ **¡Vamos a practicar!** ■

A. What did everybody do yesterday?

1. *Yo* trabajé ayer.   (Tito, Tú y yo, Tú, Uds.)
2. *Ud.* no comió nada.   (Los chicos, Tú, Yo, Eva, Ana y yo)
3. *Ella* recibió una carta.   (Yo, Ellos, Nosotros, Tú)

B. This is what everybody does every day. Tell us what everybody did yesterday.

MODELO: Yo **hablo** con el profesor.
          *Yo **hablé** con el profesor ayer.*

1. Yo lo llamo por teléfono.
2. Él manda los paquetes por vía aérea.
3. ¿Tú te levantas temprano?
4. Ustedes no limpian el piso.
5. Ella se levanta, se baña y come algo.
6. Yo deposito el dinero en mi cuenta de ahorros.
7. Ellos compran detergente y jabón.

    8. Los empleados me atienden en seguida.

    9. Nosotros comemos queso y fruta, y bebemos Coca-Cola.

  10. Le escribo a mi mamá.

C.   Tell us what you did yesterday.

    1. ¿A qué hora te levantaste? *YO ME LEVANTÉ A LAS DOCE*

    2. ¿Te bañaste por la mañana o por la noche? *YO ME BAÑÉ POR LA MAÑANA*

    3. ¿Qué comiste? *YO COMÍ PAN*

    4. ¿A qué hora saliste de tu casa? *YO SALÍ A LAS SIETE*

    5. ¿Cuántas horas estudiaste? *ESTUDIÉ TRES HORAS.*

    6. ¿Trabajaste mucho? *SÍ TRABAJÉ MUCHO.*

    7. ¿A qué hora volviste a tu casa? *YO VOLVÍ A LAS NUEVE.*

    8. ¿Qué programas viste en televisión? *NO VI TELEVISIÓN NADA*

    9. ¿Tomaste algo por la noche? *TOMÉ CERVESA POR LA NOCHE AYER*

  10. ¿A qué hora te acostaste? *ME ACOSTÉ A LAS DOCE*

B. Some Irregular Verbs in the Preterit

(*Algunos verbos irregulares en el pretérito*)

1. Preterit of **ser, ir,** and **dar**

The preterits of **ser, ir,** and **dar** are irregular.

ser (*to be*)	**ir** (*to go*)	**dar** (*to give*)
fui	fui	di
fuiste	fuiste	diste
fue	fue	dio
fuimos	fuimos	dimos
fuisteis	fuisteis	disteis
fueron	fueron	dieron

— ¿Para qué **fuiste** al   *What **did** you **go** to the*
    supermercado?   *supermarket for?*

— **Fui** para comprar   *I **went** to buy groceries; Dad*
    comestibles; papá me   ***gave** me money.*
    dio el dinero.

— ¿Quién **fue** tu profesor el   *Who **was** your professor last*
    año pasado?   *year?*

— La señora Fuentes.   *Mrs. Fuentes.*

¡ATENCIÓN!   Note that **ser** and **ir** have identical preterit forms; however, there is no confusion as to meaning, because the context clarifies it.

2. Other Irregular Verbs in the Preterit

The following Spanish verbs are irregular in the preterit.

tener:	tuve, tuviste, tuvo, tuvimos, tuvisteis, tuvieron
estar:	estuve, estuviste, estuvo, estuvimos, estuvisteis, estuvieron
poder:	pude, pudiste, pudo, pudimos, pudisteis, pudieron
poner:	puse, pusiste, puso, pusimos, pusisteis, pusieron
saber:	supe, supiste, supo, supimos, supisteis, supieron
hacer:	hice, hiciste, hizo, hicimos, hicisteis, hicieron
venir:	vine, viniste, vino, vinimos, vinisteis, vinieron
querer:	quise, quisiste, quiso, quisimos, quisisteis, quisieron
decir:	dije, dijiste, dijo, dijimos, dijisteis, dijeron[1]
traer:	traje, trajiste, trajo, trajimos, trajisteis, trajeron[1]
conducir:	conduje, condujiste, condujo, condujimos, condujisteis, condujeron[1]
traducir:	traduje, tradujiste, tradujo, tradujimos, tradujisteis, tradujeron[1]

Handwritten margin notes:
TO BE ABLE TO
TO PUT
TO DO, MAKE
TO WANT
TO TELL
BRING
TO DRIVE
TRANSLATE

¡ATENCIÓN! Note that the third-person singular of the verb **hacer** changes the **c** to **z** in order to maintain the soft sound of the **c** in the infinitive.

— Ayer no **viniste** a clase. ¿Qué **hiciste?**	You **did** not **come** to class yesterday. What **did you do**?
— Tuve que trabajar. ¿Hubo un examen?	I had to work. Was there an exam?
— No.	No.

¡ATENCIÓN! **Hubo** (*there was, there were*) is the preterit of **hay.**

■ ¡Vamos a practicar! ■

A. What did everybody do yesterday?

1. *Yo* no vine porque tuve que trabajar.　(Luz, Nosotros, Ellos, Tú)
2. *Nosotros* no lo hicimos porque no pudimos.　(Yo, Ella, Tú, Uds.)
3. *Yo* traje los libros y los puse aquí.　(Nosotros, Mis amigos, José, Tú)

B. Rewrite the following sentences, using the new verbs in parentheses.

1. Ellos *compraron* una docena de huevos.　(traer)
2. Ella le *envió* los duraznos.　(dar)
3. ¿Tú *estudiaste* con Luis?　(venir)
4. Yo *vine* a la farmacia.　(ir)
5. Nosotros *compramos* la ropa.　(hacer)
6. ¿Ud. *volvió* con su hijo?　(estar)
7. ¿Dónde *compró* el cereal?　(poner)
8. ¿Qué le *dejaron* Uds.?　(decir)
9. Yo no *quise* hacerlo.　(poder)
10. Nosotros no *encontramos* trabajo el año pasado.　(tener)

C. Read what the following people normally do. Then tell what they did differently.

1. Yo siempre voy al mercado al aire libre, pero ayer...
2. Nosotros siempre hacemos sándwiches de huevos, pero el sábado pasado...
3. Yo siempre les doy naranjas, pero ayer...
4. Tú siempre vienes temprano, pero anoche...
5. Uds. siempre traen uvas y naranjas, pero ayer...
6. Yo siempre estoy en casa a las ocho, pero anoche...
7. Ellos siempre me dan carne, pero ayer...
8. Paco siempre quiere comer lechuga y tomate, pero ayer...
9. Yo nunca le pongo nada al pan, pero esta mañana...
10. Nosotros siempre tenemos tiempo para ir de compras, pero la semana pasada...

Hoy Jueves
Día de la Fruta
y la Verdura

D. Tell us what you did last Monday.

1. ¿A qué hora fuiste a la universidad? ~~TONGO~~ *FUI A LAS SEIS,*
2. ¿Tuviste algún examen? *NO, TUVE EXÁMEN NINGÚN,*
3. ¿Tuviste que estudiar mucho? *TUVE ESTUDIAR MUCHO ESPAÑOL.*
4. ¿Estuviste en la biblioteca por la tarde? *NO ESTUVE EN LA BIBLIOTECA POR LA TARDE*
5. ¿Trajiste algún libro de la biblioteca? *NO TRAJE LIBRO DELA BIBLIOTECA NINGÚN*
6. ¿Hiciste la tarea (*homework*) de la clase de español? *SI, HICE LA TAREA*
7. ¿Pudiste terminarla? *PUDE TERMINARLA.*
8. ¿Dónde pusiste tus libros?
9. ¿A qué hora volviste a casa? *VOLVÍ*
10. ¿Diste una fiesta por la noche? *NO, DÍ*

—ANSWERS WHO OR WHAT SPECFICALLY
ANSWERS TO OR FOR WHOM.

C. Direct and Indirect Object Pronouns Used Together

(*Los pronombres de complemento directo e indirecto usados juntos*)

1. When an indirect object pronoun and a direct object pronoun are used together, the indirect object pronoun always comes first.

Ana | me | da la maleta.   Ana | me | la da.

2. With an infinitive, the pronouns can be placed either before the conjugated verb or after the infinitive. Note that the use of the written accent in the examples below follows the standard rules for the use of accents. (See Appendix A.)

Ana | me | | la | va a dar.

Ana   va a | **dármela.** |

*Ana is going to give **it to me**.*

3. With a gerund, the pronouns can be placed either before the conjugated verb or after the gerund.

Ella | te | | lo | está diciendo.

Ella   está | **diciéndotelo.** |

*She is saying **it to you**.*

D.O.P.
ANSWERS WHO OR WHAT

ME	NOS
TE	OS
LO, LA	LOS, LAS

I O P
ANSWERS TO OR FOR WHOM

ME	NOS
TE	OS
LE	LES

4. If both pronouns begin with **l,** the indirect object pronoun (**le** or **les**) is changed to **se.**

Ana le da la maleta.   Ana se la da.

For clarification, it is sometimes necessary to add **a él, a ella, a Ud., a Uds., a ellos,** or **a ellas.**

— ¿A quién le dio la maleta Ana?
— **Se la** dio **a él.**

A proper name may also be used.

Se la dio **a Luis.**

■ ¡Vamos a practicar! ■

A. Rewrite the following sentences, changing the italicized words to direct object pronouns. Follow the model below.

MODELO: Yo te doy **el dinero.**
               *Yo **te lo doy.***

1. Yo le traigo *las peras y las manzanas.* YO SE LAS TRAIGO NO VAN A
2. Ellos no van a comprarme *esas cosas.* (*two ways*) Ellos LAS COMPRARME
3. ¿Te doy *los vegetales?* TE LOS DOY
4. ¿Uds. nos trajeron *la lejía?* NOS LA TRAJERON
5. ¿Puedes comprarme *el pan?* (*two ways*) PUEDES COMPRARME LO ME LO PUDES COMPRAR
6. Ud. no le trajo *el azúcar.* SE LO TRAJO
7. Yo te di *las papas.* YO TE LAS DI
8. Ellos nos están sirviendo *el pescado.* (*two ways*) Ellos NOS LO ESTAN SIRVIGUN
ELLOS ESTAN SIRVIGUDO NOS LO

B. What excuses would you give in response to these questions?
Follow the model and use the cues provided.

MODELO: — ¿Por qué no le diste el dinero a Olga?   (no la vi)
— *No **se lo di** porque no la vi.*

[handwritten: NO TE LOS TRAJE PQ NO PUDE]
[handwritten: NO SE LAS MANDE PQ NO ~~]
[handwritten: NO MELO conPRO PQ]
[handwritten: ¿NO NOS LO DIO PQ NO VINO ~~]
[handwritten: ME LA ESCRIBIO ——]

1. ¿Por qué no me trajiste los comestibles?   (no pude)
2. ¿Por qué no les mandaste las cartas?   (no fui al correo)
3. ¿Por qué no te compró Paco el queso?   (no quiso)
4. ¿Por qué no les dio Lupe el dinero a Uds.?   (no vino a casa)
5. ¿Por qué te escribió Johnny la carta en inglés?   (no sabe español)

C. Some of us have encountered problems. Can you help us?

[handwritten: OR DARTELOS]
[handwritten: SI PUEDO TE LOS PQ, COMO DAR]
[handwritten: SI PUEDO COMPRARTE LA]
[handwritten: SI PUEDO TRAERTELAS]
[handwritten: SI " TRAEROSLOS]
[handwritten: " " BUSCARSELAS]
[handwritten: " " TRAER SE LOS]

1. Yo necesito veinte dólares. ¿Puedes dármelos?
2. No tengo mantequilla. ¿Ud. puede comprármela?
3. Dejé las cebollas en el coche. ¿Puedes traérmelas?
4. Nosotros necesitamos melocotones. ¿Ud. puede traérnoslos?
5. Elena no encuentra las zanahorias. ¿Puedes buscárselas?
6. Eva dejó los libros en mi casa. ¿Puede traérselos?

D. You went to the market to get groceries for your family. Tell us about
your errands.

MODELO: ¿Quién te dio la lista?   (mi mamá)
Mi mamá me la dio.

1. ¿A quién le pediste el dinero?   (a mi papá)
2. ¿A quién le trajiste las naranjas?   (a mi mamá)
3. ¿A quién le compraste el queso?   (a mi hermana)
4. ¿Quién te dio el dinero para comprar la leche?   (Elsa)
5. ¿Le trajiste la carne a tu hermana?   (Sí)
6. ¿Tu papá te escribió la lista de los comestibles?   (Sí)
7. Nosotros te pedimos uvas. ¿Nos las compraste?   (No)
8. ¿Dónde le compraste el pan a tu mamá?   (la panadería)

[handwritten: Homework]

E. You are the interpreter. Help your English-speaking friend express the
following information.

1. The oranges? Bring them to me tomorrow, Mr. Vega.
2. The apples? I sent them to her yesterday.
3. The letter? I'm writing it to him now.
4. The coffee? I'm going to serve it to you later, Mr. Soto.
5. I need the fish. Can you bring it to me, Paquito?

Y AHORA, ¿QUÉ?

Palabras y más palabras

Find the missing word in each sentence.

Homework

1. Las _____ se usan para hacer vino.
2. Fui a la _____ para comprar aspirinas.
3. Compré la carne en la _____ y el _____ en la pescadería.
4. No puedo beber el café porque no tiene _____.
5. Ayer no fui a la panadería porque no tuve _____.
6. Vayan al supermercado y traigan papel _____.
7. Hoy es jueves; _____ fue miércoles.
8. *Tide* es un _____.
9. Traje _____ y _____ para la ensalada.
10. Voy a ponerle _____ al pan.
11. Compré los _____ en el supermercado.
12. Para hacer la ensalada de frutas, necesitamos _____, _____, _____, _____ y _____.
13. Las zanahorias y las papas son _____.
14. Quiero ver un _____ de béisbol en la televisión.
15. Compraron las frutas en un mercado al _____ _____.
16. Son las seis y tenemos que estar allí a las seis y media. Tenemos que _____.

¡Vamos a conversar!

A. What is happening at the market? Base your answers on the dialogue.

1. ¿Qué están haciendo Beto y Sara en el supermercado?
2. ¿Por qué no necesitan lechuga ni tomates?
3. ¿Qué limpió Beto ayer y a dónde fue?
4. ¿Qué dice Sara que necesitan?
5. ¿Por qué no necesitan huevos?
6. ¿Cuándo vino la mamá de Sara?
7. ¿Se lo dijo Beto a Sara?
8. ¿Qué otras cosas necesitan comprar en el supermercado?
9. ¿Por qué dice Beto que tienen que apurarse?
10. ¿Qué partido hubo ayer en la televisión?
11. ¿Dónde están Paco y Nora?
12. ¿Qué compró Paco ayer?
13. ¿A quién se las dio?
14. ¿Qué necesitan para la ensalada de frutas?
15. ¿Por qué tienen que ir a la pescadería y a la carnicería?

16. ¿Por qué no pudo ir Nora a la panadería ayer?
17. ¿Qué está buscando Nora?
18. ¿Sabe Nora dónde puso el dinero?
19. ¿Quién tiene el dinero?
20. ¿Por qué no tienen tanto dinero Paco y Nora?

B. Choose a partner, then interview each other, using the **tú** form.

Pregúntele a su compañero(-a) de clase...

1. ... si le pone azúcar al café
2. ... dónde compra la carne
3. ... qué frutas prefiere
4. ... en qué supermercado compra los comestibles
5. ... cuántas horas duerme
6. ... dónde compra el pescado
7. ... qué vegetales comió ayer
8. ... si come cebollas
9. ... qué jabón usa para bañarse
10. ... si le pone mantequilla al pan
11. ... si tuvo tiempo de ir de compras ayer
12. ... si limpió el piso
13. ... si usó detergente para limpiarlo
14. ... si tiene que comprar muchas cosas en el supermercado
15. ... a dónde fue el sábado pasado
16. ... si le gusta más el béisbol o el fútbol

Situaciones

You find yourself in the following situations. What do you say? What might the other person say?

1. You are telling your roommate what you did yesterday and what you need from the supermarket.
2. You are at an open-air market in Mexico, and you need vegetables, fish, meat, and bread. You inquire about prices and so on.

Adaptación del diálogo

With a classmate, adapt the dialogues at the beginning of this lesson by making the following changes.

Cambien:

1. los vegetales que Sara y Beto no necesitan
2. las cosas que hizo Beto ayer
3. lo que la mamá de Sara trajo ayer
4. las otras cosas que necesitan Beto y Sara
5. lo que Paco compró ayer y le dio a Marta

6. a dónde tienen que ir y qué tienen que comprar
7. lo que Nora no pudo comprar ayer
8. lo que está buscando Nora
9. las otras cosas que necesitan Nora y Paco
10. cuándo gastaron mucho dinero

Para escribir

Last Saturday you had a very important guest. What did you do to prepare
for the occasion? What housework did you do? What did you buy and
prepare for dinner? What else did you do in honor of your guest's arrival?

De vacaciones en Guadalajara

Hace dos días que Pilar y su esposo Víctor están en Guadalajara, México. Llegaron anteayer. Anoche casi no durmieron porque fueron al teatro a celebrar su aniversario de bodas. Luego fueron a un club nocturno, donde se divirtieron mucho.

Ahora están en un café al aire libre, listos para desayunar. El mozo les trae el menú.

Víctor	— (*al mozo*) Tráigame huevos rancheros,[1] papas fritas, jugo de naranja, café y pan tostado con mantequilla.
Mozo	— Y Ud., señora, ¿quiere lo mismo?
Pilar	— No, yo quiero solamente café con leche y pan dulce.
Víctor	— ¿Por qué no comes huevos con tocino o chorizo y panqueques?

[1]Eggs prepared with onions, bell peppers and a special sauce.

Pilar — No, porque a las doce vamos a almorzar en casa de los Acosta y no quiero comer mucho ahora.

Víctor — Es verdad. Y esta noche vamos a ir a cenar también.

Por la tarde, Víctor llama desde el hotel al restaurante El Azteca *para preguntar a qué hora se abre y para hacer reservaciones.*

En el restaurante.

Mozo — Quiero recomendarles la especialidad de la casa: Biftec con langosta, arroz y ensalada. De postre, flan con crema.

Pilar — No, yo quiero pollo asado con puré de papas y sopa de pescado. De postre, tráigame helado.

Víctor — Yo quiero chuletas de cordero, papa al horno y ensalada. De postre, un pedazo de pastel.

El mozo anota el pedido y se va.

Pilar — Mi abuela hacía unos pasteles riquísimos... Cuando yo era chica, siempre iba a su casa para comer pasteles.

Víctor — Yo no veía mucho a mis abuelos porque ellos vivían en el campo, pero mi abuela cocinaba muy bien también.

Después de cenar, siguen hablando un rato. Luego Víctor pide la cuenta, la paga y deja una buena propina.

ON VACATION IN GUADALAJARA

Pilar and her husband Victor have been in Guadalajara, Mexico, for two days. They arrived the day before yesterday. Last night they hardly slept (almost didn't sleep) because they went to the theater to celebrate their wedding anniversary. Then they went to a night club, where they had a lot of fun. Now they are at a sidewalk cafe, ready to have breakfast. The waiter brings them the menu.

V: (*to the waiter*) Bring me eggs *rancheros*, French fries, orange juice, coffee and toast with butter.

W: And you, madam? Do you want the same thing?

P: No, I just want coffee and milk and (a) sweet roll.

V: Why don't you eat eggs with bacon or sausage and pancakes?

P: No, because at twelve we're going to have lunch at the Acosta's and I don't want to eat much now.

V: That's true. And tonight we're going to go out for dinner, too.

In the afternoon, Victor calls the El Azteca *restaurant from the hotel to ask what time it opens and to make reservations.*
At the restaurant:

W: I want to recommend (to you) the specialty of the house: Steak and lobster, rice and salad. For dessert, *flan* with cream.

P: No, I want roast chicken with mashed potatoes and fish soup. For dessert, bring me ice cream.

V: I want lamb chops, baked potato and salad. For dessert, a piece of cake.

The waiter writes down the order and leaves.

P: My grandmother used to make very good (tasty) pastries. When I was little, I always used to go to her house to eat pastry.

V: I didn't see my grandparents much because they lived in the country, but my grandmother was a very good cook (cooked very well), too.

After dinner, they continue to talk for a while. Then Victor asks for the bill, pays it, and leaves a good tip.

VOCABULARIO

Cognados

el aniversario anniversary	**el panqueque** pancake
el café cafe	**la reservación** reservation
la crema cream	**el restaurante** restaurant
la especialidad specialty	**la sopa** soup
el hotel hotel	**las vacaciones**[1] vacation
el menú menu	

NOMBRES

la abuela grandmother
el abuelo grandfather
los abuelos grandparents
el aniversario de bodas wedding anniversary
el arroz rice
el bistec steak
el campo country (*as opposed to the city*)
el cordero lamb
la cuenta bill
el chorizo sausage
la chuleta chop
el flan type of custard
el helado ice cream
la langosta lobster
el mozo, camarero,[2] **mesero** (*Mex.*) waiter
el pan dulce sweet roll
el pan tostado, la tostada toast
las papas fritas French fries
el pastel pastry, cake, pie
el pedazo piece
el pedido order
el pescado fish
el pollo chicken
el postre dessert
la propina tip
el puré de papas mashed potatoes
el tocino bacon

VERBOS

almorzar (o>ue) to have lunch
anotar to write down
celebrar to celebrate
cenar to have dinner
cocinar to cook
desayunar to have breakfast
divertirse (e>ie) to have fun, to have a good time
preguntar to ask (*a question*)
recomendar (e>ie) to recommend
seguir (e>i), continuar to continue

ADJETIVOS

asado(-a) roast
chico(-a), pequeño(-a) little
listo(-a) ready
riquísimo(-a) very tasty

OTRAS PALABRAS Y EXPRESIONES

al horno baked
anteayer the day before yesterday
el club nocturno nightclub
casi almost
de postre for dessert
después (de) after
de vacaciones on vacation
esta noche tonight
lo mismo the same thing
luego then, later

[1]In Spanish, this noun is always used in the plural form.
[2]waitress **camarera, mesera** (*Mex.*)

Notas culturales

1. Guadalajara, Mexico, at an elevation of 5,069 feet, enjoys a springlike climate yearlong. Its vegetation is similar to that of Southern California: brilliant flowers bloom throughout the year. The rainy season lasts five months and is at its peak during the summer.

Guadalajara has beautiful parks, monuments, and flower-lined boulevards. At its center is a baroque cathedral surrounded by four **plazas.** Tourists can spend many days exploring Guadalajara and its surrounding areas.

2. Las comidas. In most Spanish-speaking countries, breakfast generally consists of coffee and milk and bread, or a sweet roll, and butter. Lunch, which is the main meal, is served between 1 and 2 P.M. At four o'clock, most people have an afternoon snack called **merienda.** Dinner is generally not served before nine in most Spanish-speaking countries.

Siempre hay mucha actividad en las calles céntricas de la hermosa ciudad de Guadalajara, México.

3. La propina. In some areas of the Spanish-speaking world, a service charge is automatically included by the restaurant on your bill, and it is not necessary to leave an additional tip. Often, the service charge will appear on the bill itself, but sometimes it is simply factored into the prices on the menu, which may or may not clearly state **Servicio incluído.** When in doubt, ask: **¿Está incluído el servicio?** And, by all means, if a waiter or waitress has been particularly attentive, feel free to offer an additional gratuity.

Un restaurante muy elegante en la Zona Rosa de la Ciudad de México.

Puntos para recordar

A. Verbs with Stem Changes in the Preterit /IRREGULAR/

(*Los verbos con cambio radical en el pretérito*)

As you will recall, **-ar** and **-er** verbs with stem changes in the present tense have no stem changes in the preterit. However, **-ir** verbs with stem changes in the present tense have stem changes in the third-person singular and plural forms of the preterit (**e** to **i** and **o** to **u**), as shown below.

sentir (e>i)		dormir (o>u)	
sentí	sentimos	dormí	dormimos
sentiste	sentisteis	dormiste	dormisteis
sintió	sintieron	durmió	durmieron

Other **-ir** verbs that follow the same pattern are **pedir, seguir, servir, conseguir, divertirse,** and **morir** (*to die*).

— ¿Qué te **sirvieron** en el restaurante?   *What **did** they **serve** you at the restaurant?*

— Me **sirvieron** biftec con langosta.   *They **served** me steak and lobster.*

— ¿Cómo **durmió** Ud. anoche?   *How **did** you **sleep last night?***

— Dormí muy bien.   *I slept very well.*

■ **¡Vamos a practicar!** ■

A. Supply the appropriate verb forms.

1. **dormir:** — ¿Cómo _____ Uds. anoche?
   — Yo _____ muy bien, pero mamá no _____ bien.

2. **pedir:** — ¿Qué _____ ellos de postre?
   — Ana _____ helado y los niños _____ flan.

3. **seguir:** — ¿Hasta qué hora _____ hablando Uds.?
   — _____ hablando hasta las doce.

4. **servir:** — ¿Qué _____ Uds. en la cena?
   — _____ pollo asado y papas fritas.

5. **divertirse:** — ¿Se _____ Uds. mucho?
   — Yo me _____ pero Julio no se _____ mucho.

6. **conseguir:** — ¿_____ ellos el menú?
   — No, no lo _____.

7. **morir:** — Hubo un accidente, ¿no?
   — Sí, y _____ mucha gente.

B. Using your imagination, complete each statement.

1. Yo no dormí bien pero Julio...
2. Durante la fiesta nosotros servimos café y ellos...
3. Yo conseguí una habitación en el hotel Azteca y mis padres...
4. Nosotros pedimos ensalada y ella...
5. Yo no me divertí pero Uds. ...
6. El papá de Toto murió en 1970 y sus hermanos...

B. The Imperfect Tense (*El imperfecto de indicativo*)

1. There are two simple past tenses in the Spanish indicative: the preterit, which you studied in Lesson 7, and the imperfect.

2. To form the imperfect, add the following endings to the verb stem.

club de
Vacaciones
Vacaciones totales

-ar *verbs*	-er *and* -ir *verbs*	
hablar	**comer**	**vivir**
habl- **aba**	com- **ía**	viv- **ía**
habl- **abas**	com- **ías**	viv- **ías**
habl- **aba**	com- **ía**	viv- **ía**
habl- **ábamos**	com- **íamos**	viv- **íamos**
habl- **abais**	com- **íais**	viv- **íais**
habl- **aban**	com- **ían**	viv- **ían**

Note that the endings of the **-er** and **-ir** verbs are the same. Observe the accent on the second-person plural form of **-ar** verbs: **hablábamos.** Note also that there is a written accent on the final **í** of the endings of the **-er** and **-ir** verbs.

— Tú siempre te **levantabas** a las seis, ¿no?

*You **used to get up** at six, didn't you?*

— Sí, porque mis clases **empezaban** a las siete y media.

*Yes, because my classes **started** at seven thirty.*

¡ATENCIÓN!   Stem-changing verbs do not change in the imperfect.

3. Only three Spanish verbs are irregular in the imperfect tense: **ser, ir,** and **ver.**

ser	**ir**	**ver**
era	**iba**	**veía**
eras	**ibas**	**veías**
era	**iba**	**veía**
éramos	**íbamos**	**veíamos**
erais	**ibais**	**veíais**
eran	**iban**	**veían**

— Cuando yo **era** chica, siempre **iba** a México en el verano.

*When I **was** a girl, I always **went** to Mexico in the summer.*

— Nosotros también.

We did too.

— ¿Cuándo **veías** a tus amigos?

*When **did you use to see** your friends?*

— Sólo los sábados y domingos.

Only on Saturdays and Sundays.

4. The imperfect is used to describe actions or events that the speaker views as in the process of happening in the past, with no reference to when they began or ended.

   Empezábamos a estudiar   *We **were beginning** to study*
   cuando él vino.   *when he came.*

5. The imperfect is also used to refer to habitual or repeated actions in the past, again with no reference to when they began or ended.

   — ¿Uds. **hablaban** inglés   ***Did you speak** English when*
   cuando **vivían** en   *you **lived** in Mexico?*
   México?
   — No, cuando **vivíamos** en   *No, when we **lived** in Mexico we*
   México, siempre   *always **spoke** Spanish.*
   hablábamos español.

6. The Spanish imperfect tense is equivalent to three English forms.

   Yo **vivía** en Chicago. $\begin{cases} \textit{I used to live in Chicago.} \\ \textit{I was living in Chicago.} \\ \textit{I lived in Chicago.} \end{cases}$

■ ¡Vamos a practicar! ■

   A. Things have changed . . . Tell how they used to be.

   1. Ahora vivo en el campo, pero cuando era chico...
   2. Ahora hablamos español, pero cuando éramos chicos...
   3. Ahora comemos pescado, pero cuando éramos pequeños...
   4. Ahora mi abuelo no se divierte mucho, pero cuando tenía veinte años...
   5. Ahora Julia no ve a sus abuelos, pero cuando era chica...
   6. Ahora tú vas al teatro, pero cuando eras chica...

7. Ahora mi hermana no celebra su cumpleaños, pero cuando era pequeña...
8. Ahora me gusta la sopa, pero cuando era chica...
9. Ahora mi mamá cocina muy bien, pero cuando tenía dieciocho años...
10. Ahora Ud. cena a las nueve, pero cuando era pequeña...

B. Tell where you used to live and what you used to do when you were little. Group your answers to form a brief composition.

1. ¿Dónde vivías?
2. ¿Con quién vivías?
3. ¿Tu casa era grande (*big*) o pequeña?
4. ¿Cuántas habitaciones tenía?
5. ¿En qué idioma te hablaban tus padres?
6. ¿A qué escuela (*school*) ibas?
7. ¿Te gustaba estudiar?
8. ¿Qué te gustaba hacer los sábados? ¿Y los domingos?
9. ¿Veías a tus abuelos frecuentemente?
10. ¿Qué te gustaba comer?

C. Use your imagination to tell what was happening when you and your friends were seen in the park.

Anoche te vi en el parque con unos chicos.

1. ¿Qué hora era?
2. ¿Con quiénes estabas?
3. ¿De dónde venían Uds.?
4. ¿A dónde iban?
5. ¿De qué hablaban?
6. ¿Quién era la chica rubia?
7. ¿Quién era el muchacho alto y moreno?
8. ¿Qué tiempo hacía?

C. Uses of *se*

1. In Spanish the pronoun **se** + the third-person singular or plural form of the verb is used as an impersonal construction. This construction is equivalent to the English passive voice, in which the person doing the action is not specified. It is also equivalent to English sentences with the impersonal subjects *one*, *they*, *people*, and *you* (indefinite). This construction is widely used in Spanish.

Se habla español en Chile. { *Spanish is **spoken** in Chile.*
{ ***They speak** Spanish in Chile.*

— ¿A qué hora **se abren** las zapaterías?

*What time **do** the shoe stores **open?***

— **Se abren** a las nueve de la mañana.

They open at nine A.M.

— ¿Qué idioma **se habla** en Venezuela?

*What language **is spoken** in Venezuela?*

— **Se habla** español.

*Spanish **is spoken.***

2. This construction is often used in ads, instructions or directions.

SE VENDE	**SE PROHIBE ESTACIONAR**	**SE SALE POR LA DERECHA**
(For sale)	*(No parking)*	*(Exit to the right)*

LOS EE.UU. (WRITE 2 TIMES BECAUSE ITS PLURAL)

BOTH = AMBOS, LOS DOS

■ **¡Vamos a practicar!** ■

Can you provide the following information?

1. ¿Qué idioma se habla en los Estados Unidos? ¿En Chile?
2. ¿Se vive bien en los Estados Unidos?
3. ¿Ahora se usa el pelo corto o el pelo largo?
4. ¿Cómo se dice «*sale*» en español? SE DICE LIQUIDACION
5. ¿Qué colores se usan en el verano? ¿En el invierno?
6. ¿A qué hora se cierra la biblioteca?
7. ¿A qué hora se abren las farmacias aquí?
8. ¿Dónde se compra ropa para caballeros?

D. The Expression *hace . . . que* (*La expresión* **hace ... que**)

1. To express how long something has been going on, Spanish uses the following formula:

> **Hace** + length of time + **que** + verb (*in the present tense*)
> **Hace** dos años   **que**   vivo aquí.
> I have been *living here for two years.*

2. Note that English uses the present perfect progressive or the present perfect tense to express the same concept.

— ¿Cuánto tiempo **hace que** ella **está** en el hospital?	*How long has she been in the hospital?*
— **Hace dos semanas que está** allí.	*She has been there for two weeks.*
— Oye, ¿viste a Ricardo?	*Listen, did you see Ricardo?*
— No, **hace meses que** no lo **veo.**	*No, I haven't seen him for months.*

¡ATENCIÓN! The following construction is used to ask how long something has been going on:

> **¿Cuánto tiempo hace que** + verb (*present tense*)?

Hace mucho tiempo que no bailo.

■ **¡Vamos a practicar!** ■

A. In complete sentences, tell how long each action depicted below has been going on.

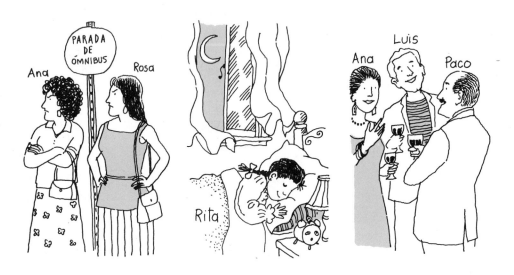

1. veinte minutos   2. cinco horas   3. una hora

4. dos horas   5. seis meses   6. quince días

B. Interview one of your classmates and then report to the class.

1. ¿Cuánto tiempo hace que vives en esta ciudad?
2. ¿Cuánto tiempo hace que estudias aquí?
3. ¿Cuánto tiempo hace que trabajas en esta ciudad?
4. ¿Cuánto tiempo hace que no comes pastel?
5. ¿Cuánto tiempo hace que no vas al mercado?
6. ¿Cuánto tiempo hace que hablas español?

Como podemos ver, se vende de todo en este supermercado
de la ciudad de Cancún, México.

Y AHORA, ¿QUÉ?

Palabras y más palabras

Find the missing word in each sentence.

1. Mi esposo y yo celebramos nuestro aniversario de _BODAS_ ayer.
2. Para desayunar no quiero huevos con chorizo; quiero huevos con _TOCINO_.
3. Todavía no estoy _LISTO_. Tengo que vestirme.
4. No quiero tostadas. Quiero _UN PASTEL_
5. El mozo anota el _PEDIDO_ y se va.
6. Si la cena cuesta cincuenta dólares, debes dejar $7.50 de _PROPINA_
7. De postre quiero un _PEDAZO_ de pastel.
8. ¿A qué hora se cierra el restaurante? Se lo voy a _PREGUNTAR_ al camarero.
9. Quiero cordero asado y _PURÉ_ de papas.
10. ¿A qué hora llegan al hotel _ESTA_ noche?
11. Voy a desayunar y a almorzar, pero esta noche no voy a _CENAR_.
12. El mozo nos _RECOMIENDA_ la especialidad de la casa.

¡Vamos a conversar!

A. What are Víctor and Pilar doing in Guadalajara? Base your answers on the dialogue.

1. ¿Cuánto tiempo hace que Pilar y Víctor están en Guadalajara?
2. ¿Cuándo llegaron?
3. ¿Por qué casi no durmieron?
4. ¿Qué celebraron?
5. ¿Para qué van a un café al aire libre?
6. ¿Qué les trae el mozo?
7. ¿Qué desayuna Víctor?
8. ¿Desayuna lo mismo Pilar?
9. ¿Por qué no quiere comer Pilar?
10. ¿Dónde van a almorzar Víctor y Pilar hoy?
11. ¿Para qué llama Víctor al restaurante *El Azteca?*
12. ¿Qué les recomienda el mozo?
13. ¿Cuál es la especialidad del restaurante *El Azteca?*
14. ¿Quién come chuletas de cordero y papa al horno?
15. ¿Qué comen Víctor y Pilar de postre?
16. ¿A dónde iba Pilar cuando era chica?
17. ¿Quién hacía unos pasteles riquísimos?
18. ¿Dónde vivían los abuelos de Víctor?
19. ¿Qué hacen después de cenar?
20. ¿Qué deja Víctor después de pagar la cuenta?

B. Choose a partner, then interview each other, using the **tú** form.

Pregúntele a su compañero(-a) de clase...

1. ... cuánto tiempo hace que vive en esta ciudad
2. ... cuánto tiempo hace que estudia español
3. ... a dónde fue anteayer
4. ... si le gustan los panqueques
5. ... si le gusta más el pescado o la carne
6. ... si le gusta más comer papas fritas, puré de papas o papa al horno
7. ... qué desayuna generalmente
8. ... dónde almuerza generalmente
9. ... a qué hora cena
10. ... qué va a cenar esta noche
11. ... qué prefiere comer de postre
12. ... qué le gustaba comer cuando era chico(-a)

Situaciones

You find yourself in the following situations. What do you say? What might the other person say?

1. You are at a cafe in Mexico having breakfast. You are very hungry. Order a big breakfast.
2. You are having breakfast with a friend. Suggest a few things he can have to eat and drink.
3. Call a restaurant and make reservations for dinner.
4. You are having dinner with a friend. Order for you and for her. Then ask for the bill.

HACIENDA EL MORTERO

Steak House y especialidades Mexicanas

Adaptación del diálogo

With a classmate, adapt the dialogue at the beginning of this lesson by making the following changes.

Cambien:

1. el tiempo que hace que Pilar y Víctor están en Guadalajara
2. el lugar a donde fueron anoche y lo que celebraron
3. lo que pide Víctor para desayunar
4. lo que pide Pilar
5. con quiénes van a almorzar
6. el nombre del restaurante donde cenan
7. la especialidad de la casa
8. lo que come Pilar
9. lo que come Víctor
10. lo que cocinaba la abuela de Pilar
11. el lugar donde vivían los abuelos de Víctor
12. la persona que paga la cuenta

Para escribir

Following the style of the dialogue in this lesson, write a dialogue describing a date you have had recently. (For additional vocabulary, you may wish to refer to the **Un paso más** section.)

Un paso más

Learn some additional words and phrases that relate to the ones you have acquired in this unit.

◆ To set the table *(Para poner la mesa)*

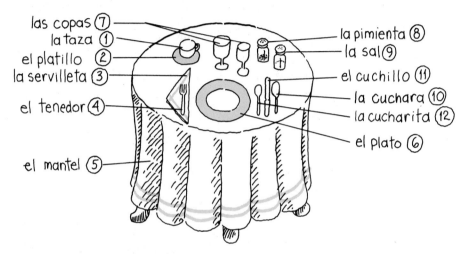

las copas ⑦
la taza ①
el platillo ②
la servilleta ③
el tenedor ④
el mantel ⑤

la pimienta ⑧
la sal ⑨
el cuchillo ⑪
la cuchara ⑩
la cucharita ⑫
el plato ⑥

◆ More about food *(Más sobre la comida)*

las albóndigas   *meatballs*

el batido de	fresas	*strawberry*	
	chocolate	*chocolate*	*shake*
	vainilla	*vanilla*	

el biftec	bien cocido	*well-done*
	término medio	*medium-rare*
	medio crudo	*rare*

la carne asada, el rosbif   *roast beef*

las chuletas	de cerdo	*pork*	
	de cordero	*lamb*	*chops*
	de ternera	*veal*	

la ensalada mixta   *mixed salad*
la hamburguesa   *hamburger*
el jamón   *ham*

	la langosta	*lobster*
los mariscos (*shellfish*):	el cangrejo	*crab*
	los camarones	*shrimp*

el perro caliente   *hot dog*

los tallarines, los espaguetis   *spaghetti*

¿Qué necesitan? ¿Qué prefieren?

What do we need to do the following?

1. Para comer un biftec
2. Para tomar café
3. Para tomar vino
4. Para tomar[1] sopa
5. Para poner una mesa elegante
6. Para condimentar (*season*) la comida

B. Supply the missing words or phrases to talk about what these people like or don't like to eat.

1. A Ricardo no le gusta el chocolate; quiere un batido de _____ o de _____.
2. Olga quiere rosbif, que es carne _____.
3. A Sergio le gusta ir a McDonald's para comer _____. Nunca come perros _____.
4. A Luisa le gustan mucho los mariscos. Siempre pide _____, _____ o _____.
5. Pedro y Enrique van a un restaurante italiano donde sirven _____ muy buenos.
6. Raquel siempre come sándwiches de jamón y _____.
7. Con la carne, Andrés siempre pide una ensalada _____.
8. A Carmen no le gusta el biftec bien _____ ni _____ medio. Siempre lo pide medio _____.
9. A Braulio no le gusta la carne de cerdo; por eso siempre pide chuletas de _____ o de _____.
10. Eloísa siempre pide tallarines con _____.

Un menú

Prepare a menu for a popular restaurant that serves breakfast, lunch and dinner. Include drinks and prices.

[1]In Spanish, **tomar sopa** and **tomar helado** are the equivalents of *to eat soup* and *to eat ice cream.*

¡VAMOS A LEER!

Una Carta de Sandra

10 de junio de 1988

Queridos papá y mamá:

Llegué[1] a Madrid anteayer, pero no pude escribirles antes. ¡Qué ciudad tan hermosa! Es una ciudad grande, donde se mezclan lo[2] moderno y lo antiguo. La gente de Madrid es muy simpática; ya tengo varios amigos y me estoy divirtiendo mucho.

Las costumbres aquí son muy diferentes: no almuerzan hasta la una de la tarde, y por la noche en los restaurantes no empiezan a servir la cena hasta las nueve. No se mueren de hambre porque por la tarde toman la merienda.

Ayer Maribel y yo fuimos de compras a El[3] Corte Inglés, una de las tiendas más grandes de Madrid, donde venden de todo: ropa, zapatos, comestibles, tarjetas postales, perfumes, etc. Me compré una blusa gris, un vestido verde, unos zapatos negros y un abrigo marrón para el invierno. Aquí las tallas son diferentes, y tuve que comprar una talla treinta.

¡Madrid es una ciudad que no duerme! Después de la cena, todos fuimos al teatro, ¡a las once de la noche! De allí fuimos a tomar algo a un café al aire libre cerca de la Plaza Mayor. Volvimos a casa a las tres de la madrugada; Maribel y yo conversamos un rato y no nos acostamos hasta las cuatro y media.

Hoy me levanté a las once, me bañé, me vestí, tomé una taza de café con leche y pan con mantequilla y me senté a escribirles a Uds.

Mañana vamos a Toledo, que es una ciudad muy antigua, y pasado mañana vamos al famoso Museo del Prado en Madrid. ¡Escríbanme!

Cariños,

Sandra

[1]Verbs ending in **-gar** change **g** to **gu** before **e** in the first-person preterit.
[2]In Spanish, the neuter **lo** can be used with the masculine singular form of an adjective to produce a noun having a general or abstract meaning: **lo moderno** (*modern thing*).
[3]The contraction **al** is not used in this case because **El** is part of a name.

Nuevas palabras

acostarse (o>ue) to go to bed
antes before, earlier
antiguo(-a) old
Cariños, Love,
la cena dinner
la costumbre custom
de todo everything
la madrugada early morning
la merienda afternoon snack
morirse (o>ue) de hambre
to starve (*literally, to die of hunger*)

pasado mañana the day after tomorrow
¡Qué ciudad tan hermosa!
What a beautiful city!
querido(-a) dear
varios(-as) several

¿Recuerda usted...?

1. ¿A dónde llegó Sandra anteayer?
2. ¿Qué dice Sandra de Madrid?
3. ¿Qué se mezclan en Madrid?
4. ¿Cómo es la gente de Madrid?
5. ¿Se está divirtiendo Sandra?
6. ¿Qué dice Sandra de las costumbres de Madrid?
7. ¿A qué hora almuerzan[1] en Madrid?
8. ¿A qué hora empiezan a servir la cena en los restaurantes?
9. En Madrid no cenan hasta las nueve, pero no se mueren de hambre. ¿Por qué?
10. ¿A dónde fueron de compras ayer Sandra y Maribel?
11. ¿Qué se vende en El Corte Inglés?
12. ¿Qué se compró Sandra?
13. ¿A dónde fueron Sandra y sus amigos después de la cena?
14. ¿A dónde fueron después?
15. ¿A qué hora volvieron a casa?
16. ¿Qué hicieron Maribel y Sandra por un rato?
17. ¿A qué hora se acostaron?
18. ¿Qué hizo Sandra después de levantarse?
19. ¿A dónde va a ir Sandra mañana?
20. ¿A dónde va a ir pasado mañana?

Díganos...

1. ¿Cómo es la ciudad donde Ud. vive?
2. La ciudad en que usted vive, ¿es antigua o moderna? ¿O se mezclan lo antiguo y lo moderno?
3. Si una persona de Madrid viene a visitarlo(-a) a su casa, ¿qué costumbres diferentes va a encontrar?
4. ¿Cuál es la tienda que más le gusta?
5. ¿Qué compró Ud. cuando fue de compras?
6. Después de la cena, ¿prefiere acostarse o prefiere ir a un café a tomar algo?
7. Cuando va a una fiesta, ¿vuelve Ud. a su casa a la madrugada?
8. ¿Qué va a hacer Ud. pasado mañana?

[1]In Spain, **comer** is also used as the equivalent of *to have lunch*.

Lección 8 ◆ **A. Preterit of regular verbs**

Complete the following sentences, using the preterit of the verbs in parentheses.

1. Anoche yo _____ (limpiar) el piso.
2. Ella _____ (comprar) pescado y carne en el supermercado.
3. Ellos _____ (comer) pan con mantequilla.
4. ¿A qué hora _____ (salir) tú ayer?
5. Nosotros no _____ (beber) tanto.
6. ¿Ud. le _____ (escribir) la semana pasada?
7. Anoche yo _____ (ver) un partido de fútbol por televisión.
8. ¿Tú _____ (trabajar) anoche?

B. Some irregular verbs in the preterit

Change the verbs in the following sentences to the preterit tense.

1. Ella *va* a la oficina de telégrafos.
2. Ellos *traen* el papel higiénico y el jabón.
3. ¿Te *dan* el préstamo?
4. No *tengo* tiempo de ir a la farmacia.
5. ¿Qué *hace* él con el paquete?
6. Yo *busco* un poco de lejía.
7. ¿Ud. *es* su profesor?
8. ¿Qué te *dice* la chica pelirroja?
9. Laura *viene* a comprar comestibles.
10. Tú y yo *estamos* muy ocupados.

C. Direct and indirect object pronouns used together

Answer the following questions in the affirmative, replacing the direct objects with direct object pronouns.

1. ¿Me compraste *las manzanas y las naranjas?*
2. ¿Nos trajeron Uds. *los huevos?*
3. ¿Ellos te van a dar *el azúcar?*   (*two ways*)
4. ¿Él les va a traer *los vegetales* a Uds.?
5. ¿Ella me va a comprar *la cebolla?*   (*Use the* **Ud.** *form.*) (*two ways*)
6. ¿Ellos te traen *las cosas del mercado?*

D. Vocabulary

Complete the following sentences, using the vocabulary you have learned in this lesson.

1. Traje una _____ de huevos del _____ al aire libre.
2. Para limpiar, no uso jabón; uso _____.
3. Necesitamos _____ y _____ para la ensalada.
4. No compré peras ni uvas; no compré ninguna _____.
5. Compro el pescado en la _____ y la _____ en la carnicería.
6. Compren el pan en la _____.
7. El durazno también se llama _____, y la papa también se llama _____.
8. Prefiero el _____ Roquefort.
9. En México llaman blanquillo al _____.
10. Anoche no pude ir porque no tuve _____.
11. Son las dos y tienes que estar en la universidad a las dos y diez. ¡Tienes que _____!
12. ¿Quieres ir a un _____ de béisbol?

Lección 9   ◆   ### A. Verbs with stem changes in the preterit

Complete the following sentences in the preterit tense, using the verbs listed.

seguir	divertirse	pedir
conseguir	morir	dormir

1. Ana y Eva se _____ mucho en la fiesta. Cuando volvieron a casa, _____ hablando y casi no _____ nada por la noche.
2. Juan _____ un biftec y el mozo le trajo una chuleta de cerdo.
3. Hubo un accidente, pero no _____ nadie.
4. ¿_____ Roberto trabajo en la oficina de correos?

B. The imperfect tense

Change the verbs in the following sentences to the imperfect tense.

1. Yo siempre como langosta o pollo.
2. ¿Tú vas al café con tu papá?
3. Ella es muy bonita.
4. Ellos hablan español.
5. Nosotros no vemos a nuestros abuelos frecuentemente.
6. Uds. nunca piden tocino.

Uses of *se*

Give the Spanish equivalent of the following sentences.

1. Italian is spoken here.
2. The banks open at nine o'clock.
3. How does one get out of here?
4. How does one say that in Spanish?
5. At what time do the stores close?

D.   **The expression *hace ... que***

Write the following sentences in Spanish.

1. I have been living in Lima for five years.
2. How long have you been studying Spanish, Mr. Smith?
3. They have been waiting for two hours.
4. She hasn't eaten for two days.

E.   **Vocabulary**

Complete the following sentences, using the vocabulary you have learned in this lesson.

1. Los padres de mi mamá son mis _____.
2. Mis padres celebraron su _____ de bodas ayer.
3. Siempre desayuno café con leche y pan con _____.
4. Hoy es lunes. _____ fue sábado.
5. De _____ pidió flan con _____.
6. El mozo nos recomendó la _____ de la casa.
7. No quiero salmón. No me gusta el _____.
8. Pagué la cuenta y le dejé una _____ al mozo.
9. ¿Quieres un _____ de pastel?
10. Siempre vamos a algún restaurante porque no nos gusta _____.

La salud

LECCIÓN 10: *En la sala de emergencia*

LECCIÓN 11: *En la farmacia y en el consultorio del médico*

By the end of this unit, you will be able to:

♦ give and request information about physical symptoms

♦ discuss health problems, medical emergencies, common medical procedures and treatments

♦ give and request information about medications and how to take them

♦ ask and respond to questions concerning personal medical history

10

En la sala de emergencia

Eran las nueve de la mañana. Susana estaba parada en una esquina,
esperando el ómnibus, cuando vino un coche y la atropelló. La llevaron al
hospital en una ambulancia.
En un hospital en San José, Costa Rica:

Doctor	— ¿Perdió Ud. el conocimiento después del accidente?
Susana	— Sí, pero me dijeron que fue sólo por unos minutos.
Doctor	— ¿Tiene Ud. dolor en alguna parte?
Susana	— Sí, doctor, me duele mucho la herida del brazo.
Doctor	— Voy a vendársela ahora mismo. Y después la enfermera va a ponerle una inyección para el dolor. ¿Le duele algo más?
Susana	— A ver..., también me duele la[1] espalda.
Doctor	— Bueno, vamos a hacerle unas radiografías.

[1]Note that definite articles are used in Spanish with parts of the body rather than possessive
adjectives.

Susana — ¿Radiografías? ¿Para qué, doctor?
Doctor — Para ver si se ha roto algo.

Una hora después, Susana sale del hospital. No ha tenido que pagar nada porque tiene seguro médico. Va a la farmacia y compra una medicina que le ha recetado el médico para el dolor.

Pepito se cayó[1] en la escalera de su casa y su mamá lo ha traído al hospital. Hace una hora que esperan cuando por fin viene la doctora Alba.

Doctora — ¿Qué le pasó a su hijo, señora?
Señora — Parece que se ha torcido el tobillo.
Doctora — A ver... yo creo que es una fractura.

(Han llevado a Pepito a la sala de rayos X (equis) y le han hecho varias radiografías.)

Doctora — Tiene la pierna rota. Vamos a tener que enyesársela.
Señora — ¿Va a tener que usar muletas?
Doctora — Sí, va a tener que usar muletas por cuatro semanas.
Pepito — ¡No me gustan las muletas!

[1]Verbs whose stems end in a strong vowel — that is, **a, e,** or **o** — change the unaccented *i* between vowels to **y** in the third-person singular and plural of the preterit: **se cayó, se cayeron.**

IN THE EMERGENCY ROOM

It was nine o'clock in the morning. Susana was standing on a (street) corner waiting for the bus when a car came and ran her over. They took her to the hospital in an ambulance. At a hospital in San José, Costa Rica:

D: Did you lose consciousness after the accident?

S: Yes, but they told me it was only for a few minutes.

D: Do you have pain anywhere?

S: Yes, doctor, the wound in my arm hurts a lot.

D: I'm going to bandage it for you right now. And afterwards, the nurse is going to give you an injection for the pain. Does anything else hurt (you)?

S: Let me see . . . , my back hurts, too.

D: Okay, we're going to take some X-rays.

S: X-rays? What for, doctor?

D: To see if you've broken anything.

An hour later, Susana leaves the hospital. She hasn't had to pay anything because she has medical insurance. She goes to a pharmacy and buys a medicine that the doctor has prescribed for her for the pain.

Pepito fell down the stairs in his house, and his mother has brought him to the hospital. They have been waiting for an hour when Dr. Alba finally comes.

D: What happened to your son, madam?

W: It seems that he's twisted his ankle.

D: Let's see . . . I think it's a fracture.

(They have taken Pepito to the X-ray room and they have taken several X-rays.)

D: He has a broken leg. We're going to have to put a cast on it.

W: Is he going to have to use crutches?

D: Yes, he's going to have to use crutches for four weeks.

P: I don't like crutches!

VOCABULARIO

Cognados

el accidente accident	**la fractura** fracture
la ambulancia ambulance	**la medicina** medicine
la emergencia emergency	

NOMBRES

el brazo arm
la consulta visit (*to a doctor or hospital*)
el dolor pain
el, la enfermero(-a) nurse
la escalera stairs
la espalda back
la esquina corner
la herida wound
la inyección shot, injection
el, la médico(-a), doctor(-a) doctor
las muletas crutches
el ómnibus, el autobús bus
la pierna leg
la radiografía X-ray
la sala de emergencia emergency room
la sala de rayos X (equis) X-ray room
la salud health
el seguro médico medical insurance
el tobillo ankle

VERBOS

atropellar to run over
caerse (yo me caigo) to fall down
√ **doler**[1] **(o>ue)** to hurt, ache
enyesar to put a cast on
pararse to stand
parecer (yo parezco) to seem
√ **pasar** to happen
√ **recetar** to prescribe
√ **romperse** to break
torcerse (o>ue) to twist
vendar to bandage

ADJECTIVO

parado(-a) standing

OTRAS PALABRAS Y EXPRESIONES

¿Cuánto tiempo? How long?
¿para qué? what for?
perder el conocimiento, desmayarse to lose consciousness, to faint
poner una inyección to give a shot

---

[1]The construction for **doler** is the same as that for **gustar**:

Me **duele** la cabeza. Me **duelen** las piernas.

Notas culturales

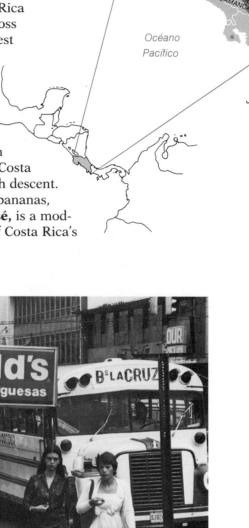

1. Costa Rica is one of the smallest countries on the American continents (51,000 km²). It is located on the great isthmus that joins North and South America.

Of all Latin American countries, Costa Rica has the highest literacy rate, the largest gross domestic product per capita, and the longest experience with democracy.

In general, Costa Ricans place great importance on education, culture, and the arts. It is often said of Costa Rica that "there are more teachers than soldiers." This very progressive nation is appropriately called "the Central American Switzerland." Most **ticos** (a nickname for Costa Ricans) are white, Catholic, and of Spanish descent.

Costa Rica's main products are coffee, bananas, cacao, and sugar cane. Its capital, **San José,** is a modern, cosmopolitan city that is the center of Costa Rica's social, economic, and political life.

Calle céntrica en San José, Costa Rica. ¡También aquí podemos comer hamburguesas de McDonald's!

2. Health care has been socialized in the majority of Spanish-speaking countries, where medical treatment at government-sponsored hospitals is available either free of charge or at a nominal fee. Nationalized health insurance (often called **el seguro social**) pays all or most of the bill. A relatively small number of private clinics coexist with the state-run facilities, catering largely to the well-to-do.

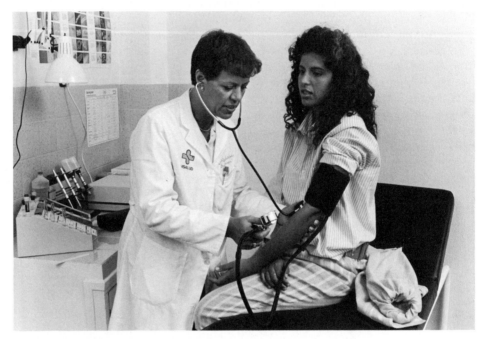

¿Tiene la presión alta, baja o normal? Esta joven *(young woman)* costarricense recibe tratamiento médico en un hospital de San Juan.

Puntos para recordar

A. The Preterit Tense Contrasted with the Imperfect
(*El pretérito contrastado con el imperfecto*)

1. The difference between the preterit and imperfect tenses is illustrated by the following diagram:

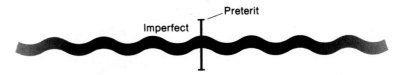

The wavy line representing the imperfect shows an action or event taking place over a period of time in the past. There is no reference as to when the action began or ended. The vertical line represents the speaker's view of an event as a completed unit in the past; the preterit records such events.

2. In many instances, the choice between the preterit and the imperfect depends on how the speaker views the action or event. The following table summarizes the most important uses of both tenses.

Preterit	*Imperfect*
• Reports past actions that the speaker views as completed: Ella **vino** ayer.	• Describes past actions in the process of happening, with no reference to their beginning or end: **Íbamos** al cine cuando...
• Sums up a condition or state viewed as a whole: Me **dolió** la cabeza toda la noche.	• Indicates a continuous and habitual action (*used to. . . , would*); Siempre **íbamos** con él.
	• Describes a physical, mental, or emotional state or condition in the past: No me **sentía** bien.
	• Expresses time in the past: **Eran** las dos.
	• Is used in indirect discourse: Dijo que **venía**.

¡ATENCIÓN! *Direct discourse:* Juan dijo: «Vengo mañana.»
Indirect discourse: Juan dijo que **venía** mañana.

— ¿Qué te **pasó?**
— **Estaba** en la esquina cuando me **atropelló** un coche.

*What **happened** to you?*
*I **was** on the (street) corner when a car **ran** me **over.***

— ¿Qué te **dijo** el doctor?
— **Dijo** que **necesitaba** una radiografía.

*What **did** the doctor **say** to you?*
*He **said** I **needed** an X-ray.*

Dijo que quería traer algo de España.

■ ¡Vamos a practicar! ■

A. Answer the following questions, paying special attention to the use of the preterit and the imperfect tenses.

1. ¿Qué idioma *hablaba* Ud. cuando *era* niño(-a)?
2. ¿Qué idioma *habló* Ud. con sus amigos ayer?
3. ¿Ud. siempre *estaba* enfermo(-a) cuando *era* niño(-a)?
4. ¿Ud. *estuvo* enfermo(-a) anoche?
5. ¿Qué hora era cuando llegó Ud. a la universidad hoy?
6. ¿Qué le dijo el (la) profesor(a) que tenía que estudiar esta noche?
7. ¿Cómo *era* su primer(-a) novio(-a)?
8. ¿Qué *hacían* Uds. cuando *llegó* el (la) profesor(a)?

B. Complete the following sentences creatively, using the imperfect or the preterit as appropriate.

1. Yo siempre comía aquí, pero anoche...
2. El año pasado fui a Madrid, pero cuando era niño(-a)...
3. Yo dormía cuando tú...
4. Eran las cinco cuando ellos...

5. El doctor me dijo que...
6. Siempre la veo, pero cuando era niño(-a)...
7. Su novia es muy bonita, pero la que tenía antes...
8. Ellos estudiaban cuando yo...

C. Complete the following sentences, using the preterit or the imperfect, as appropriate. Then read each story aloud.

1. _____ (ser) la una y media de la tarde cuando Julia _____ (llegar) al hospital. La cabeza le _____ (doler) mucho y _____ (tener) una pierna rota. El médico _____ (venir) en seguida y le _____ (poner) una inyección. Julia le _____ (decir) al médico que le _____ (doler) mucho la cabeza. El médico le _____ (decir) que _____ (necesitar) una radiografía.

2. Carlos _____ (estar) parado en la esquina cuando lo _____ (atropellar) un coche. Su padre lo _____ (llevar) a la sala de emergencia. Carlos _____ (tener) una herida en la espalda y la doctora se la _____ (vendar) y lo _____ (llevar) a la sala de rayos X. _____ (Ser) las cuatro de la tarde cuando Carlos _____ (salir) del hospital.

D. You are the interpreter. What are these people saying?

1. Where did you go yesterday?
   I took Roberto to the emergency room.
   Why? What happened?
   He fell down the stairs.
   What did the doctor say?
   He said that he needed X-rays.

2. Why did you leave the party last night? (Use **irse (de):** _to leave_)
   Because my back was hurting.
   Did you take any medicine when you got home?
   Yes, but it hurt all night long.

3. Where were you going when I saw you yesterday?
   I was going to the hospital.

4. Where did you live when you were little?
   I lived in Caracas.
   Did your parents [use to] speak English to you?
   Yes, they used to speak English to me, but I used to speak Spanish with my friends.

5. What time was it when you arrived last night?
   It was 10:30.

KNOWN AS ESTAR PAST PARTICIPLE

B. Past Participles (*Los participios pasivos*)

1. In Spanish, regular past participles are formed by adding the
    following endings to the stem of the verb.

PAST PARTICIPLE ENDINGS		
-ar *verbs*	**-er** *verbs*	**-ir** *verbs*
habl- **ado** (*spoken*)	com- **ido** (*eaten*)	recib- **ido** (*received*)

The following verbs have irregular past participles in Spanish.

abrir	**abierto**	poner	**puesto**
decir	**dicho**	ver	**visto**
escribir	**escrito**	volver	**vuelto**
hacer	**hecho**	romper	**roto**
morir	**muerto**		

¡ATENCIÓN!   The past participle of **ir** is **ido.**

2. Past participles used as adjectives

In Spanish, most past participles can be used as adjectives. As
such, they agree in number and gender with the nouns they
modify.

— ¿Tuviste un accidente?	*Did you have an accident?*
— Sí, y tengo **la pierna rota.**	*Yes, and I have **a broken leg.***
— ¿Y el brazo?	*And your arm?*
— No, **el brazo** no está **roto.**	*No, **my arm** isn't **broken.***
— **¿Las ventanas** están **abiertas?**	*Are the windows **open?***
— No, están **cerradas.**	*No, they're **shut.***

I (HAVE) BEEN

No vine preparada, pero...

¿Con quién crees tú que
está hablando esta chica?
Probablemente ha llamado a
su mejor amiga.
¿O a un amigo...?

■ ¡Vamos a practicar! ■

A. Give the past participles of the following verbs.

1. decir
2. cerrar
3. hacer
4. beber
5. morir

6. poner
7. vivir
8. ver
9. recetar
10. volver

B. Complete the description of each illustration, using the verb **estar** and the appropriate past participle.

1. Los niños ESTÁN DORMIDOS.

2. La PUERTA ESTÁ ABIERTA.

3. La _____ .

4. El _____ .

5. La carta _____ en español.

6. El _____ .

7. Los _____ en la esquina.

8. La _____ cerca de la ventana.

[handwritten: KNOWN AS HABER PAST PART~]

C. The Present Perfect Tense (*El pretérito perfecto*)

1. The present perfect tense is formed in Spanish by using the present tense of the auxiliary verb **haber** and the past participle of the main verb. In general, the use of the present perfect tense in Spanish parallels that of the English present perfect.

Present of **haber** (*to have*)[1]	
he	hemos
has	habéis
ha	han

[handwritten:]
✱ HAS HECHO - YOU HAVE DONE
✱ ESTÁ HECHO - IS DONE
✱ HE COMIDO - I HAVE EATEN (ACTIVE)
✱ ESTA COMIDO - IS EATEN (PASSIVE)

THE PRESENT PERFECT TENSE		
hablar	**tener**	**venir**
he hablado	**he** tenido	**he** venido
has hablado	**has** tenido	**has** venido
ha hablado	**ha** tenido	**ha** venido
hemos hablado	**hemos** tenido	**hemos** venido
habéis hablado	**habéis** tenido	**habéis** venido
han hablado	**han** tenido	**han** venido

— ¿Qué le **ha pasado** a Mercedes?　　*What **has happened** to Mercedes?*

— **Ha tenido** un accidente.　　*She **has had** an accident.*

— ¿Ya **han ido** Uds. al hospital a verla?　　***Have** you already **gone** to the hospital to see her?*

— No, no la **hemos visto** todavía.　　*No, we **have** not **seen** her yet.*

2. Note that in Spanish, when the past participle is part of a perfect tense, its form does not vary.

Él **ha venido**.　　*He has come.*
Ella **ha venido**.　　*She has come.*

[1]Note that the English verb *to have* has two equivalents in Spanish: **haber** (used only as an auxiliary verb) and **tener.**

¿HA SUFRIDO UN ACCIDENTE?
¿QUIERE CONOCER SUS DERECHOS?

3. Unlike English, the past participle in Spanish is never separated from the auxiliary verb **haber.**

Ella *nunca* **ha hecho** nada.
Siempre **ha escrito** las cartas
  en inglés.

She has **never** done anything.
He has **always** written the letters
  in English.

■ ¡Vamos a practicar! ■

Teresa has broken her leg. Using the cues given, tell what everybody has done for her.

MODELO: Mamá / llevarla / hospital
    Mamá la ha llevado al hospital.

1. el doctor / enyesarle / pierna
2. la enfermera / ponerle / una inyección
3. yo / limpiar / su apartamento
4. nosotros / escribirle / una carta / su supervisora
5. ellos / poner / sus libros / el escritorio
6. tú / hablar / con el médico
7. Uds. / abrir / la ventana / de su cuarto
8. su mamá / hacerle / la cena

D. Some Uses of *por* and *para* (*Algunos usos de **por** y **para***)

1. The preposition **por** is used to indicate:

a. motion (*through, along, by*)

No se puede salir **por** la ventana.	*You can't go out **through** the window.*
Fuimos **por** la calle Quinta.	*We went **by** Fifth Street.*

b. cause or motive of an action (*because of, on account of, on behalf of*)

No compré las sandalias **por** no tener dinero.	*I didn't buy the sandals **because** I didn't have any money.*
Lo hice **por** ti.	*I did it **on** your **behalf.***
Llegaron tarde **por** el tráfico.	*They arrived late **on account of** the traffic.*

c. means, manner, unit of measure (*by, per*)

No me gusta viajar **por** avión.	*I don't like to travel **by** plane.*
Va a setenta kilómetros **por** hora.	*She is doing seventy kilometers **per** hour.*
Cobran cien dólares **por** noche.	*They charge a hundred dollars **per** night.*

d. in exchange for

Pagamos un dólar **por** una docena de huevos.	*We paid a dollar **for** a dozen eggs.*

e. period of time during which an action takes place (*during, in, for*)

Voy a quedarme aquí **por** un mes.	*I'm going to stay here **for** a month.*
Ella prepara la comida **por** la mañana.	*She prepares the meal **in** the morning.*

2. The preposition **para** is used to indicate:

a. destination in space

¿Cuándo hay vuelos **para** Caracas? — *When are there flights **for** Caracas?*

b. goal for a specific point in time (by or for a certain time in the future)

Necesito las verduras y el pescado **para** mañana. — *I need the vegetables and the fish **for** tomorrow.*

c. whom or what something is for

El jabón y la lejía son **para** ti. — *The soap and the bleach are **for** you.*

d. in order to

— Ayer fui a su consultorio. — *Yesterday I went to his office.*
— **¿Para** qué? — *What **for**?*
— **Para** hablar con él. — *(**In order) to** talk with him.*

■ ¡Vamos a practicar! ■

A. Supply **por** or **para** in the following dialogues.

1. — ¿ _____ qué calle fuiste?
   — Fui _____ la calle Magnolia.
2. — ¿ _____ cuándo necesitas los pantalones?
   — Los necesito _____ el sábado _____ la noche.
3. — ¿Para qué fuiste al mercado?
   — _____ comprar los comestibles. Lo hice _____ ti, porque estabas muy cansada... Y no compré más carne _____ no tener más dinero.
4. — ¿Cuánto pagaron Uds. _____ ese vestido?
   — Cincuenta dólares. Es _____ nuestra hija.
   — ¿Cuándo sale ella _____ Los Ángeles?
   — El tres de enero. Va a estar allí _____ dos meses. Va _____ visitar a su abuela.
   — ¿Va _____ avión?
   — Sí.

B. You are the interpreter. What are these people saying?

1. I want to send these letters by air mail.
2. Do I need identification in order to cash a check?
3. This purse is for you, dear.
4. She paid ninety dollars for a pair of shoes!
5. We don't like to travel by plane.
6. I need the shirt for Friday.
7. We have to go in through the window.
8. He is leaving for Buenos Aires tomorrow.

Y AHORA, ¿QUÉ?

Palabras y más palabras

A. Find the missing word in each sentence.

1. Ayer Alfredo tuvo un _____ . Lo _____ un coche.
2. Lo llevaron al hospital en una _____ .
3. Le pusieron una _____ para el dolor.
4. Pepito se _____ en la escalera de su casa.
5. Le hicieron una radiografía para ver si tenía una _____ en el tobillo.
6. ¿_____ tengo que usar las muletas? ¿Tres semanas?
7. No estaban sentados; estaban _____ .
8. Perdió el _____ , pero sólo por unos momentos.
9. El doctor le va a _____ la herida.
10. No fuimos en coche; fuimos en _____ .
11. Paula no se _____ el tobillo; se lo fracturó.
12. ¿Qué le _____ a su hijo? ¿Se desmayó?
13. Roberto se _____ en la esquina para esperar el ómnibus.
14. Fui al médico porque me _____ mucho la espalda. Me _____ una medicina.
15. Se rompió la pierna. Se la van a _____ .
16. No tiene que pagar nada por la consulta porque tiene _____ médico.

TELEFONOS DE EMERGENCIA

BOMBEROS INCENDIOS EMERGENCIA **19**   **POLICIA** **12**   **SECRETARIA DE SALUD** **15**   **HOSPITALES**

SERVICIO LAS 24 HORAS.

AMBULANCIAS

La Hortúa	246 4020
La Victoria	272 2028
Lorencita Villegas	231 8849
Militar	232 5333
Misericordia	246 7520
Samaritana	233 8880

B.   Name the parts of the body that correspond to the numbers below.

1. _____   3. _____   5. _____   7. _____
2. _____   4. _____   6. _____   8. _____

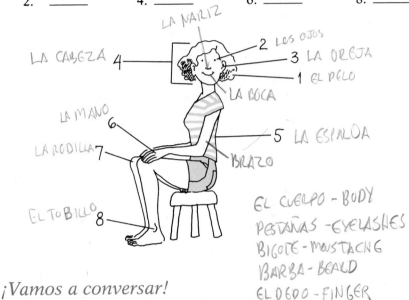

LA NARIZ

LA CABEZA 4

2 LOS OJOS
3 LA OREJA
1 EL PELO

LA BOCA

LA MANO 6

5 LA ESPALDA

LA RODILLA 7

BRAZO

EL TOBILLO 8

EL CUERPO – BODY
PESTAÑAS – EYELASHES.
BIGOTE – MOUSTACHG
BARBA – BEARD
EL DEDO – FINGER
EL PECHO – CHEST

¡Vamos a conversar!

A.   What happened to Susana and Pepito?

1. ¿Qué hacía Susana, parada en la esquina?
2. ¿Qué le pasó?
3. ¿La llevaron al hospital en un ómnibus?
4. ¿Perdió el conocimiento?
5. ¿Qué le duele?
6. ¿Qué le va a hacer el médico?
7. ¿Tiene Susana algún otro dolor?
8. Susana no ha tenido que pagar nada por la consulta.¿Por qué?
9. ¿Qué le pasó a Pepito en la escalera de su casa?
10. ¿Qué ha hecho su mamá?
11. ¿Pepito se ha torcido el tobillo?
12. ¿Qué dice la doctora?
13. ¿Para qué han llevado a Pepito a la sala de rayos X?
14. ¿Por qué van a tener que enyesarle la pierna a Pepito?
15. ¿Qué no le gusta a Pepito?
16. ¿Cuánto tiempo tiene que usar Pepito las muletas?

B.   Choose a partner, then interview each other using the **tú** form.

Pregúntele a su compañero(-a) de clase...

1. ... si ha tenido algún accidente
2. ... si le duele algo
3. ... si le han hecho alguna radiografía

4. ... si ha tenido alguna fractura
5. ... si se desmaya cuando le ponen una inyección
6. ... si viene a la universidad en ómnibus
7. ... cuánto tiempo hace que él (ella) está en la universidad
8. ... si las ventanas de su cuarto están abiertas o cerradas
9. ... si en su casa hay escalera
10. ... qué ha comido hasta ahora hoy
11. ... qué programas de televisión le gustan
12. ... si le gusta bailar

Situaciones

You find yourself in the following situations. What do you say? What might the other persons say?

1. You were in an accident and were brought to the hospital. Tell the doctor what happened and where it hurts. Ask him or her any relevant questions you may have regarding your injuries, any procedures the doctor may wish to perform, and your treatment.
2. You and your English-speaking friend are traveling in Mexico. Your friend has fallen down the stairs in the hotel, so you take him or her to the doctor. Tell the doctor what happened, and ask any pertinent questions ("Is a cast necessary?," "How long must the crutches be used," and so on).

Adaptación del diálogo

With a classmate, adapt the dialogues at the beginning of this lesson by making the following changes.

Cambien:

1. qué estaba esperando Susana
2. cómo la llevaron al hospital
3. dónde le duele
4. lo que va a hacer el médico
5. quién ha traído a Pepito al hospital
6. lo que le pasó a Pepito
7. el tiempo que tiene que usar las muletas

Para escribir

Use your imagination to finish the story, telling what happened to Julio.

Eran las ocho de la noche. Julio iba a la biblioteca cuando...

En la farmacia y en el consultorio del médico

11

Alicia llegó a Asunción ayer. Durante el día se divirtió mucho, pero por la noche se sintió mal y no durmió bien. Eran las cuatro de la madrugada cuando por fin pudo dormirse. Se levantó a las ocho y fue a la farmacia.
Con el Sr. Paz, farmacéutico:

Sr. Paz — ¿En qué puedo servirle, señorita?
Alicia — Quiero que me dé algo para el catarro.
Sr. Paz — ¿Tiene fiebre?
Alicia — Sí, tengo una temperatura de treinta y nueve grados.[1] Además tengo tos y mucho dolor de cabeza.

[1]Equivalent to 102 degrees Fahrenheit.

Sr. Paz — Tome dos aspirinas cada cuatro horas y este jarabe para la tos.

Alicia — ¿Y si la fiebre no baja?

Sr. Paz — En ese caso, va a necesitar penicilina. Yo le sugiero que vaya al médico.

Alicia — Espero que no sea gripe..., ¡o pulmonía!

Sr. Paz — ¿Necesita algo más?

Alicia — Sí, unas gotas para la nariz, curitas y algodón.

Al día siguiente, Alicia sigue enferma y decide ir al médico. El doctor la examina y luego habla con ella.

Dr. Soto — Ud. tiene una infección en la garganta y en los oídos. ¿Es Ud. alérgica a alguna medicina?

Alicia — No, doctor.

Dr. Soto — Muy bien. Le voy a recetar unas pastillas. Ud. no está embarazada, ¿verdad?

Alicia — No, doctor. ¿Hay alguna farmacia cerca de aquí?

Dr. Soto — Sí, hay una en la esquina. Aquí tiene la receta.

Alicia — ¿Tengo que tomar las pastillas antes o después de las comidas?

Dr. Soto — Después. Espero que se mejore pronto.

AT THE DRUG STORE AND IN THE DOCTOR'S OFFICE

Alicia arrived in Asuncion yesterday. During the day she had a very good time, but at night she didn't feel well and didn't sleep well. It was four o'clock in the morning when she was finally able to fall asleep. She got up at eight o'clock and went to the drug store.

With Mr. Paz, the pharmacist:

Mr. P: What can I do for you, Miss?

A: I want you to give me something for a cold.

Mr. P: Do you have a fever?

A: Yes, I have a temperature of thirty-nine degrees. Besides, I have a cough and a bad headache.

Mr. P: Take two aspirins every four hours and this cough syrup.

A: And if the fever doesn't go down?

Mr. P: In that case, you're going to need penicillin. I suggest that you go to the doctor.

A: I hope it's not the flu . . . or pneumonia!

Mr. P: Do you need anything else?

A: Yes, nose drops, bandaids, and cotton.

The next day, Alicia is still sick and decides to go to the doctor. The doctor examines her and then speaks with her.

Dr. S: You have a throat and ear infection. Are you allergic to any medicine?

A: No, doctor.

Dr. S: Very well. I'm going to prescribe some pills for you. You're not pregnant, are you?

A: No, doctor. Is there a drug store near here?

Dr. S: Yes, there's one on the corner. Here's the prescription.

A: Do I have to take the pills before or after meals?

Dr. S: After (meals). I hope you get better soon.

VOCABULARIO

Cognados

alérgico(-a) allergic
la aspirina aspirin
la infección infection

la penicilina penicillin
la temperatura temperature

NOMBRES

el algodón cotton
la cabeza head
el catarro, el resfrío, el resfriado cold
el consultorio doctor's office
la comida meal, food
la curita bandaid
el, la farmacéutico(-a) pharmacist
la fiebre fever
la garganta throat
la gota drop
el grado degree
la gripe flu
el jarabe syrup
la madrugada early morning (pre-dawn)
la nariz nose
el oído (internal) ear
la pastilla pill
la pulmonía pneumonia
la receta prescription
la tos cough

VERBOS

bajar to go down
dormirse (o>ue) to fall asleep
esperar to hope
examinar to examine, to check
mejorarse to get better
sentirse (e>ie) to feel
sugerir (e>ie) to suggest

ADJETIVOS

cada every, each
enfermo(-a) sick
embarazada pregnant

OTRAS PALABRAS Y EXPRESIONES

además besides
al día siguiente on the following day
antes (de) before
(el) dolor de cabeza headache
durante during
gotas para la nariz nose drops
mal badly
pronto soon

Notas culturales

1. Paraguay es un país que tiene más o menos el tamaño de California. Paraguay y Bolivia son los únicos países latinoamericanos que no tienen salida al mar.

La moneda de Paraguay, *el guaraní,* es de valor bastante estable. Las principales exportaciones de Paraguay eran el algodón, el ganado, el tabaco, la madera y las frutas cítricas, pero ahora Paraguay es el principal exportador de energía hidroeléctrica del mundo. La represa construida sobre el río Paraná produce seis veces la electricidad que produce la represa de Aswam, en Egipto.

El idioma oficial de Paraguay es el español, pero los paraguayos hablan también **el guaraní,** una lengua indígena que aún se conserva. El ochenta y uno por ciento de la población sabe leer y escribir.

Una vista del Panteón de los Héroes, en Asunción Paraguay.

Asunción, la capital, fue fundada en 1537. Allí se ve un gran contraste entre los edificios muy modernos y las casas coloniales.

Paraguay no tiene muchos problemas sociales, y el crimen y el desempleo son casi inexistentes. No muchos turistas visitan Paraguay, pero los que lo hacen hablan muy bien sobre la hospitalidad de los parguayos.

2. Las farmacias. En España y en Latinoamérica, las farmacias venden medicinas principalmente y en algunos de esos países es posible comprar medicinas sin receta. Con frecuencia los farmacéuticos recomiendan medicinas y ponen inyecciones.

En algunos países latinoamericanos, especialmente en la zona del Caribe, existen tiendas llamadas **botánicas,** donde se pueden comprar diferentes clases de hierbas, raíces y polvos vegetales. Estos productos se utilizan para curar dolores de espalda, de cabeza y otros problemas similares.

Puntos para recordar

MAYBE TENSE (handwritten)

The Subjunctive Mood: An Introduction
(*El modo subjuntivo: una introducción*)

Until now, you have been using verbs in the indicative mood. The indicative mood refers to or describes events that are objectively factual and definite. In contrast, the Spanish subjunctive mood is used to reflect the speaker's view of reality, which may or may not be objectively true. Because expressions of volition, doubt, surprise, fear and the like all represent reactions to the speaker's perception of reality, they are naturally followed in Spanish by the subjunctive.

Forms of the present subjunctive of regular verbs

1. To form the present subjunctive, add the following endings to the stem of the first-person singular of the present indicative, after dropping the **o.** Note that the endings for the **-er** and **-ir** verbs are the same.

-ar *verbs*	**-er** *verbs*	**-ir** *verbs*
habl **-e**	com **-a**	viv **-a**
habl **-es**	com **-as**	viv **-as**
habl **-e**	com **-a**	viv **-a**
habl **-emos**	com **-amos**	viv **-amos**
habl **-éis**	com **-áis**	viv **-áis**
habl **-en**	com **-an**	viv **-an**

The following table shows how to form the first-person singular of the present subjunctive.

KNOW FOR TEST (handwritten)

	First-Person Sing.		*First-Person Sing.*
Verb	*(Indicative)*	*Stem*	*(Subjunctive)*
hablar	hablo	habl-	hable
aprender	aprendo	aprend-	aprenda
escribir	escribo	escrib-	escriba
decir *TELL*	digo	dig-	diga
hacer *MAKE*	hago	hag-	haga
traer	traigo	traig-	traiga
venir *COME*	vengo	veng-	venga
conocer	conozco	conozc-	conozca

TENER (handwritten)
SALIR GO   SALGO (handwritten)

■ ¡Vamos a practicar! ■

Give the present subjunctive of the following verbs.

1. *yo:*   comer, venir, hablar, hacer, salir, ponerse
2. *tú:*   decir, ver, traer, trabajar, escribir, acostarse
3. *él:*   vivir, aprender, salir, estudiar, levantarse
4. *nosotros:* escribir, caminar, poner, desear, tener, afeitarse
5. *ellos:*   salir, hacer, llevar, conocer, ver, bañarse

2. Present subjunctive forms of stem-changing verbs

a. Verbs ending in **-ar** and **-er** undergo the same stem changes in the present subjunctive as in the present indicative.

recomendar (e>ie) (*to recommend*)		**recordar (o>ue)** (*to remember*)	
recomiende	recomend**emos**	recuerde	recordemos
recomiendes	recomend**éis**	recuerdes	recordéis
recomiende	recomienden	recuerde	recuerden

entender (e>ie) (*to understand*)		**volver (o>ue)** (*to return*)	
entienda	entendamos	vuelva	volvamos
entiendas	entendáis	vuelvas	volváis
entienda	entiendan	vuelva	vuelvan

b. In **-ir** verbs, the three singular forms and the third-person plural form undergo the same stem changes in the present subjunctive as in the present indicative. However, in addition, observe that unstressed **e** changes to **i** and unstressed **o** changes to **u** in the first- and second-person plural forms.

mentir (*to lie*)		**dormir** (*to sleep*)	
mienta	mintamos	duerma	durmamos
mientas	mintáis	duermas	durmáis
mienta	mientan	duerma	duerman

3. The following verbs are irregular in the subjunctive.

dar	estar	saber	ser	ir
dé	esté	sepa	sea	vaya
des	estés	sepas	seas	vayas
dé	esté	sepa	sea	vaya
demos	estemos	sepamos	seamos	vayamos
deis	estéis	sepáis	seáis	vayáis
den	estén	sepan	sean	vayan

¡ATENCIÓN! The subjunctive of **hay** (impersonal form of **haber**) is **haya.**

■ ¡Vamos a practicar! ■

Give the present subjunctive of the following verbs.

1. *yo:* dormir, ir, cerrar, sentir, ser
2. *tú:* mentir, volver, ir, dar, recordar
3. *ella:* estar, saber, perder, dormir, ser
4. *nosotos:* pensar, recordar, dar, morir, cerrar
5. *ellos:* ver, preferir, dar, ir, saber

B. Uses of the Subjunctive (*Usos del subjuntivo*)

1. The Spanish subjunctive is used in subordinate or dependent clauses. The subjunctive is also used in English, although not as often as in Spanish. For example:

Sugiero   que **llegue** mañana.   *I suggest*   *that he **arrive** tomorrow.*
Main   **Dependent**   **Main**   **Dependent**
clause   **clause**   **clause**   **clause**

The expression that requires the use of the subjunctive is in the main clause, *I suggest.* The subjunctive appears in the subordinate clause, *that he arrive tomorrow.* The subjunctive mood is used because the action of arriving is not real; it is only what is *suggested* that he do.

2. There are four main conditions that call for the use of the subjunctive in Spanish.

  a. *Volition:*   demands, wishes, advice, persuasion, and other impositions of will.

  Ella **quiere** que yo le **escriba.**   *She **wants** me to **write** to her.*
  Te **aconsejo** que no **vayas** a ese   *I **advise** you not to **go** to that*
    hotel.   *hotel.*

b. *Emotion:*   pity, joy, fear, surprise, hope, and so on.

Me **sorprende** que **llegues** tan temprano.	*I am **surprised** that you **are arriving** so early.*

c. *Unreality:*   expectations, indefiniteness, uncertainty, nonexistence.

— ¿**Hay alguien** aquí que **hable** español?	*Is there anyone here who **speaks** Spanish?*
— No, no **hay** nadie que lo **sepa.**	*No, **there is** no one who **knows** it.*

d. *Doubt and denial:*   negated facts, disbelief.

No es verdad que Rosa **sea** cubana.	*It **isn't true** that Rosa **is** Cuban.*
Dudo que **puedas** estudiar para ingeniero.	*I **doubt** that you **can** study to be an engineer.*
Roberto **niega** que ella **sea** su esposa.	*Roberto **denies** that she **is** his wife.*

C.   Use of the Subjunctive with Verbs of Volition
(*Uso del subjuntivo con verbos que indican voluntad o deseo***)**

All expressions of will require the use of the subjunctive in subordinate clauses. Note that the subject in the main clause must be different from the subject in the subordinate clause. Some verbs of volition that require the use of the subjunctive are **querer, aconsejar** (*to advise*), **sugerir, mandar** (*to order*), **pedir, recomendar** and **necesitar.**

Mi	madre	quiere	**que**	yo	**trabaje.**
My	*mother*	*wants*		*me*	*to work.*

— ¿Qué **quieres** que **haga?**	*What do **you want me** to **do?***
— **Quiero** que **vayas** a la farmacia.	*I **want** you to **go** to the drugstore.*
— Quiero **comer** comida mexicana.	*I **want to eat** Mexican food.*
— Te **sugiero** que **vayas** al restaurante *El Azteca.*	*I **suggest** that **you go** to The Azteca restaurant.*

¡ATENCIÓN! 1. Remember that the infinitive is used following verbs of volition if there is no change of subject.

> Quiero **comer** comida mexicana.
>
> *I want to **eat** Mexican food.*

2. Certain verbs of volition (**mandar, sugerir, aconsejar,** and **pedir**) are often preceded by an indirect object.

> **Te sugiero** que **vayas** al médico.
>
> *I suggest that you go to the doctor.*
>
> **Le aconsejo** que **venga** temprano.
>
> *I advise you to come early.*

¿Qué quieres que te mande de África?

■ **¡Vamos a practicar!** ■

A. Complete the following dialogues, using either the subjunctive or the infinitive, as appropriate.

1. — Marcos quiere que (nosotros) _____ (ir) a su casa esta noche. ¿Tú quieres _____ (ir)?
   — No, hoy me quiero _____ (acostar) temprano porque no me siento bien.
   — Te sugiero que _____ (tomar) dos aspirinas antes de acostarte.
   — No quiero _____ (tomar) aspirina porque soy alérgica a la aspirina.
2. — Tengo una infección en los oídos.
   — Pídale al médico que le _____ (recetar) penicilina.
   — No quiero que (ellos) me _____ (poner) una inyección.
   — Dígale al doctor que le _____ (recetar) pastillas.

3. — Nuestro profesor siempre nos manda que _____ (escribir) composiciones en español, pero yo no quiero _____ (escribir) composiciones.

   — Te aconsejo que _____ (hacer) la tarea si quieres _____ (recibir) una «A».

4. — Elena quiere que yo le _____ (comprar) un vestido porque quiere _____ (ir) a una fiesta.

   — Te sugiero que _____ (ir) a la tienda *La Francia* porque hoy tiene una liquidación.

5. — Si vas a ese restaurante te recomiendo que _____ (pedir) langosta.

   — No quiero _____ (comer) langosta porque no me gusta.

6. — Adela, quiero que hoy _____ (volver) antes de las nueve y que te _____ (acostar) porque mañana tienes que levantarte a las cinco.

   — ¿Por qué quieres que nos _____ (levantarse) a las cinco?

   — Porque tu papá quiere que nosotros _____ (estar) en el hospital a las seis.

B. Complete each sentence creatively, using a verb in either the infinitive or the subjunctive, as appropriate.

MODELO: Yo quiero **volver** en agosto, pero mi padre quiere que...
          *Yo quiero **volver** en agosto, pero mi padre quiere que **vuelva** en julio.*

1. Luis quiere que yo hable sobre México, pero yo quiero...
2. El profesor les aconseja que tomen matemáticas, pero yo les aconsejo que...
3. Yo quiero ir a casa, pero mis hijos...
4. Ellos le sugieren que pase todo el día aquí, pero ella quiere...
5. Ellos quieren ir al mercado, pero nosotros queremos que...
6. Ella quiere darnos el diez por ciento y nosotros queremos que...
7. ¿El bigote? Mi esposa quiere que me lo afeite, pero yo...
8. Beto quiere tomar ciencias económicas, pero yo le sugiero que...
9. Los chicos se quieren acostar a las once, pero la mamá quiere que...
10. Nosotros queremos hacer las diligencias por la mañana, pero tú quieres que...

D. Use of the Subjunctive with Verbs of Emotion

(*Uso del subjuntivo con verbos que expresan emoción*)

1. In Spanish, the subjunctive mood is always used in the subordinate clause when the verb in the main clause expresses the feelings of the subject, i.e., fear, joy, pity, hope, regret, sorrow, surprise, anger, and so on. Again, the subject in the subordinate clause must be different from the subject in the main clause for the subjunctive to be used.

2. Some verbs that call for the subjunctive are **temer, esperar, alegrarse (de),** and **sentir.**

— Mañana salgo para Madrid.	*Tomorrow I leave for Madrid.*
— **Espero** que te **diviertas** mucho.	*I hope you **have a** very **good time.***
— Muchas gracias.	*Thanks very much.*
— **Temo** no **poder** ir de vacaciones con ustedes este verano.	*I'm afraid that I cannot go on vacation with you this summer.*
— **Espero** que **puedas** ir con nosotros el verano próximo.	*I hope that you can go with us next summer.*

¡ATENCIÓN!   If there is no change of subject, the infinitive is used: ***Temo* no *poder* ir.**

■ ¡Vamos a practicar! ■

A. Complete the following dialogues, using the subjunctive or the infinitive, as appropriate.

  1. — Temo que Estela no _____ (poder) ir a la fiesta porque tiene pulmonía.
     — Siento mucho que _____ (estar) enferma, pero espero que se _____ (mejorar) pronto.

  2. — Me alegro de _____ (estar) aquí con Uds.
     — Y nosotros nos alegramos de que tú _____ (estar) aquí y esperamos que te _____ (divertirse) mucho.

  3. — Necesito comprar un jarabe para la tos. Espero que _____ (haber) una farmacia cerca de aquí.
     — Hay una farmacia cerca, pero temo que no _____ (estar) abierta a esta hora.

  4. — Temo no _____ (poder) ir hoy al hospital a ver a Rita. Espero que Uds. _____ (poder) ir.
     — Rita va a sentir mucho que tú no _____ (ir) a verla.

B. Complete each sentence in an original manner. Use the subjunctive or the infinitive, as appropriate.

  1. Espero que el (la) profesor(a)...
  2. Siento mucho no poder...
  3. Me alegro de que mi papá...
  4. Temo no...
  5. Mi compañero(-a) de cuarto espera...
  6. El (La) profesor(a) siente que nosotros...
  7. Mi madre se alegra de...
  8. Tememos que las clases...

Y AHORA, ¿QUÉ?

Palabras y más palabras

Find the missing word in each sentence.

1. Necesito ver al doctor; voy a ir a su _____ .
2. La farmacia está en la _____ de las calles Galiano y San Rafael.
3. Tiene una temperatura de 102 _____ . Tiene mucha fiebre.
4. Compró unas _____ para la nariz porque tiene catarro.
5. El doctor quiere que tome dos pastillas _____ cuatro horas.
6. Para comprar penicilina necesito una _____ .
7. Ya volvieron los chicos. ¡Por _____!
8. Voy a ir al médico porque me siento muy _____ . Me _____ la cabeza y no puedo hablar porque me duele mucho la _____ .
9. Trabajo mucho _____ el día, pero por la noche no hago nada.
10. Fue al médico el jueves, y al día _____ tuvo que volver.

¡Vamos a conversar!

What happens to Alicia in Asunción? Base your answers on the dialogue.

1. ¿Cómo se sintió Alicia anoche?
2. ¿Durmió bien?
3. ¿Qué hora era cuando por fin pudo dormirse?
4. ¿A dónde fue cuando se levantó por la mañana?
5. ¿Quién es el señor Paz?
6. ¿Qué problemas tenía Alicia?
7. ¿Qué temperatura tenía?
8. ¿Qué le dice el farmacéutico que tome cada cuatro horas?
9. ¿Qué le sugiere el farmacéutico que haga?
10. Además del jarabe, ¿qué compra Alicia?
11. ¿A dónde va Alicia al día siguiente?
12. ¿Quién la examina?
13. ¿Dónde tiene Alicia una infección?
14. ¿A qué medicina es alérgica Alicia?
15. ¿Le receta algo el médico?
16. ¿Hay alguna farmacia cerca del consultorio del médico? ¿Dónde?
17. ¿Cuándo tiene que tomar Alicia las pastillas?
18. ¿Qué espera el doctor?

B. Choose a partner, then interview each other, using the **tú** form.

Pregúntele a su compañero(-a) de clase...

1. ... si se siente mal

2. ... si durmió bien anoche
3. ... a qué hora se levantó ayer
4. ... qué toma cuando tiene tos
5. ... si es alérgico(-a) a alguna medicina
6. ... qué hace cuando tiene fiebre
7. ... qué toma cuando tiene dolor de cabeza
8. ... quién es su médico
9. ... si tiene catarro (resfrío)
10. ... si hay alguna farmacia cerca de aquí
11. ... si alguna vez tuvo pulmonía
12. ... si está tomando algunas pastillas

Situaciones

You find yourself in the following situations. What do you say? What might the other person say?

1. You have a cold. Tell the doctor what your symptoms are.
2. You are giving advice to someone who has a cold and a bad cough.
3. You are telling someone what your mother wants you to do when you are sick.

Adaptación del diálogo

With a classmate, adapt the dialogues at the beginning of this lesson by making the following changes.

Cambien:
1. la hora en que Alicia pudo dormirse
2. la hora en que se levantó
3. el nombre del farmacéutico
4. la temperatura que tiene Alicia
5. cuántas aspirinas debe tomar
6. el problema de Alicia
7. lo que le dice el doctor a Alicia

Para escribir

Write a dialogue between you and your doctor. Among the things you might discuss are: symptoms, general questions the doctor might ask, any questions you have, the advice and / or treatment the doctor offers. (For additional vocabulary, you may wish to refer to the **Un paso más** section.)

Un paso más

Learn some additional words and phrases that relate to the ones you have acquired in this unit.

◆ Other parts of the body (*Otras partes del cuerpo*)

la boca	*mouth*	la espalda	*back*
la cara	*face*	el estómago	*stomach*
el codo	*elbow*	la lengua	*tongue*
el corazón	*heart*	la muñeca	*wrist*
el cuello	*neck*	el oído	*inner ear*
el cuerpo	*body*	la oreja	*ear (external)*
el dedo	*finger*	el pecho	*chest*
el dedo del pie	*toe*	el pie	*foot*
el diente	*tooth*	la rodilla	*knee*

◆ An anatomy class

Today you're the professor! Teach your students these parts of the body in Spanish.

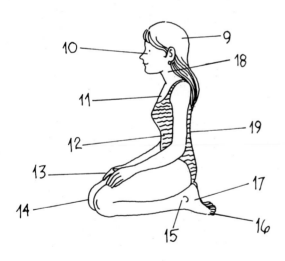

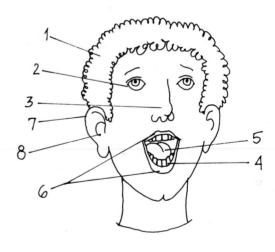

¡VAMOS A LEER!

¿Qué dice su horóscopo?

LIBRA *(24 de sept. — 23 de oct.)*
Has tenido mucho trabajo última-mente. Debes tratar de tener más tiempo libre para divertirte un poco. ¡No debes trabajar todo el día!

ESCORPIÓN *(24 de oct. — 22 de nov.)*
Últimamente has gastado mucho dinero. Debes tratar de ahorrar más porque necesitas empezar a prepararte para un viaje muy largo.

SAGITARIO *(23 de nov. — 21 de dic.)*
Tienes que cuidarte más, seguir una dieta balanceada y hacer ejer-cicio. Puedes caminar, correr o bailar.

CAPRICORNIO *(22 de dic. — 20 de enero)*
Vas a recibir mucho dinero y una carta de alguien que hace mucho que no te escribe.

ACUARIO *(21 de ene. — 19 de feb.)*
Aunque ahora no tienes mucho que escribir en tu diario, las cosas van a cambiar. Pronto vas a recibir una sorpresa muy agradable.

PISCIS *(20 de feb. — 20 de mar.)*
Necesitas estudiar más y tener metas definidas. Hay alguien que tiene mucha fe en tu talento y en tu habilidad.

ARIES *(21 de mar. — 20 de abril)*
Esta es una buena época para tra-bajar en el jardín o dedicarte a tus pasatiempos favoritos.

TAURO *(21 de abril — 21 de mayo)*
¿Hubo algún problema en tu vida últimamente? ¿Te lastimaste o es-tuviste enfermo(-a)? Las cosas van a mejorar pronto.

GÉMINIS *(22 de mayo — 21 de jun.)*
Si practicas algún deporte o haces ejercicio, debes tener cuidado con la rodilla. Puedes preguntarle a tu médico qué tipo de ejercicio es bueno para ti.

CÁNCER *(22 de jun. — 22 de jul.)*
¡Trata de no dejar para mañana lo que puedes hacer hoy! Debes pen-sar mucho antes de tomar una decisión importante.

LEO *(24 de julio — 23 de ago.)*
Un fin de semana tranquilo pero interesante. Alguien va a estar pen-sando mucho en ti.

VIRGO *(24 de ago. — 23 de sep.)*
Vas a recibir una llamada telefó-nica (probablemente de larga dis-tancia). Hay alguien de tu pasado que quiere comunicarse contigo.

Nuevas palabras

agradable pleasant
ahorrar to save
aunque although
cambiar to change
caminar to walk
cuidarse to take care of oneself
dejar para mañana lo que uno puede hacer hoy to procrastinate
el deporte sport
el diario diary
la época time
la fe faith
hacer ejercicio to exercise
hubo *there was, there were*
el jardín garden
lastimarse to get hurt
libre free

la llamada telefónica phone call
mejorar to improve
la meta goal
el pasatiempo pastime
preguntar to ask (*a question*)
prepararse to prepare oneself
pronto soon
la rodilla knee
tener cuidado to be careful
el tiempo time
todo(-a) all
todo el día all day long
tomar una decisión to make a decision
tranquilo(-a) quiet
tratar (de) to try
últimamente lately

¿Es verdad o no?

Say whether the following information is true or not. If it is not, correct it.

1. Anita es del signo de Virgo.
   a. Alguien le va a escribir una carta.
   b. Alguien quiere hablar con ella.

2. Roberto es del signo de Sagitario.
   a. Necesita comer mucho más.
   b. Debe dormir más.

3. Raquel es del signo de Leo.
   a. Este fin de semana va a ser muy agitado.
   b. Alguien la va a recordar.

4. Teresa es del signo de Libra.
   a. No ha hecho nada últimamente.
   b. Debe trabajar más.

5. Juan Carlos es del signo de Capricornio.
   a. Va a poder comprar muchas cosas.
   b. Alguien le va a escribir.

6. El señor Vélez es del signo de Aries.
   a. Si trabaja en su jardín, se va a lastimar la rodilla.
   b. Esta no es una buena época para dedicarse a sus pasatiempos favoritos.

7. María Luisa es del signo de Cáncer.
   a. Tiene que organizar su trabajo.
   b. Su horóscopo le aconseja que sea impulsiva.

8. David es del signo de Escorpión.
   a. Esta es una buena época para ir de compras.
   b. Probablemente va a viajar pronto.

9. Fernando es del signo de Acuario.
   a. Tiene actividades fascinantes.
   b. A Fernando probablemente le va a gustar la sorpresa que va a recibir.

10. Nora es del signo de Géminis.
    a. Puede tener problemas con la rodilla.
    b. Su médico puede decirle qué ejercicio es bueno para ella.

11. Ricardo es del signo de Tauro.
    a. Hay muchos problemas en su futuro.
    b. Pronto vas a tener menos problemas.

12. Elena es del signo de Piscis.
    a. Ella sabe perfectamente lo que va a hacer.
    b. Nadie cree en ella.

Lección 10 ◆ **A. The preterit tense contrasted with the imperfect**

Complete the following sentences, using the preterit or the imperfect tense of the verbs in parentheses.

1. Ayer el doctor me _____ (enyesar) la pierna.
2. _____ (ser) las cuatro de la tarde cuando yo _____ (salir) de la sala de emergencia ayer.
3. El doctor me _____ (decir) que ella _____ (tener) una fractura en el tobillo.
4. Cuando Raúl _____ (ser) pequeño, _____ (ser) muy gordo.
5. Jorge _____ (estar) parado en la esquina cuando lo _____ (atropellar) un ómnibus.
6. Ella no _____ (ir) a la fiesta anoche porque no _____ (sentirse) bien.
7. Ayer yo _____ (tener) dolor de espalda por la mañana.
8. Nosotros _____ (estar) tomando la merienda cuando tú _____ (llamar).

B. Past participles

Complete the following sentences, using the past participle of the verbs in parentheses.

1. Las puertas están _____. (cerrar)
2. La ventana está _____. (abrir)
3. El gato no está _____. (morir)
4. Los niños están _____. (dormir)
5. Las cartas están _____ en italiano. (escribir)
6. La radiografía ya está _____. (hacer)

C. Present perfect tense

Complete the following sentences, using the present perfect of the verbs in parentheses.

1. La ambulancia no _____. (llegar)
2. Yo me _____ la pierna. (romper)
3. Ellos no _____ las muletas. (traer)
4. Como los niños no _____, nosotros no _____ salir. (volver / poder)
5. Ellos _____ en el accidente. (morir)
6. Tú se lo _____ antes. (decir)

D. Uses of *por* and *para*

Complete the following sentences, using **por** or **para** as appropriate.

1. Pagamos veinte dólares _____ la radiografía.
2. El farmacéutico siempre está aquí _____ la mañana.
3. Compró unas pastillas _____ su mamá.
4. Los niños salieron _____ la ventana.
5. El médico vino _____ examinarme.
6. Necesito las recetas _____ mañana _____ la mañana.
7. Mañana salimos _____ Asunción. Vamos _____ ómnibus.
8. Voy a quedarme en ese hotel _____ un mes.
9. Van a cien kilómetros _____ hora.
10. En ese hospital cobran 150 dólares _____ día.

E. Vocabulary

Complete the following sentences, using the vocabulary you have learned in this lesson.

1. El doctor me va a _____ la herida.
2. El médico le va a _____ una inyección.
3. Está en la _____ porque le van a hacer una radiografía.
4. Se cayó en la _____ de su casa, y lo llevaron a la _____ de emergencia.
5. No me rompí el tobillo; me lo _____.
6. ¿Qué le _____? ¿Se desmayó?
7. ¿_____ tengo que usar las muletas?
8. Tengo que usar muletas porque me he roto una _____.
9. Él perdió el _____ por sólo unos minutos.
10. Lo llevaron al hospital en una _____.
11. Tengo que pagar la consulta del médico porque no tengo _____.
12. ¿_____ qué necesitas las muletas?

Lección 11   ◆   ### A. Uses of the subjunctive with verbs of volition

Write sentences using the elements given below. Use the present subjunctive or the infinitive, as appropriate, and add any necessary words.

1. Yo / querer / ella / ir / hospital
2. Nosotros / desear / doctor / examinarnos
3. Ella / sugerirme / tomar / aspirinas
4. El farmacéutico / no querer / venderme / penicilina
5. Ellos / aconsejarnos / comprar / pastillas
6. Yo / no querer / usar / esas gotas
7. Ellos / no querer / ella   llevarlos / médico
8. Nosotros / no querer / ir / su consultorio

9. ¿Tú / sugerirme / venir / luego?
10. Ella / necesitar / Uds. / darle / las curitas

B. Uses of the subjunctive with verbs of emotion

Rewrite the following sentences, beginning each with the phrase in parentheses and using the subjunctive or the infinitive, as appropriate.

1. Ella se mejora pronto.   (Espero que...)
2. Las radiografías son muy caras.   (Elsa teme que...)
3. Yo estoy aquí.   (Me alegro de...)
4. Ella se va de vacaciones.   (Ella espera...) ·
5. Mamá se siente bien hoy.   (Esperamos que...)
6. Ellos no pueden ir a la fiesta.   (Siento que...)

C. Vocabulary

Complete the following sentences, using the vocabulary you have learned in this lesson.

1. Tengo una _____ en la garganta. Necesito penicilina.
2. Un sinónimo de catarro es _____.
3. Al día _____ vinieron los chicos. ¡Por _____!
4. Voy a comprar unas _____ para la nariz.
5. Tiene una _____ de treinta y nueve grados. Tiene mucha _____.
6. Ayer el médico me recetó un jarabe para la _____.
7. Espero que Ud. se _____ con estas medicinas.
8. Primero la examinó y _____ le recetó una _____ para la infección.
9. Quiero _____ para el dolor de cabeza.
10. Fui a la farmacia, pero el _____ no estaba.
11. Un sinónimo de neumonía es _____.
12. ¿Debo tomar el jarabe _____ de las comidas o después?

De viaje

By the end of this unit, you will be able to:

* handle routine travel arrangements
* discuss tour features and prices
* request information regarding stop-overs, plane changes, gate numbers, and seating
* register at a hotel
* discuss room prices, accommodations, and hotel services

Isabel quiere ir de vacaciones a Río. Va a una agencia de viajes para reservar el pasaje.

Isabel — ¿Cuánto cuesta un pasaje de ida y vuelta a Río en clase turista?

Agente — Mil quinientos dólares si viaja entre semana.

Isabel — ¿Hay alguna excursión que incluya el hotel?

Agente — ¿Viaja Ud. acompañada o sola?

Isabel — Sola. No hay nadie que pueda acompañarme ahora.

Agente — Bueno, hay varias excursiones nuevas, especialmente para las personas que viajan solas.

(*La agente le muestra folletos sobre varios tipos de excursiones.*)

Isabel — Me gusta esta. ¿Hay algún vuelo que salga el jueves que viene?

Agente	— A ver... Sí, hay uno que sale a las cinco de la tarde y hace escala en Miami.
Isabel	— ¿Tengo que trasbordar?
Agente	— No, no tiene que cambiar de avión. ¿Cuándo desea regresar?
Isabel	— Dentro de quince días.
Agente	— Muy bien. Necesita pasaporte y visa para Brasil.

El día del viaje, Isabel habla con la agente de la aerolínea.

Isabel	— Quiero un asiento de ventanilla en la sección de no fumar.
Agente	— Dudo que queden asientos de ventanilla. ¿Quiere uno de pasillo?
Isabel	— Si no hay más remedio, sí.
Agente	— ¿Cuántas maletas tiene?
Isabel	— Tres, y un bolso de mano también.
Agente	— Tiene que pagar exceso de equipaje. Son veinticinco dólares.
Isabel	— Está bien. ¿Cuál es la puerta de salida?
Agente	— La número cuatro. Aquí tiene los comprobantes. ¡Buen viaje!

En la puerta número cuatro:

«*Última llamada. Pasajeros del vuelo 712 a Río de Janeiro, suban al avión, por favor.*»

ISABEL TRAVELS TO RIO DE JANEIRO

Isabel wants to go to Rio on vacation. She goes to a travel agency to reserve the ticket.

I: How much does a round-trip tourist-class ticket to Rio cost?

A: Fifteen hundred dollars if you travel during the week.

I: Is there any tour that includes the hotel?

A: Are you traveling with someone else or alone?

I: Alone. There's no one who can go with me now.

A: OK, there are several new tours, especially for people who are traveling alone.

(The agent shows her brochures on several types of tours.)

I: I like this one. Is there any flight that leaves next Thursday?

A: Let's see . . . Yes, there's one that leaves at five in the afternoon and has a stopover in Miami.

I: Do I have to change planes?

A: No, you don't. When would you like to return?

I: In two weeks.

A: Fine. You need a passport and a visa for Brazil.

On the day of the trip, Isabel speaks to the ticket agent.

I: I'd like a window seat in the non-smoking section.

A: I doubt that there are any window seats left. Would you like one on the aisle?

I: If there's no alternative, yes.

A: How many suitcases do you have?

I: Three, and a carry-on bag as well.

A: You'll have to pay an excess baggage charge. That will be twenty-five dollars.

I: All right. What's the gate number?

A: Number four. Here are the claim checks. Have a nice trip!

At gate number four:

"Last call. Passengers for flight 712 to Rio de Janeiro, please board the plane."

VOCABULARIO

Cognados

la aerolínea airline	**la persona** person
el aeropuerto airport	**la sección** section
el, la agente agent	**el tipo** type
la clase class	**el, la turista** tourist
especialmente especially	**la visa** visa
el pasaporte passport	

NOMBRES

la agencia de viajes travel agency

el asiento seat

— **de pasillo** aisle seat

— **de ventanilla** window seat

el avión plane

el bolso de mano handbag

el comprobante claim check

el equipaje luggage

la excursión tour

el folleto brochure

la llamada call

el pasaje, el billete, el boleto ticket

el, la pasajero(-a) passenger

la puerta de salida boarding gate

la salida exit

el viaje trip

el vuelo flight

VERBOS

acompañar to accompany, to go with

cambiar to change

dudar to doubt

fumar to smoke

incluir[1] to include

invitar to ask, to invite

mostrar (o>ue), enseñar to show

quedar to remain, to be left (over)

regresar to return

reservar to reserve

subir (a) to board (*a vehicle*)

trasbordar to change planes, ships, etc.

viajar to travel

ADJETIVOS

acompañado(-a) with someone else, accompanied

solo(-a) alone

último(-a) last (*in a series*)

varios(-as) several

OTRAS PALABRAS Y EXPRESIONES

¡Buen viaje! Have a nice trip!

de ida one-way

de ida y vuelta round-trip

dentro de quince días in two weeks

de viaje on a trip

entre semana during the week

el exceso de equipaje excess baggage (*charge*)

hacer escala to stop over

ir(se) de vacaciones to go on vacation

sección de (no) fumar (non)smoking section

si no hay más remedio if there's no alternative, if it can't be helped

sobre, de about

---

[1]In the present indicative, **incluir** changes from **ui** to **uy** in all forms except the first- and second-person plural: **incluyo, incluyes, incluye, incluimos, incluís, incluyen.**

Notas culturales

1. Brasil, el país más grande de Latinoamérica, limita con todos los países de Suramérica, excepto Chile y Ecuador. El idioma del país es el portugués, porque Brasil fue colonizado por los portugueses.

Brasil tiene muchos recursos minerales, una extensa reserva de petróleo y de gas natural y un gran número de cabezas de ganado. Su producto agrícola más importante es el café. Otros productos de Brasil son el algodón y el azúcar.

Desde 1960, la capital nominal del país es **Brasilia,** la ciudad más moderna del mundo. Brasilia todavía no ha sido aceptada ni por los brasileños, en general, ni por los oficiales del gobierno que deben vivir allí. Aislada por la densa selva del interior del país, la capital sigue siendo prácticamente inaccesible excepto por avión. Antes de la construcción de Brasilia, la capital era **Río de Janeiro,**

el puerto más importante de Brasil. Río es la capital cultural del país; en ella encontramos las más prestigiosas instituciones artísticas, literarias y científicas, y también muchos teatros, museos, universidades y bibliotecas. Río es también una gran atracción turística. Los lugares que más atraen al visitante son la playa de Copacabana, el Pan de Azúcar y el monumento al Cristo Redentor, conocido como **El Cristo del Corcovado** por estar en el monte de ese nombre.

2. Una celebración muy importante en el Brasil es la de **los carnavales,** que duran cuatro días. La gente baila por las calles, y hay desfiles de carrozas y disfraces espléndidos. En esos días no se trabaja, y hay fiestas y bailes en todas partes.

Los carnavales se celebran también en otros países, pero los de Brasil son los más famosos. Gente de todo el mundo va a Río y a otras ciudades brasileñas para participar en estas celebraciones.

Celebrando los carnavales en Belo Horizonte, Brasil.

Puntos para recordar

A. The Relative Pronouns *que* and *quien*
(*Los pronombres relativos* **que** *y* **quien**)

Relative pronouns are used to combine two sentences when both have a noun or a pronoun in common.

1. The relative pronoun **que**

¿Dónde están **los discos?**   ¿Trajiste **los discos?**

element in common

¿Dónde están los discos **que** trajiste?
R.P.

¿Cómo se llama **la chica?**   **La chica** vino esta mañana.

element in common

¿Cómo se llama la chica **que** vino esta mañana?
R.P.

a. Note that the relative pronoun **que** helps combine each pair of sentences above by replacing **los discos** in the first case and **la chica** in the second.

b. The relative pronoun **que** is invariable and is used for both persons and things. It is the Spanish equivalent of *who, that* or *which*.

c. Unlike its English equivalent, **que** may *never* be omitted: **los libros que** te di (*the books I gave you*).

2. The relative pronoun **quien**

— ¿La muchacha **con quien**   *Is the girl **with whom** you*
hablabas es americana?   *were speaking an American?*
— No, es cubana.   *No, she is Cuban.*

— ¿Quiénes son esos señores?   *Who are those men?*
— Son los señores **de**   *They are the men **about***
quienes te habló José.   ***whom** José spoke to you.*

a. The relative pronoun **quien** is used only with persons.

b. Note that the plural of **quien** is **quienes. Quien** does not change for gender — only for number.

c. Quien is generally used after prepositions: **con quien, de quienes.**

d. Quien is the Spanish equivalent of *whom*.

■ ¡Vamos a practicar! ■

A. Complete the following sentences with **que, quien,** or **quienes,** as appropriate.

1. Ese es el profesor de _____ nos hablaron ayer.
2. Esta es la excursión _____ yo quiero.
3. La chica a _____ le diste el pasaje es mi novia.
4. Los muchachos con _____ salimos anoche te llamaron por teléfono.
5. Además de los discos _____ te traje, tenemos muchas cintas.
6. Los chicos _____ vinieron ayer son muy simpáticos.
7. El coche nuevo _____ compraste no es bueno.
8. Esas chicas a _____ viste en la agencia son mis amigas.
9. La señora _____ trajo los folletos ya se fue.
10. Estos son los libros de _____ te hablé.

B. Help your English-speaking friend to say the following in Spanish.

1. Did they like the house that they saw?
2. Who is the girl who is celebrating her birthday?
3. The girl with whom you were talking was very pretty.
4. These are the tapes that Elsa brought.
5. The boys who went to the concert had a good time.

B. The Subjunctive to Express Indefiniteness and Nonexistence

(*El subjuntivo para expresar lo indefinido y lo no existente*)

The subjunctive is always used in the subordinate clause when the main clause refers to something or someone that is indefinite, unspecified, hypothetical, or nonexistent.

— ¿Hay alguna excursión que **incluya** el hotel?	*Is there any tour that **includes** the hotel?*
— No, no hay ninguna que lo **incluya**.	*No, there is not any that **includes** it.*
— Necesito un secretario que **hable** francés.	*I need a secretary who **speaks** French.*
— No conozco a nadie que **hable** francés.	*I don't know anyone who **speaks** French.*
— Estamos buscando un restaurante donde **sirvan** comida italiana.	*We're looking for a restaurant that **serves** Italian food.*
— Hay varios restaurantes donde **sirven** comida italiana.	*There are several restaurants that **serve** Italian food.*

¡ATENCIÓN!   If the subordinate clause refers to existent, definite, or specified persons or things, the indicative is used instead of the subjunctive: **Hay varios restaurantes donde *sirven* comida italiana.**

¡Vamos a practicar!

A. Supply the missing verbs, using the indicative or the subjunctive, as appropriate.

   1. — ¿Hay algún restaurante cerca que _____ (servir) comida española?
       — Sí, el restaurante Madrid _____ (servir) una comida española excelente.
   2. — ¿Sabes de alguna aerolínea que _____ (dar) descuentos?
       — No, no hay ninguna que _____ (dar) descuentos en verano.
   3. — ¿Hay alguien aquí que no _____ (tener) pasaporte?
       — No, todos _____ (tener) pasaporte y visa.
   4. — Necesito una secretaria que _____ (saber) inglés.
       — Conozco a una chica que lo _____ (hablar) muy bien.

B. A Cuban family has recently moved into your neighborhood. Answer their questions about your hometown.

   1. ¿Hay alguien que venda su casa?
   2. ¿Hay algún restaurante que sirva comida cubana?
   3. ¿Hay alguien que sepa español y quiera trabajar de secretario(-a)?
   4. ¿Hay algún mercado que venda productos cubanos?
   5. Nuestra hija es peluquera. ¿Sabe Ud. de alguna peluquería que necesite empleados?
   6. Tenemos un Chevrolet que queremos vender. ¿Conoce Ud. a alguien que necesite un coche?

C. Complete the following sentences in an original manner.

   1. Vivimos en una casa que tiene cuatro habitaciones, pero necesitamos una...
   2. Tengo un vestido que es azul y blanco, pero prefiero uno...
   3. Hay un vuelo que sale por la mañana, pero yo necesito uno...
   4. Tenemos una secretaria que habla inglés y español, pero ahora necesitamos una...
   5. Hay una señora que puede trabajar los lunes y miércoles, pero yo necesito una...

Carnaval en Rio de Janeiro 1989

Nueve días de espectacular-Rumba!

Rio de Janeiro-Pan de Azúcar
Copacabana-Ipanema
Leblón-Petrópolis-Brasilia.
OPCIONAL
Suramérica: Sao Paulo
Iguazú-Bariloche
Isla Victoria-Buenos Aires
Santiago.

Salida: Febrero 10
Regreso: Febrero 18

C. The Subjunctive to Express Doubt

(*El subjuntivo para expresar duda*)

When the verb of the main clause expresses uncertainty or doubt, the verb in the subordinate clause is in the subjunctive.

— Podemos tomar el desayuno a las once.
We can have breakfast at eleven.

— **Dudo** que lo **sirvan** después de las diez.
I doubt they serve it after ten.

— Estoy seguro de que lo **sirven** hasta las once.
I am sure they serve it until eleven.

— Te esperan a las cinco.
They expect you at five.

— ¿Qué hora es?
What time is it?

— Las cuatro y media.
Four-thirty.

— **Dudo** que yo **pueda** estar ahí a esa hora.
I doubt that I can be there at that time.

¡ATENCIÓN!   1. When no doubt is expressed and the speaker is certain of the reality, the indicative is used: *Estoy seguro* **de que lo** *sirven* **hasta las once.**

2. Even when the subject does not change, the subjunctive always follows the verb **dudar.**

■ ¡Vamos a practicar! ■

A. Respond to the person talking, using each suggested beginning and making any necessary changes.

1. — Dudo que el agente nos dé los comprobantes ahora.
   — (¡Sí, sí! Estoy seguro de que...)
2. — No dudo que hay vuelos por la mañana.
   — (Pues, yo dudo que...)

3. — Estoy seguro de que el avión hace escala en Panamá.
   — (Yo sé que hace escala, pero no estoy seguro de que...)
4. — Dudo que tengan asiento de ventanilla.
   — (Estoy seguro de que...)
5. — Dudo que ella calce el número treinta y seis.
   — (Yo tampoco estoy seguro(-a) de que...)
6. — Estoy segura de que ellos necesitan reservación.
   — (¿Sí? Yo dudo que...)

B. Complete each sentence in an original manner.

1. Dudamos que el (la) profesor(a)...
2. Mi mamá está segura de que yo...
3. Estoy seguro(-a) de que en la panadería...
4. No dudo que mi compañero(-a) de cuarto...
5. Mi médico duda que yo...
6. Dudo que yo...
7. El (La) profesor(a) no está seguro(-a) de que nosotros...
8. Estoy seguro(-a) de que mañana...

En Río de Janeiro, las aceras *(sidewalks)* son muy vistosas *(striking)*, con diseños muy elaborados.

Y AHORA, ¿QUÉ?

Palabras y más palabras

Choose the word or phrase that best completes each sentence, then read each aloud.

1. Voy a comprar el boleto en la (sala de rayos X, agencia de viajes, oficina de telégrafos).
2. — Mucho gusto.
   — (¡Buen viaje!, ¡Muy bien!, ¡El gusto es mío!)
3. Si vas a viajar a México, te sugiero que lleves (el pasaporte, el recibo, la radiografía).
4. Necesito el comprobante para su (permanente, tobillo, equipaje).
5. La puerta de (salida, venta, turno) es la número cinco.
6. Tengo dos maletas y un (peluquero, autobús, bolso de mano).
7. «Última llamada para el (diario, vuelo, jardín) número 228 a Caracas.»
8. Dudo que el pasaje sea muy (caro, libre, preocupado).
9. — Muchas gracias.
   — (De ida, De nada, ¿Qué tal?)
10. Los vuelos son más baratos entre (semana, costumbre, materias).
11. Los (heridos, pasajeros, barberos) tienen que salir por la puerta número cuatro.
12. ¿Le duele la espalda? Le aconsejo que (traiga folletos, vaya de vacaciones, tome dos aspirinas).
13. El avión (hace escala, trasborda, cambia) en Miami.
14. Esa excursión (muestra, incluye, enseña) el hotel.
15. Rebeca viaja por avión. Quiere que la llevemos (al aeropuerto, al dentista, al mercado).
16. Yo no fumo. Quiero un asiento (de ventanilla, de pasillo, en la sección de no fumar).

¡Vamos a conversar!

A. What happens to Isabel? Base your answers on the dialogue.

1. ¿A dónde quiere ir de vacaciones Isabel?
2. Isabel va a viajar sola. ¿Hay alguien que pueda acompañarla?
3. ¿Para qué va Isabel a la agencia de viajes?
4. ¿Isabel va a viajar en primera clase o en clase turista?
5. ¿Isabel quiere un billete de ida o de ida y vuelta?
6. ¿Cuánto cuesta el pasaje si viaja entre semana?
7. ¿Hay alguna excursión que incluya el hotel?
8. ¿Qué le muestra el agente a Isabel?
9. ¿Para qué día quiere Isabel que el agente le reserve un pasaje?
10. ¿Qué necesita Isabel para viajar a Río de Janeiro?
11. ¿Tiene que trasbordar Isabel?

12. ¿Dónde hace escala el avión?
13. ¿A quién le da Isabel el billete en el aeropuerto?
14. ¿Quiere Isabel un asiento de ventanilla o de pasillo?
15. ¿Isabel va a viajar en la sección de fumar o en la de no fumar?
16. ¿Cuántas maletas y cuántos bolsos de mano tiene Isabel?
17. ¿Qué le desea el agente a Isabel?
18. ¿Cuál es la puerta de salida?

B. Choose a partner, then interview each other using the **tú** form.

Pregúntele a su compañero(-a) de clase...

1. ... a dónde quiere irse de vacaciones
2. ... si viaja en primera clase o en clase turista
3. ... a dónde le sugiere (a Ud.) que vaya de vacaciones
4. ... si tiene algunos folletos sobre excursiones a ese lugar
5. ... cuándo tiene vacaciones
6. ... si se necesita visa para viajar a Canadá
7. ... cuántas maletas lleva cuando viaja
8. ... si generalmente tiene que pagar exceso de equipaje
9. ... si sabe cuándo hay vuelos para Buenos Aires
10. ... cuál es un hotel de primera clase
11. ... si prefiere viajar solo(-a) o con otra persona
12. ... si prefiere un asiento de ventanilla o de pasillo

Situaciones

You find yourself in the following situations. What do you say? What might the other person say?

1. You want to find out how much a round-trip ticket to Lima costs.
2. You need to know if there are flights to Guatemala on Sundays, and if it is cheaper to travel during the week.
3. You want the travel agent to give you brochures on several types of tours.
4. You are telling a friend what documents he or she needs to travel to Paraguay.
5. You have four suitcases and a handbag, and you want to know whether or not you have to pay for excess luggage.

Adaptación del diálogo

With a classmate, adapt the dialogues at the beginning of this lesson by making the following changes.

Cambien:

1. la ciudad a donde viaja Isabel
2. el precio del pasaje

3. el día que quiere viajar Isabel
4. la fecha de su regreso
5. lo que necesita para viajar
6. el número de maletas que tiene Isabel
7. el número de la puerta de salida
8. el número del vuelo

Para escribir

Using elements from the dialogues at the beginning of the lesson, write a dialogue between you and a travel agent. Choose your destination, ask about prices, flights and any necessary documentation. Then make your reservations and choose your seat.

13 ¿Dónde nos hospedamos?

En el hotel Imperial, en Montevideo:
Hace unos minutos que los señores Paz llegaron al hotel. Como no tienen
reservaciones, hablan con el gerente para pedir una habitación.

Sr. Paz	— Queremos una habitación con baño privado, aire acondicionado y una cama doble.
Gerente	— Hay una con vista al mar, pero tienen que esperar hasta que terminen de limpiarla.
Sr. Paz	— Bien. Somos dos personas. ¿Cuánto cobran por el cuarto?
Gerente	— Seis mil pesos por noche.
Sra. Paz	— ¿Tienen servicio de habitación? Queremos comer en cuanto lleguemos al cuarto.
Gerente	— Sí, señora. Firme el registro, por favor.

El gerente les da la llave y llama al botones para que lleve las maletas al cuarto.

Sr. Paz — ¿A qué hora tenemos que desocupar el cuarto?

Gerente — Al mediodía, aunque pueden quedarse media hora o una hora extra si lo necesitan.

En una pensión:
Mario y Jorge están hablando con el dueño de la pensión Carreras, donde piensan hospedarse. Le preguntan el precio de las habitaciones.

Dueño — Con comida, cobramos cincuenta mil pesos por semana.

Mario — ¿Eso incluye desayuno, almuerzo y cena?

Dueño — Sí. ¿Cuánto tiempo piensan quedarse?

Jorge — Dos semanas.

Mario — No creo que podamos quedarnos por más de una semana.

Jorge — Tienes razón... (*Al dueño.*) ¿El baño tiene bañadera o ducha?

Dueño — Ducha, con agua caliente y fría. Y todos los cuartos tienen calefacción.

Mario — ¿Hay televisor en el cuarto?

Dueño — No, pero hay uno en el comedor.

Mario — Gracias. (*A Jorge.*) Cuando vayamos a Punta del Este, tenemos que tratar de encontrar otra pensión como esta.

RESERVING ROOMS

At the Imperial Hotel, in Montevideo:
Mr. and Mrs. Paz arrived at the hotel a few
minutes ago. Since they don't have
reservations, they speak with the manager to
ask for a room.

Mr. P.: We want a room with private bath,
air conditioning, and a double bed.

M.: There is one with a view to the
sea, but you have to wait until they
finish cleaning it.

Mr. P.: Fine. There are two of us. How
much do you charge for the room?

M.: Six thousand pesos a night.

Mrs. P.: Do you have room service? We
want to eat as soon as we get to
the room.

M.: Yes, madam. Sign the register,
please.

The manager gives them the key and calls
the bellhop so he'll take the suitcases to the
room.

Mr. P.: At what time do we have to vacate
the room?

M.: At noon, although you can stay an
extra half hour or hour if you
need it.

At a boarding house:
Mario and Jorge are speaking with the
owner of the Carreras boarding house, where
they are planning on staying. They ask him
about the price of the rooms.

O.: With meals, we charge fifty thousand
pesos a week.

M.: Does that include breakfast, lunch, and
dinner?

O.: Yes. How long are you planning on
staying?

J.: Two weeks.

M.: I don't think we can stay for more than
a week.

J.: You're right . . . (*To the owner.*) Does
the bathroom have a bathtub or shower?

O.: Shower, with hot and cold water. And all
the rooms are heated.

M.: Is there a T.V. set in the room?

O.: No, but there is one in the dining room.

M.: Thanks. (*To Jorge.*) When we go to
Punta del Este, we'll have to try to find
another boarding house like this one.

VOCABULARIO

Cognados

extra	extra	**privado(-a)**	private
el minuto	minute	**el registro**	register

NOMBRES

el agua[1] water
el aire acondicionado air
conditioning
el almuerzo lunch
la bañadera bathtub
el baño, el cuarto de
baño bathroom
el botones bellhop
la calefacción heating
la cama doble double bed
el comedor dining room
el desayuno breakfast
la ducha shower
el, la dueño(-a) owner
el, la gerente manager
la hora time
la llave key
el mar sea, ocean
la noche night
la pensión boarding house
el precio price
el servicio de habitación
room service
el televisor T.V. set

VERBOS

cobrar to charge
desocupar to vacate
firmar to sign
hospedarse to stay (*e.g., at*
a hotel)
quedarse to stay, to
remain

caliente hot
frío(-a) cold
todos(-as) all, every

OTRAS PALABRAS Y
EXPRESIONES

al mediodía at noon
con vista a overlooking
desocupar el cuarto to
check out of a hotel room
en cuanto, tan pronto
como as soon as
hasta que until
los señores Mr. and Mrs.
más de more than
media hora half an hour

[1]**El** and **un** are used instead of **la** and **una** with feminine, singular nouns
beginning with stressed **a** or **ha.**

Notas culturales

1. Uruguay es el país más pequeño de la
América del Sur. Su capital, **Montevideo,**
es el centro económico, social y
cultural del país, y una de las
grandes ciudades de Latinoamérica.
Allí vive casi la mitad de la población
total de la nación.

En su mayoría, los uruguayos son
descendientes de europeos; la población
india prácticamente ha desaparecido.
Uruguay es famoso por sus adelantos
en la educación; el noventa por ciento
de sus habitantes sabe leer y escribir.

La economía de Uruguay está basada en la ganadería y la agricultura. El
turismo es también importante, pues gente de todo el mundo visita
Montevideo y la hermosa ciudad de Punta del Este. Sin embargo, la
economía del país ha sufrido por un largo período de inflación, que comenzó
en la década de los sesenta y aún continúa.

2. Las pensiones son muy populares en los países de habla hispana. Son
más económicas que los hoteles y generalmente el precio incluye el cuarto y
las comidas.

Una calle céntrica en Montevideo, la moderna capital uruguaya.

Puntos para recordar

A. The Use of the Subjunctive with Certain Conjunctions
(*El uso del subjuntivo con ciertas conjunciones*)

1. *Subjunctive after conjunctions of time*

The subjunctive is used after conjunctions of time when the main clause refers to a future action or is a command. (Note that the action in the subordinate clause has not yet taken place.)

— ¿Vamos a la pensión ahora?	*Are we going to the boarding house now?*
— No, vamos a esperar **hasta que venga** Eva.	*No, we're going to wait until Eva comes.*
— Bueno, llámeme **en cuanto** ella **llegue.**	*Okay, call me as soon as she arrives.*
— ¿Cuándo vas a comprar los libros?	*When are you going to buy the books?*
— **Cuando** mi papá me **dé** el dinero.	*When my dad gives me the money.*

Some conjunctions of time are **tan pronto como, en cuanto, cuando,** and **hasta que** (*until*). If the action has already taken place or if the speaker views the action of the subordinate clause as a habitual occurrence, the indicative is used after the conjunction of time.

— ¿Ya llamaste a Rodolfo?	*Did you already call Rodolfo?*
— Sí, lo llamé **en cuanto** llegué.	*Yes, I called him **as soon** as I arrived.*
— ¿Cuándo llamas a Rodolfo?	*When do you call Rodolfo?*
— Siempre lo llamo **cuando llego** del trabajo.	*I always call him **when I arrive** from work.*

2. *Conjunctions that always take the subjunctive*

There are conjunctions that by their very meaning imply uncertainty or condition; they are therefore always followed by the subjunctive. Some of them are **a menos que, antes de que,** and **para que** (*so that, in order that*).

— Voy a llamar a Carlos **para que** me **traiga** el talonario de cheques.	*I'm going to call Carlos **so that he brings** me my checkbook.*
— Llámelo ahora, **antes de que salga** para el hospital.	*Call him now, **before he leaves** for the hospital.*

3. *Subjunctive or indicative with* ***aunque***

The conjunction **aunque** (*even if*) takes the subjunctive if the speaker wants to express uncertainty. If not, **aunque** (*although*) takes the indicative.

— ¿Vamos a ir mañana **aunque llueva?**	*Are we going tomorrow, **even if it rains?***
— Sí.	*Yes.*
— ¿Vamos a comer?	*Shall we eat?*
— Sí, **aunque** no **tengo** mucha hambre.	*Yes, **although** I'm not very hungry.*

Lo vamos a comprar en cuanto tengamos dinero.

■ ¡Vamos a practicar! ■

A. Complete the following dialogues, using the indicative or the subjunctive of each verb.

1. desocupar / llegar

— ¿Podemos limpiar el cuarto ahora?
— No, no podemos limpiarlo hasta que ellos lo _____ .
— ¿Cuándo lo van a desocupar?
— En cuanto _____ el taxi.

2. dar

— ¿Qué vas a hacer si tus padres no te dan el dinero?
— Aunque no me lo _____, yo voy a asistir a la universidad.

3. llegar / traer

— ¿Qué vas a hacer en cuanto _____ al hotel?
— Voy a llamar al servicio de habitación para que (ellos) me _____ el almuerzo.

4. llamar

— ¿Cuándo van a venir tus padres?
— Tan pronto como yo los _____ .

5. terminar

— ¿Los señores García te esperaron?
— Sí, me esperaron hasta que _____ mi trabajo.

6. hablar / ver

— Cuando Ud. _____ con el dueño, dígale que no tenemos agua caliente.
— Voy a decírselo en cuanto lo _____ .

7. servir

— Todos los días, cuando yo _____ el desayuno, tú te vas...
— Te he dicho que no me gusta comer por la mañana.

8. irse / salir

— ¿Tú puedes hablar con el gerente antes de que él _____ ?
— Sí, a menos que (él) _____ muy temprano.

B. Complete each sentence in an original manner, using the indicative or the subjunctive as appropriate.

1. Vamos a salir tan pronto como...
2. Ayer mi padre me llamó en cuanto...
3. No voy a poder comprar los libros a menos que...
4. Voy a quedarme en la universidad hasta que...
5. No podemos servir el postre antes de que...
6. Siempre vamos de vacaciones cuando...

B. The Subjunctive to Express Denial and Disbelief
(*El subjuntivo para expresar negación y duda*)

1. *Denial.* When the main clause denies what is expressed in the subordinate clause, the subjunctive is used.

— Ellos trabajan mucho y ganan muy poco.	*They work a lot and earn very little.*
— Es verdad que ganan poco, pero **no es cierto** que **trabajen** mucho.	*It's true that they earn little, but **it's not true** that **they work** a lot.*

¡ATENCIÓN!   When the main clause does not deny what is said in the subordinate clause, the indicative is used.

    Es verdad que **ganan** poco.   *It's true that they earn little.*

2. *Disbelief.*   The verb **creer** is followed by the subjunctive in negative sentences, where it expresses disbelief, and by the indicative in affirmative sentences, where it expresses belief.

— ¿Teresa va a comprar el vestido?	*Is Teresa going to buy the dress?*
— No, **no creo** que **tenga** suficiente dinero.	*No,* **I don't think** *that* **she has** *enough money.*
— ¿Qué van a servir de postre?	*What are they going to serve for dessert?*
— **Creo que van a** servir flan.	*I think they are going to serve flan.*

■ ¡Vamos a practicar! ■

A. Carlos always contradicts everyone. How would he react to these statements?

MODELO: — Yo creo que Ana **es** bonita.
         — *Yo no creo que* ***sea*** *bonita.*

1. No creo que el baño tenga ducha y bañadera.
2. Es verdad que todos los cuartos tienen aire acondicionado.
3. Es cierto que tienen que desocupar el cuarto al mediodía.
4. No niego que nosotros cobramos mucho.
5. No es verdad que él necesite la llave.
6. Creo que el cuarto tiene vista al mar.

B. Complete the following sentences in an original manner, using the subjunctive or the indicative as appropriate.

1. Yo creo que el (la) profesor(a)...
2. No es verdad que yo...

3. Es cierto que los estudiantes...

4. No creo que en la cafetería de la universidad...

5. Es verdad que la clase de español...

6. No es cierto que los norteamericanos...

C. *Hace...* meaning *ago* (*Hace... como equivalente de* **ago**)

In sentences in the preterit and in some cases the imperfect, **hace** + period of time is equivalent to the English *ago*.

— ¿Cuánto tiempo hace que conociste a tu novia?	*How long ago did you meet your girlfriend?*
— La conocí **hace tres años.**	*I met her* **three years ago.**

When **hace** is placed at the beginning of the sentence, the construction is as follows.

> **Hace** + period of time + **que** + verb (*preterit*)
> **Hace** + **dos años** + **que** la conocí.
>
> *I met her two years **ago.***

■ ¡Vamos a practicar! ■

A. Can you tell us how long ago the following events happened in your life?

1. ¿Cuánto tiempo hace que Ud. empezó a estudiar español?
2. ¿Cuánto tiempo hace que Uds. tomaron el último examen?
3. ¿Cuánto tiempo hace que Ud. habló con sus padres?
4. ¿Cuánto tiempo hace que Ud. le escribió a un amigo?
5. ¿Cuánto tiempo hace que su mejor amigo(-a) lo (la) llamó por teléfono?
6. ¿Cuánto tiempo hace que Ud. estuvo en un buen restaurante?

B. You are the interpreter. What are these people saying?

1. We arrived two hours ago.
2. We talked to the hotel manager a few minutes ago.
3. I called room service an hour ago.
4. My daughter ate ten hours ago.
5. My parents came to this hotel two years ago.

¿Qué tal, hombre? Hace mucho que no te veo...

Y AHORA, ¿QUÉ?

Palabras y más palabras

Choose the word or phrase that does *not* belong in each of the following groups.

1. puerta, cebolla, llave
2. día, noche, temperatura
3. pensión, zapatería, hotel
4. escalera, bañadera, ducha
5. calefacción, aire acondicio-nado, giro postal
6. botones, propina, ambulancia
7. océano, televisor, mar
8. rodilla, comida, queso
9. desayuno, champú, almuerzo
10. dueño, gerente, herido
11. solo, caliente, frío
12. agua, cerveza, vino
13. dudar, cobrar, pagar
14. ¿cuánto es?, me voy, precio
15. quedarse, firmar, hospedarse
16. habitación, comedor, hora

¡Vamos a conversar!

A. What happens while Mr. and Mrs. Paz and Jorge and Mario are getting rooms? Base your answers on the dialogue.

1. ¿Cuánto tiempo hace que los señores Paz llegaron al hotel?
2. ¿Para qué hablan los señores Paz con el gerente del hotel?
3. ¿Qué quieren los señores Paz?
4. ¿Los señores Paz quieren un cuarto con calefacción?
5. ¿Los Paz prefieren una cama doble o dos camas?
6. ¿Cuánto cobran por el cuarto?
7. ¿Pueden los Paz comer en su cuarto? ¿Cómo lo sabe usted?
8. ¿Qué firman los Paz?
9. ¿Para qué llama el gerente al botones?
10. ¿Qué le pregunta el señor Paz al gerente?
11. ¿Qué dice el gerente?
12. ¿Qué les da el gerente a los Paz?
13. ¿Cómo se llama la pensión donde van a hospedarse Mario y Jorge?
14. ¿A quién le preguntan Mario y Jorge el precio de las habitaciones?
15. ¿Qué comidas incluye el precio de la habitación?
16. ¿Por cuánto tiempo dice Jorge que van a quedarse en la pensión?
17. ¿Qué dice Mario?
18. ¿El cuarto tiene bañadera o ducha?
19. ¿Jorge y Mario pueden bañarse con agua fría solamente?
20. ¿Cree Ud. que el cuarto de Jorge y Mario tiene calefacción? ¿Por qué?

B. Choose a partner and then ask each other the following questions, using the **tú** form.

Pregúntele a su compañero(-a) de clase...

1. ... si cuando viaja prefiere ir a un hotel o a una pensión
2. ... si cree que doscientos dólares por noche es muy caro
3. ... si cuando va a un hotel, él (ella) lleva sus maletas a la habitación o se las da a un botones
4. ... si hay algún restaurante cerca de su casa que sirva comida mexicana
5. ... si siempre deja una buena propina cuando va a un restaurante
6. ... a qué hora es el desayuno en su casa
7. ... si duerme en una cama doble
8. ... si su casa tiene calefacción y aire acondicionado
9. ... si tiene aquí la llave de su casa
10. ... si prefiere bañadera o ducha
11. ... si se baña con agua fría o con agua caliente
12. ... si está seguro(-a) de que se va a quedar en la universidad por más de un año
13. ... qué va a hacer cuando termine la clase
14. ... si va a llamar por teléfono a su amigo(-a) en cuanto llegue a casa

Situaciones

You find yourself in the following situations. What do you say? What might the other person say?

1. You don't have reservations, but you need a room for three people with a private bathroom and air-conditioning. You want to know the price of the room and when you have to vacate it.
2. You are at a boarding house, and you need to find out what meals the price includes and what accommodations the establishment has to offer.
3. You want to know whether the room has an ocean view and whether the hotel has room service.

HOTEL
Sol Bariloche

Mitre 212 Tel. 2-2715   Telex 80761 SOLBA 8400   San Carlos de Bariloche Argentina

140 habitaciones y 13 suites, todas con baño privado. Salas de convenciones con capacidad para 1.200 personas. 2 canales video. TV color. Musica funcional. Cajas de seguridad. Sala de juegos. Sauna.

Peluqueria y salon de belleza. Restaurante internacional con capacidad para 1.000 personas. Panaderia y reposteria propias. Garaje. Todo en pleno centro de Bariloche

Adaptación del diálogo

With a classmate, adapt the dialogues at the beginning of this lesson by making the following changes.

Cambien:

1. el tiempo que hace que los señores Paz llegaron al hotel
2. el precio del cuarto
3. la hora en que deben desocupar el cuarto
4. cuánto tiempo extra pueden quedarse sin pagar
5. el precio de las habitaciones en la pensión Carreras
6. lo que incluye el precio
7. el tiempo que piensan quedarse allí
8. lo que tiene el cuarto de baño

Para escribir

Following the style of the dialogue in this lesson, write a conversation between you and a hotel clerk in Mexico. Make reservations and ask about prices and accommodations. (For additional vocabulary, you may wish to refer to the **Un paso más** section.)

Un paso más

Learn some additional words and phrases that relate to the ones you have acquired in this unit:

◆ More vocabulary about travelling

¿A cómo está el cambio de moneda?	*What's the rate of exchange?*
el balneario	*beach resort*
cancelar	*to cancel*
confirmar	*to confirm*
el crucero	*cruise*
el documento	*document*
la lista de espera	*waiting list*
los lugares de interés	*places of interest*
el maletín	*small suitcase, hand luggage*
(de) primera clase	*first-class*
Todo está en regla.	*Everything is in order.*
veranear	*to spend the summer (vacationing)*

◆ More vocabulary about hotels

Quiero una habitación con vista
{
al jardín   *garden*
a la piscina   *swimming pool*
al patio
a la calle
a la playa   *beach*
}

Quiero una habitación
{
interior
exterior
}

cama chica (pequeña)	*twin bed*
ocupado(-a)	*occupied*
libre	*vacant*
el puesto de revistas	*magazine stand*
el sofá-cama	*sleeper (sofa that turns into a bed)*
la tienda de regalos	*souvenir shop*
el vestíbulo	*lobby*

Para practicar

A. ¿Qué palabras faltan? (*What words are missing?*)

1. Van a _____ el vuelo porque hay mucha niebla.
2. No quiero viajar en clase turista; quiero un billete de _____ _____ .
3. ¿Cuáles son los _____ de interés en la ciudad donde Ud. vive?
4. El pasaporte es un _____ que necesitamos para viajar.
5. Tengo que _____ la reservación en el hotel.
6. ¿A cómo está el _____ de _____ ?
7. No hay pasaje para hoy, pero podemos ponerlo en la lista de _____ .
8. Este año no vamos a veranear en el _____; vamos a hacer un _____ por el Caribe o por el Mediterráneo.
9. Solamente puede llevar un _____ con usted en el avión.
10. No necesita nada más. Todo está en _____ .

B. ¿Cuál es la solución? ¿Qué hago? ¿A dónde voy?

1. Quiero leer *Newsweek*.
2. No me gustan las habitaciones interiores (*dé varias alternativas*)
3. Somos tres y sólo hay una cama doble en el cuarto.
4. Quiero comprar algo para llevarles a mis padres.
5. No hay habitaciones libres en los hoteles baratos.
6. No quiero recibir a mi amigo en la habitación del hotel.

VERANO EN SURAMERICA

Un excelente motivo para sus vacaciones de fin de año!

INCLUYE:
Cenas y celebraciones de Navidad y Año Nuevo.
SALIDAS: Diciembre 20 y 27
Enero 5

Planeando un viaje a España

Llegada.   Cuando llegue al Aeropuerto de Barajas, Madrid, después de pasar por la aduana, puede cambiar sus dólares por pesetas en el banco que hay en el aeropuerto.

Para ir del aeropuerto al centro, puede tomar un autobús o un taxi. En España los taxis son muy baratos.

Transportación.   En España, la transportación pública es muy eficiente y no es cara. Se puede viajar en tren, en autobús, en avión o se puede alquilar un automóvil. Madrid y Barcelona tienen un buen sistema de metro.

Lugares de interés en Madrid.   En Madrid se mezcla lo moderno con lo antiguo. En la parte antigua de la ciudad, se puede comer comida típica de todas las regiones de España.

Madrid tiene muchos monumentos y museos importantes, especialmente el famoso Museo del Prado. También hay plazas y parques interesantes. Mucha gente pasa el domingo en el hermoso Parque del Retiro.

Otras ciudades de interés.   En el sur de España, visite Sevilla, Córdoba y Granada, ciudades donde se ve la influencia de la cultura árabe. En el norte, vaya a Galicia; allí debe visitar la Catedral de Santiago de Compostela. Otras ciudades importantes en España son Barcelona, Toledo y Salamanca. Si tiene tiempo, vaya a Portugal, que está al oeste de España.

Clima.   En el norte hace frío y llueve frecuentemente. Lleve un paraguas, un impermeable y un abrigo. En el sur hace mucho calor; debe llevar ropa de verano.

Dos madrileñas conversan a la entrada del metro en Madrid, España.

Nuevas palabras

el centro downtown
la ciudad city
  España Spain
la llegada arrival
el metro, el subterráneo subway
el norte the north
el oeste the west

el parque park
  pasar to spend (time)
pasar por la aduana to go through
  customs
planear to plan
el sur South
visitar to visit

¿Recuerda usted...?

1. A su llegada al aeropuerto, ¿por dónde debe pasar primero?
2. ¿Dónde puede cambiar sus dólares por pesetas?
3. ¿Cómo puede ir del aeropuerto al centro?
4. ¿Son caros los taxis en España?
5. ¿Cómo es la transportación en España?
6. ¿Cómo se puede viajar?
7. ¿Qué ciudades tienen un buen sistema de metro?
8. ¿Recuerda usted algunos lugares de interés en Madrid?
9. ¿Dónde puede comer comidas típicas de todas las regiones de España?
10. En Madrid, ¿dónde pasa mucha gente el domingo?
11. ¿Qué ciudades de interés se pueden visitar en el sur?
12. ¿En qué región de España está la Catedral de Santiago de Compostela?
13. ¿Qué se puede visitar al oeste de España?
14. ¿Cómo es el clima en el norte de España? ¿Qué debe llevar?
15. ¿Cómo es el clima en el sur? ¿Qué debe llevar?

Díganos...

1. ¿Cómo se llama el aeropuerto de la ciudad donde Ud. vive?
2. ¿Es un aeropuerto internacional?
3. ¿Su casa queda cerca o lejos del centro?
4. ¿Son baratos los taxis en la ciudad donde Ud. vive?
5. ¿En qué ciudades norteamericanas tienen un sistema de metro?
6. ¿Vive Ud. en la parte antigua o en la parte moderna de la ciudad?
7. ¿Hay un parque cerca de su casa?
8. ¿Qué lugares interesantes hay en la ciudad donde Ud. vive?
9. ¿Cuáles son las ciudades más importantes del estado (*state*) en que Ud. vive?
10. ¿Cómo es el clima en su estado?

Lección 12 ◆ **A. The subjunctive to express indefiniteness and nonexistence**

Rewrite the following sentences, using the suggested beginnings and the subjunctive or the indicative as appropriate.

1. La secretaria habla español.
   Queremos una secretaria que...
2. Ese hotel es muy barato.
   Aquí no hay ningún hotel que...
3. No hay ningún pasaje que no sea caro.
   Tenemos unos pasajes que...
4. No hay ningún restaurante que sirva pollo.
   Hay varios restaurantes que...
5. Alguien tiene los comprobantes.
   Buscamos a alguien que...
6. Hay una señora que puede reservar los pasajes.
   ¿Hay alguien que...?

B. The subjunctive to express doubt

Fill in the blanks below, using the subjunctive or the indicative of the verbs in parentheses.

1. Estoy seguro de que nosotros _____ (tener) que tomar ese avión.
2. Dudo que los señores Vega te _____ (dar) los folletos.
3. Estamos seguros de que el pasaje _____ (ser) de ida y vuelta.
4. No estoy seguro de que él _____ (poder) traernos el equipaje.
5. No dudo que ellos _____ (servir) el café a esa hora.

C. The relative pronouns *que* and *quien*

Complete the following sentences, supplying the Spanish equivalent of the words in parentheses.

1. ¿Quiénes eran esas chicas con _____ estabas bailando? (*whom*)
2. El muchacho _____ iba a traer el tocadiscos no vino. (*who*)
3. La música _____ más me gusta es la música española. (*that*)
4. La chica de _____ te hablé es muy bonita. (*whom*)
5. ¿Cómo se llama la chica _____ vino ayer? (*who*)

D. Vocabulary

Complete the following sentences, using the vocabulary you have learned in this lesson.

1. Todos los _____ de esa aerolínea son 747.
2. ¿Necesito la _____ de Argentina para viajar a Buenos Aires?
3. La puerta de _____ es la número siete.
4. Este verano vamos a ir de _____ a Lima.
5. «Última _____ . Pasajeros del _____ 472, favor de _____ al avión.»
6. Estaban hablando _____ su viaje a Madrid.
7. ¿Te vas a Montevideo? ¡Buen _____ !
8. No voy a viajar en primera clase. Voy a viajar en clase _____ .
9. El agente le mostró _____ sobre varios _____ de excursiones.
10. No pienso volver. ¡Sólo quiero un billete de _____ !
11. ¿Quiere asiento de _____ o de ventanilla?
12. No fumo. Quiero un asiento en la _____ de no _____ .
13. Tenemos que hacer _____ en Panamá, pero no tenemos que _____ .
14. No hay nadie con ella. Está _____ .

Lección 13 ◆ ### A. The use of the subjunctive with certain conjunctions

Complete the following sentences, using the Spanish equivalent of the words in parentheses.

1. Voy a traer el postre en cuanto ellos _____ de comer. (*finish*)
2. Mañana vamos a ir al cine aunque _____ . (*it may rain*)
3. No vamos a ir a menos que _____ quedarnos en casa de Estela. (*we can*)
4. Voy a llamar al mozo para que nos _____ el menú. (*bring*)
5. Vamos a ir a la pensión tan pronto como ellos _____ a servir la comida. (*begin*)
6. Siempre reservo habitación con baño privado cuando _____ . (*I travel*)
7. En cuanto yo _____ a casa voy a poner el aire acondicionado. (*arrive*)
8. Aunque _____ , vamos al comedor. (*I'm not hungry*)

B. The subjunctive to express denial and disbelief

Rewrite each of the following sentences, using the suggested beginnings and the subjunctive or the indicative, as appropriate.

1. Están comiendo arroz con pollo. (No es cierto que...)
2. El pasaje es válido por ocho meses. (No creo que...)
3. Ella prefiere té caliente. (Es verdad que ella...)
4. Cobran cincuenta dólares por noche. (Creo que...)
5. El cuarto no tiene calefacción. (No es verdad que...)

C. *Hace* **meaning** *ago*

Give the Spanish equivalent of the following sentences.

1. The owner arrived three hours ago.
2. I studied Spanish ten years ago.
3. We arrived three months ago.
4. They gave me the keys ten days ago.
5. We made the reservations two weeks ago.

D. Vocabulary

Complete the following sentences, using the vocabulary you have learned in this lesson.

1. Necesito un cuarto que tenga _____ privado.
2. El baño no tiene bañadera; tiene _____ .
3. Ahora debe _____ el registro.
4. Tengo mucho frío y este cuarto no tiene _____ .
5. Mi esposo y yo queremos una _____ doble.
6. El precio de la pensión incluye todas las _____ .
7. El _____ va a llevar las maletas al cuarto.
8. ¿A qué _____ debemos _____ el cuarto?
9. Dudo que haya una pensión _____ esta en Punta del Este.
10. Tiene agua fría, pero no tiene agua _____ .
11. En ese hotel _____ más de cincuenta dólares por _____ .
12. Sirven el _____ de siete a nueve de la mañana y el _____ de doce a dos.
13. Mi cuarto no es con _____ al mar; es interior.
14. Ellos no van a _____ en una pensión; van a quedarse en un hotel.
15. La pensión no tiene _____ de habitación. Tenemos que comer en el comedor.

La familia

LECCIÓN 14: *Dora y Pepe van a casarse*

LECCIÓN 15: *Una visita de los suegros*

By the end of this unit, you will be able to:

◆ discuss various features of living accommodations (house, apartment) and furnishings

◆ make comparisons among people and objects

◆ describe family relationships

◆ talk about household chores

◆ discuss future events

◆ draw conclusions about the possible effects of various conditions on a given situation

14 Dora y Pepe van a casarse

Dora — ¡Ojalá que podamos mandar todas las invitaciones esta semana!

Pepe — ¿Es necesario que invitemos a tanta gente?

Dora — Sí, tenemos muchos parientes: abuelos, tíos, primos, sobrinos, hermanos...

Pepe — Y es posible que también venga mi padrino del este.

Dora — ¡Y el mío! Es probable que llegue la semana próxima.

Pepe — Mis padres ya nos compraron el regalo: los muebles para el dormitorio.

Dora — Puede ser que los míos nos regalen los del comedor.

Al día siguiente, Dora y Pepe van a Tegucigalpa a ver un apartamento que piensan alquilar.

Al día siguiente:

Pepe — Este apartamento es más grande que el que vimos ayer.

Dora — Pero no es tan bonito como ese. Ese es el más bonito de todos.

Pepe — Este tiene sala de estar y también incluye garaje.

Dora — Pero la cocina del otro es mejor.

Pepe — El otro apartamento tiene menos espacio que este.

Dora — Es verdad, y es preferible alquilar este porque podemos usar la piscina.

Pepe — Es difícil que encontremos un apartamento con todo lo que queremos.

Dora — Sí, y además el otro era más caro.

Un mes más tarde, Dora y Pepe se casan y van a Acapulco de luna de miel.

DORA AND PEPE ARE GOING TO GET MARRIED

Dora and Pepe are talking about their upcoming wedding.

D: I hope we can send all the invitations this week!

P: Is it necessary that we invite so many people?

D: Yes, we have many relatives: grandparents, aunts and uncles, cousins, nephews and nieces, brothers and sisters . . .

P: And it is possible that my godfather from back East will come.

D: And mine! He'll probably arrive next week.

P: My parents already bought us the present: the bedroom furniture.

D: Maybe mine will give us the furniture for the dining room.

The following day, Dora and Pepe go to Tegucigalpa to see an apartment that they are thinking of renting.

The next day:

P: This apartment is bigger than the one we saw yesterday.

D: But it isn't as pretty as that one. That one is the prettiest of all.

P: This one has a family room and it also includes the garage.

D: But the kitchen in the other one is better.

P: The other apartment has less space than this one.

D: That's true, and it's better to rent this one because we can use the pool.

P: It's unlikely that we'll find an apartment with everything we want.

D: Yes, and besides, the other one was more expensive.

A month later, Dora and Pepe get married and go to Acapulco on their honeymoon.

VOCABULARIO

Cognados

el garaje   garage
la invitación   invitation
necesario(-a)   necessary

posible   possible
preferible   preferable
probable   probable, likely

NOMBRES

la boda   wedding
la cocina   kitchen
el dormitorio   bedroom
el este   East
la hermana   sister
el hermano   brother
los muebles   furniture
los padres   parents
el padrino   godfather
el, la pariente(-a)   relative
la piscina, la alberca (*Mex.*)   swimming pool
el, la primo(-a)   cousin
el regalo   present, gift
la sala   living room
la sala (el salón) de estar   family room, den
la sobrina   niece
el sobrino   nephew
la tía   aunt
el tío   uncle

VERBOS

alquilar   to rent
casarse (con)   to marry, to get married (to)
regalar   to give (*a gift*)

OTRAS PALABRAS Y EXPRESIONES

el que   the one that
es difícil   it is unlikely
lo que   what
mejor   better; best
menos   less; least
Ojalá...   I hope . . .
puede ser   maybe, perhaps
tan... como   as . . . as

Notas culturales

1. Honduras es uno de los países más pequeños de Latinoamérica. La mayoría de la población vive una existencia aislada en el interior del país, que es muy montañoso. La capital es **Tegucigalpa,** pero hay otras ciudades, como San Pedro Sula, que son también muy importantes industrial y comercialmente.

La población es, en su mayor parte, mestiza; hay una minoría de negros y blancos. Más o menos el setenta y siete por ciento de la población vive en pequeñas villas en el campo.

Honduras es un país pobre; su economía es principalmente agrícola y sus principales exportaciones son bananas, tabaco y maíz. El sistema educativo de Honduras sigue el modelo europeo, y aunque legalmente la educación elemental es obligatoria el índice de analfabetismo es bastante alto.

2. Los padrinos y las madrinas. Cuando se bautiza un hijo o una hija, los padres invitan a dos amigos o parientes a participar en la ceremonia del bautismo. El compadre es el que sirve de padrino del hijo o de la hija. La comadre es la madrina, y los hijos son respectivamente ahijado y ahijada de los padrinos. En caso de morir los padres, los padrinos pueden actuar como padres.

El Palacio Presidencial en Tegucigalpa, la capital de Honduras.

Puntos para recordar

A. Comparative of Adjectives and Adverbs
(*Comparativo de adjetivos y adverbios*)

1. In Spanish, the comparative of most adjectives is formed by placing **más** (*more*) or **menos** (*less*) before the adjective or adverb, and **que** (the equivalent of the English *than*) after it.

[handwritten: BIGGER OR SMALLER]

Silvia es **más alta que** tú.	*Silvia is **taller than** you.*
Raúl vino **más tarde que** yo.	*Raúl came **later than** I.*

Note that before an adjective of quantity, **de** replaces **que** as the equivalent of *than.*

[handwritten: QUANTITY]

— ¿Tienes suficiente dinero?　　*Do you have enough money?*
— Sí, tengo **más de** cien　　　*Yes, I have **more than** a*
　 dólares.　　　　　　　　　　*hundred dollars.*

In a comparison of equality, **tan . . . como** (*as . . . as*) is used.

[handwritten: EQUALITY]

— ¿Tu hermana habla bien　　　*Does your sister speak Spanish*
　 el español?　　　　　　　　*well?*
— Sí, lo habla **tan** bien **como**　*Yes, she speaks it **as** well **as***
　 nosotros.　　　　　　　　　*we do.*

[handwritten left margin: CHOICE / AS _ AS   TAN _ como ① / MORE _ THAN   MAS _ QUE / LES _ THAN   MENOS _ QUE ② / MORE THAN _   MAS DE _ ③ / THE _ ST IN   EL _ DE ④]

2. The superlative construction is similar to the comparative. It is formed by placing the definite article before the person or thing being compared.

— ¿Quién es **el estudiante más**　*Who is **the most intelligent***
　 inteligente de la clase?　　*student** in the class?*
— Mario es **el[1] más inteligente**　*Mario is **the most intelligent***
　 de todos.　　　　　　　　　*of all.*

¡ATENCIÓN!　Note that the Spanish **de** translates to the English *in* after a superlative.

　　Mario es el más inteligente **de** la clase.
　　*Mario is the most intelligent **in** the class.*

---

[1]The noun may be omitted in the superlative construction to avoid repetition when meaning is clear from context.

3. Irregular forms of the comparative and the superlative

a. Six adjectives and four adverbs have irregular comparative and superlative forms in Spanish. They are listed in the table below.

Adjectives	Adverbs	Comparative	Superlative
bueno	bien	**mejor** BETTER	**el (la) mejor**
malo	mal	**peor** WORSE	**el (la) peor**
mucho	mucho	**más** MORE	**el (la) más**
poco	poco	**menos** LESS	**el (la) menos**
grande		**mayor** OLDER	**el (la) mayor**
pequeño		**menor** YOUNGER	**el (la) menor**

b. When the adjectives **grande** and **pequeño(-a)** refer to size, their regular forms are generally used.

Tu casa es **más grande** que la de Antonio.

*Your house is **bigger than** Antonio's.*

When these adjectives refer to age, the irregular forms are used.

— ¿Felipe es **mayor** que tú?
— No, es **menor** que yo.

*Is Felipe **older** than you?*
*No, he is **younger** than I am.*

♡ Es un poco mayor, pero... ♡

■ **¡Vamos a practicar!** ■

A. Complete the following sentences, giving the Spanish equivalent of the words in parentheses.

1. Mi sobrina es _____ tu prima. *(taller than)*
2. ¿Tu tía tiene _____ cuarenta años? *(less than)*
3. Esos muebles son _____ estos. *(as expensive as)*
4. Mi abuela habla español _____ yo. *(as badly as)*

5. La sala de estar es _____ la casa. (*the biggest room in*)
6. Mi hermano no es _____ tú. (*less intelligent than*)
7. Mi tío es _____ mis padres. (*younger than*)
8. El champú que yo uso es _____ de todos. (*the best*)

B. Establish comparisons between the following people and things, using the adjectives provided and adding any necessary words.

1. Hotel Hilton / Motel 6 / caro
2. Yo / Einstein / inteligente
3. Mercedes Benz / Hyundai / barato
4. Maine / Texas / pequeño
5. Wilt Chamberlain / Mickey Rooney / alto
6. Mi padre / yo / mayor
7. Cuba / Brasil / grande
8. Mi hijo / mi abuelo / menor

C. Read each statement, then answer the questions that follow.

1. Mario tiene «A» en español, José tiene «B» y Lolo tiene «F».
   ¿Quién es el mejor estudiante?
   ¿Quién es el peor estudiante?
2. Juan tiene veinte años, Raúl tiene quince y David dieciocho.
   ¿Quién es el mayor de los tres?
   ¿Quién es el menor de los tres?
3. La casa de Elena tiene seis cuartos, la de Marta tiene ocho cuartos, y la de Rosa tiene cinco cuartos.
   ¿Quién tiene la casa más grande?
   ¿Quién tiene la casa más pequeña?
4. Lolo no es inteligente, Beto es inteligente y Rosa es muy inteligente.
   ¿Quién es más inteligente que Beto?
   ¿Quién es menos inteligente que Beto?
   ¿Quién es el (la) más inteligente de los tres?
   ¿Quién es el (la) menos inteligente de los tres?

B. Possessive Pronouns (*Pronombres posesivos*)

1. Possessive pronouns in Spanish agree in gender and number with the person or thing possessed. They are generally used with the definite article.

Singular		Plural		
Masc.	*Fem.*	*Masc.*	*Fem.*	
(el) mío	**(la) mía**	**(los) míos**	**(las) mías**	mine
(el) tuyo	**(la) tuya**	**(los) tuyos**	**(las) tuyas**	yours (*fam.*)
(el) suyo	**(la) suya**	**(los) suyos**	**(las) suyas**	{ yours (*form.*) his hers
(el) nuestro	**(la) nuestra**	**(los) nuestros**	**(las) nuestras**	ours
(el) vuestro	**(la) vuestra**	**(los) vuestros**	**(las) vuestras**	yours (*fam.*)
(el) suyo	**(la) suya**	**(los) suyos**	**(las) suyas**	{ yours (*form.*) theirs

— Mis libros están aquí.	*My books are here.*
¿Dónde están los **tuyos**?	*Where are **yours**?*
— Los **míos** están en la sala.	***Mine** are in the living room.*

¡ATENCIÓN! Note that **los tuyos** substitutes for **los *libros* tuyos;** the noun has been deleted.

—¿Estas invitaciones son **tuyas**?	*Are these invitations **yours**?*
—Sí, son **mías**.	*Yes, they're **mine**.*

¡ATENCIÓN! After the verb **ser,** the article is usually omitted.

Sí, **son mías.**

El día más importante en la vida de un hombre y una mujer. Estos novios *(bride and groom)* están listos para empezar una nueva vida.

2. Because the third-person forms of the possessive pronouns **(el suyo, la suya, los suyos, las suyas)** can be ambiguous, they can be replaced with the following, for clarification.

el de		**Ud.**
la de		**él**
		ella
los de		**Uds.**
las de		**ellos**
		ellas

¿El diccionario? Es **suyo.** *(unclarified)*   *The dictionary? It's theirs.*
               Es **el de ellas.** *(clarified)*   *(pl. fem. possessor)*

Dudo que el zapato sea suyo...

■ **¡Vamos a practicar!** ■

A. Supply the correct possessive pronoun to agree with each subject. Clarify when necessary.

MODELO: Yo tengo una piscina. Es _____ .
              Yo tengo una piscina. Es **mía.**

1. Nosotros tenemos un bolso de mano. Es _____ .
2. Ellos tienen una cama doble. Es _____ . (Es _____ _____ _____ .)
3. El gerente tiene tres llaves. Son _____ . (Son _____ _____ _____ .)
4. Yo tengo un pasaporte. Es _____ .
5. Tú tienes dos pasajes. Son _____ .
6. Nosotros tenemos una casa. Es _____ .
7. Ustedes tienen muchos muebles. Son _____ . (Son _____ _____
    _____ .)
8. Ella tiene los comprobantes. Son _____ . (Son _____ _____ _____ .)

B. We are puzzled. Do you know who owns the following items?

1. Aquí hay una maleta verde. ¿Es tuya?
2. Yo encontré cien dólares. ¿Son tuyos?
3. ¿La cartera roja es de tu mamá?
4. El libro que tú tienes, ¿es mío?
5. Las plumas que están en mi escritorio, ¿son de ustedes?
6. Aquí hay un diccionario. ¿Es de ustedes?

C. You are the interpreter. How would you say the following?

1. Here is my invitation. Where is yours, Miss Soto?
2. I brought your presents, Anita, but I didn't bring hers.
3. Their house is on Magnolia Street. Ours is on Lima Street.
4. I have my suitcases. Where did you put yours, Tito?
5. Your sister speaks English; mine doesn't.

C. Expressions That Take the Subjunctive
(*Expresiones que toman el subjuntivo*)

1. Certain impersonal expressions that convey emotion, uncertainty, conjecture, or an indirect or implied command require the subjunctive in the subordinate clause. This happens only when the verb of the subordinate clause has an expressed or implicit subject. The most common impersonal expressions are listed below.

es difícil	**es importante**
es probable	**es posible**
es mejor	**es imposible**
es necesario	**ojalá**
es preferible	**puede ser**

— **Es difícil** que todos mis parientes **puedan** venir a nuestra boda.

— **Es mejor** que no **vengan** todos.

*It's **unlikely** that all of my relatives **can** come to our wedding.*

*It's **better** that **they** don't all **come.***

2. Impersonal expressions that convey certainty are followed by a verb in the indicative.

— **Es seguro** que mis padres nos **van** a regalar los muebles para el comedor.

— Y mis padres los de la sala.

*It's **certain** that my parents **are going to** give us the dining room furniture.*

And mine, the living room (furniture).

3. When a sentence is completely impersonal, that is, when no subject is expressed, these expressions are followed by the infinitive.

— Para tener una «A», **es necesario estudiar** cinco horas al día.

*To get an "A," **it's necessary to study** five hours a day.*

— ¡**Es imposible estudiar** tanto!

It's impossible to study so much!

Es muy importante que no se lo digas a nadie...

■ **¡Vamos a practicar!** ■

A. Complete the following sentences, using the indicative, the subjunctive, or the infinitive of the verbs in parentheses, as appropriate.

1. Es posible que mi hermano _____ (casarse) con Teresa.
2. Es difícil que _____ (haber) una liquidación este sábado.
3. Ojalá que el vestido no me _____ (quedar) grande.
4. Es seguro que ella no _____ (tener) una infección en la garganta.
5. Es necesario _____ (pasar) por la aduana.
6. Puede ser que el médico los _____ (examinar) hoy.
7. Es mejor _____ (vivir) en el oeste que en el este.
8. Para ir al centro, es necesario _____ (tomar) el metro.
9. Es probable que el niño _____ (tener) fiebre.
10. Es verdad que él _____ (perder) el conocimiento cuando lo atropelló el coche.

B. Complete the following phrases in an original manner.

1. Es importante que nosotros...
2. Para tener dinero, es necesario...
3. Ojalá que el (la) profesor(a)...
4. Es posible que mis padres...
5. Es difícil que en los Estados Unidos...
6. Si Ud. tiene dolor de cabeza, es mejor...
7. Es preferible que mis primos...
8. Es seguro que este año...

Y AHORA, ¿QUÉ?

Palabras y más palabras

Match the questions in column **A** with the corresponding answers in column **B**.

	A		*B*
1.	¿Entiendes lo que dice tu abuela?	a.	Necesito ver unos muebles para la sala.
2.	¿Es posible viajar a España con doscientos dólares?	b.	Un pasaje de ida y vuelta a Hawai.
3.	¿Qué quiere decir *alberca?*	c.	No, pero no importa.
4.	¿En qué puedo servirle?	d.	A mis padres.
5.	¿Viven en el este?	e.	No, para el comedor.
6.	¿Qué le vas a preguntar?	f.	No, en el norte.
7.	¿Tus parientes no van a venir a la boda?	g.	No, nada más.
8.	¿Puedes poner dos coches en el garaje?	h.	No, porque yo no hablo italiano.
9.	¿Quiénes vienen a visitarte mañana?	i.	Sí, es mi sobrino.
10.	¿Necesitas algo más para el dormitorio?	j.	Mis padrinos.
11.	¿A quién le vas a mostrar los regalos?	k.	Si quiere casarse conmigo.
12.	¿En qué ciudad vive tu hermano?	l.	Piscina.
13.	¿La silla es para la cocina?	m.	No, porque es muy estrecho.
14.	¿Es el hijo de tu hermano?	n.	En Nueva York.
15.	¿Qué te regalaron tus tíos?	o.	No, es necesario tener más dinero.

¡Vamos a conversar!

A. What do you remember about Dora's and Pepe's plans? Base your answers on the dialogue.

   1. ¿De qué hablan Pepe y Dora?
   2. ¿Qué dice Dora de las invitaciones?
   3. ¿Por qué es necesario que Dora y Pepe inviten a tanta gente?
   4. ¿Dora y Pepe piensan invitar a sus abuelos?
   5. ¿Dónde vive el hermano de Pepe?
   6. ¿Cuándo llega el hermano de Dora?
   7. ¿Qué regalo les compraron los padres de Pepe?
   8. ¿Qué dice Dora de sus padres?
   9. ¿A dónde van Dora y Pepe al día siguiente?
   10. ¿Cuál de los apartamentos prefiere Pepe? ¿Por qué?
   11. ¿Cuál de los dos apartamentos le gusta a Dora? ¿Por qué?
   12. ¿Qué dice Pepe que es difícil?
   13. ¿El otro apartamento que vieron era más caro o más barato?
   14. ¿A dónde van Dora y Pepe de luna de miel?

B. Choose a partner and then ask each other the following questions, using the **tú** form.

   Pregúntele a su compañero(-a) de clase...

   1. ...si piensa casarse
   2. ...de dónde son sus abuelos
   3. ...si tiene muchos tíos y primos
   4. ...cuántos hermanos tiene
   5. ...si piensa regalarle algo al profesor (a la profesora)
   6. ...cuántos dormitorios tiene su casa
   7. ...si todos sus parientes son norteamericanos
   8. ...si vive con sus padres
   9. ...cómo es la casa en que vive
   10. ...si es necesario tener una cocina grande
   11. ...si el garaje de su casa es para dos coches
   12. ...si tiene piscina en su casa
   13. ...si conoce a todos sus primos
   14. ...si piensa invitar a todos los estudiantes a su casa
   15. ...si es preferible comprar una casa con piscina o una casa con garaje para tres coches

Situaciones

You find yourself in the following situations. What do you say?

   1. You have to convince someone that it is important to send wedding invitations to all your relatives.

2. You try to sell someone on the advantages of having a very large house, even if it is not modern.
3. You are describing your idea of the "perfect house."
4. You and a friend are debating about various possible wedding gifts for another mutual friend.

Adaptación del diálogo

With a classmate, adapt the dialogues at the beginning of this lesson by making the following changes.

Cambien:

1. cuándo van a mandar las invitaciones
2. el lugar donde vive el padrino de Pepe
3. cuándo va a llegar el padrino de Dora
4. el regalo de los padres de Pepe
5. el regalo de los padres de Dora
6. el tipo de apartamento que quiere Dora
7. el tipo de apartamento que quiere Pepe
8. el lugar a donde Dora y Pepe van de luna de miel.

Para escribir

Develop a conversation involving you, your future spouse and the rental agent showing you apartments. Assume that the agent has shown you a number of apartments, none of which met your needs. Discuss why the apartments were unsuitable and reiterate your requirements. Do not let the agent dissuade you with persuasive arguments!

15

Una visita de los suegros

Hace dos meses que Rosa y Luis viven en Guatemala. Hoy están limpiando la casa y cocinando porque los padres de Luis vendrán a pasar el fin de semana con ellos y la criada tiene el día libre.
Por la mañana:

Rosa — Luis, pásale la aspiradora a la alfombra mientras yo barro la cocina.

Luis — ¡Ten paciencia, mujer! Estoy fregando los platos.

Rosa — ¿¡Todavía!? Dame tu pantalón gris para lavarlo después.

Luis — Yo no lo lavaría aquí; yo lo mandaría a la tintorería para limpiarlo en seco.

Rosa — Entonces tráeme las sábanas, las fundas y las toallas. ¡Date prisa!

Luis — No las laves ahora; yo lo haré luego.

Rosa — Gracias. Eres un ángel. No te olvides de sacar la basura. Está debajo del fregadero.

Luis — Bueno, y si quieres que limpie el garaje, dame la escoba y el recogedor.

Luis cortó el cesped, limpió el refrigerador y bañó al perro. Rosa lavó, planchó y cocinó.

Por la noche:

Luis — Mis padres estarán aquí dentro de media hora. Pon la mesa.

Rosa — Ven y ayúdame, por favor. Tráeme el mantel y las servilletas.

Luis — ¿Ya pusiste el pan en el horno?

Rosa — No, todavía no. Ahora voy a preparar la ensalada.

Luis — Ponle un poco de aceite, pero no le pongas mucho vinagre.

Rosa — Fíjate si tenemos bróculi en el congelador.

Luis — Sí, tenemos dos paquetes.

Rosa — Tendré que preparar una salsa de queso. Oye, tocan a la puerta. Ve a abrir.

A VISIT FROM THE PARENTS-IN-LAW

Rosa and Luis have been living in Guatemala for two months. Today they're cleaning house and cooking because Luis's parents will come to spend the weekend with them and the maid has the day off.

In the morning:

R: Luis, vacuum the rug while I sweep the kitchen.

L: Have patience, woman! I'm washing the dishes.

R: Still?! Give me your gray pants to wash afterwards.

L: I wouldn't wash them here; I would send them to the cleaner to have them dry cleaned.

R: Then bring me the sheets, pillowcases, and towels. Hurry up!

L: Don't wash them now; I'll do it later.

R: Thanks. You're an angel . . . Don't forget to take out the garbage. It's under the sink.

L: Okay, and if you want me to clean the garage, give me the broom and the dustpan.

Luis mowed the lawn, cleaned the refrigerator and gave the dog a bath. Rosa washed, ironed, and cooked.

In the evening:

L: My parents will be here within half an hour. Set the table.

R: Come and help me, please. Bring me the tablecloth and the napkins.

L: Did you (already) put the bread in the oven?

R: Not yet. I'm going to prepare the salad now.

L: Put a little oil on it, but don't put (too) much vinegar (on it).

R: Check (and see) if we have broccoli in the freezer.

L: Yes, we have two packages.

R: I'll have to prepare a cheese sauce. Listen, they're knocking on the door. Go open (it).

VOCABULARIO

Cognados

el ángel   angel
el bróculi   broccoli
la paciencia   patience

el refrigerador   refrigerator
el vinagre   vinegar

NOMBRES

el aceite   oil
la alfombra   rug
la aspiradora   vacuum cleaner
la basura   trash, garbage
el césped, el zacate
  (*Mex.*)   lawn
el congelador   freezer
la criada, la muchacha   maid
la escoba   broom
el fregadero   sink
el fin de semana   weekend
la funda   pillowcase
el horno   oven
el recogedor   dustpan
la sábana   sheet
la salsa de queso   cheese sauce
los suegros   parents-in-law
la tintorería   dry cleaner's
la toalla   towel

VERBOS

ayudar   to help
barrer   to sweep

fijarse   to check, to notice
fregar (e>ie)   to wash dishes
lavar   to wash
olvidar(se) (de)   to forget
planchar   to iron
preparar   to prepare
sacar   to take out

OTRAS PALABRAS Y EXPRESIONES

cortar el césped   to mow the lawn
darse prisa   to hurry up
dentro de, en   within, in
limpiar, (lavar) en seco   to dry clean
pasar la aspiradora   to vacuum
tener el día libre   to have the day off
tocar (llamar) a la puerta   to knock at the door
todavía   still
todavía no   not yet

Notas culturales

1. Guatemala es uno de los países más grandes
de Centroamérica. Tiene un área de 42.042 millas cuadradas.
La Cordillera de la América Central atraviesa el país y lo
divide en cuatro regiones. La parte sur de la Sierra
Madre, que corre paralela a la costa del Pacífico es
una cadena formada por treinta y tres volcanes,
algunos de los cuales están en permanente
actividad.

El ochenta por ciento de la población
se divide en dos grandes grupos: los
indios y los mestizos (mezcla de
hispanos e[1] indios). Los negros y los
blancos constituyen la minoría. El
idioma oficial es el español, pero también
se hablan unos veinte dialectos indígenas.

La educación es gratis en Guatemala, y es
obligatoria durante los seis primeros grados, pero
el número de escuelas no es suficiente y, aunque hay
numerosas escuelas privadas, muchos niños no reciben
ninguna educación.

La capital del país es la **Ciudad de Guatemala,** y es allí donde
encontramos el mayor número de instituciones culturales.

2. La familia hispánica incluye a padres e[1]
hijos y también a abuelos, tíos y primos. Los
hijos generalmente viven con los padres hasta
que se casan. En muchas familias, los abuelos
viven con sus hijos y nietos y ayudan a criar a
los niños.

Un mercado al aire libre en Solola, Guatemala.

[1]Before a word beginning with **i** or **hi,** the equivalent of *and* is **e.**

Puntos para recordar

A. The Familiar Command Forms: *tú* and *vosotros*
(*Las formas imperativas de *tú* y de *vosotros*)

1. The affirmative command

   a. Regular, affirmative commands in the **tú** form have exactly the
same forms as the third-person singular of the present indicative.

Verb	Present Indicative Third-Person Sing.	Familiar Command (*tú* Form)
hablar	él habla	**habla**
comer	él come	**come**
abrir	él abre	**abre**
cerrar	él cierra	**cierra**
volver	él vuelve	**vuelve**
pedir	él pide	**pide**
traer	él trae	**trae**

— ¿Qué quieres que haga
   ahora?
— **Corta** el césped y después
   pasa la aspiradora.

*What do you want me to do
now?*
Mow *the lawn and then
vacuum.*

— ¿Vas a poner la mesa
   ahora?
— Sí, **tráeme** el mantel y las
   servilletas.

*Are you going to set the table
now?*
*Yes, **bring me** the tablecloth
and the napkins.*

¡ATENCIÓN!   Remember that direct, indirect, and reflexive pronouns are always placed *after* an affirmative command and are attached to it.

Tráe*me* el mantel y las servilletas.

b. Eight Spanish verbs are irregular in the affirmative command for the **tú** form. They are listed below.

decir	**di**	(*say, tell*)	salir	**sal**	(*go out, leave*)
hacer	**haz**	(*do, make*)	ser	**sé**	(*be*)
ir	**ve**	(*go*)	tener	**ten**	(*have*)
poner	**pon**	(*put*)	venir	**ven**	(*come*)

— **Dime,** ¿a qué hora quieres que venga?   ***Tell me,*** *at what time do you want me to come?*
— **Ven** a las ocho.   ***Come*** *at eight.*

— **Hazme** un favor: **pon** esta silla en el comedor.   ***Do*** *me a favor:* ***put*** *this chair in the dining room.*
— Sí, en seguida.   *Yes, right away.*

2. The affirmative command form for **vosotros** is formed by changing the final **r** of the infinitive to **d.**

Infinitive	*Familiar Command* **(vosotros)**
hablar	habla**d**
comer	come**d**
escribir	escribi**d**
ir	i**d**
salir	sali**d**

When the affirmative command of **vosotros** is used with the reflexive pronoun **os,** the final **d** is dropped.

bañar	baña**d**	**bañaos**
poner	pone**d**	**poneos**
vestir	vesti**d**	**vestíos**[1]

Bañaos antes de cenar.   ***Bathe*** *before dinner.*
Poneos los zapatos.   ***Put*** *your shoes* ***on.***
Vestíos aquí.   ***Get dressed*** *here.*

Only one verb doesn't drop the final **d** when the **os** is added.

irse (*to go away*):   **¡Idos!** (*Go away!*)

---

[1]Note that the **-ir** verbs take a written accent over the **i** when the reflexive pronoun **os** is added.

3. The negative commands of **tú** and **vosotros** use the corresponding forms of the present subjunctive.

hablar	no **hables** tú	no **habléis** vosotros
vender	no **vendas** tú	no **vendáis** vosotros
decir	no **digas** tú	no **digáis** vosotros
salir	no **salgas** tú	no **salgáis** vosotros

— **No laves** las toallas ahora.
— Entonces voy a barrer la cocina.

Don't wash the towels now. Then I'm going to sweep the kitchen.

— **No** me **esperes** para comer.

Don't wait for me to eat.

— **¡No** me **digas** que hoy también vas a llegar tarde!

Don't tell me you're going to be late again today!

¡ATENCIÓN!   In a negative command, all object pronouns are placed before the verb.

No **me** esperes para comer.

■ **¡Vamos a practicar!** ■

A. Using command forms, tell your friend what to do.

MODELO: Tienes que subir al tren ahora.
              ***Sube** al tren ahora.*

1. Tienes que llamarme este fin de semana.
2. Tienes que traernos el desayuno.
3. Tienes que cambiar las sábanas.

    4. Tienes que tener paciencia con él.
    5. Tienes que decirle que no venga entre semana.
    6. Tienes que planchar las fundas y ponerlas en el dormitorio.
    7. Tienes que ir a la estación temprano.
    8. Tienes que hacer el flan ahora.
    9. Tienes que salir en cuanto llegue mi primo.
   10. Tienes que venir y firmar las cartas.

B. You are going away for the day. Tell your child what to do and what not to do.

    1. levantarse temprano y bañarse
    2. preparar el desayuno
    3. no tomar refrescos
    4. hacer la tarea
    5. no abrirle la puerta a nadie
    6. limpiar el cuarto
    7. ir al mercado y comprar frutas
    8. traer pollo y ponerlo en el congelador
    9. no mirar televisión y no traer a sus amigos a la casa
   10. llamar a su papá y decirle que venga temprano.

C. Give two commands, one affirmative, and one negative, that the following people would be likely to give.

    1. un padre (una madre) a su hija de quince años
    2. un estudiante a su compañero(-a) de cuarto
    3. un joven a su novia o una joven a su novio
    4. un doctor a un niño
    5. un maestro a un estudiante

B. The Future Tense (*El futuro*)

1. Most Spanish verbs are regular in the future. The infinitive serves as the stem of almost all verbs in the future. The endings are the same for all three conjugations; the English equivalent is *will* plus verb.

FORMATION OF THE FUTURE TENSE			
Infinitive		*Stems*	*Endings*
trabajar	yo	trabajar-	**é**
aprender	tú	aprender-	**ás**
escribir	Ud.	escribir-	**á**
hablar	él	hablar-	**á**
decidir	ella	decidir-	**á**
entender	nosotros	entender-	**emos**
ir	vosotros	ir-	**éis**
dar	Uds.	dar-	**án**
perder	ellos	perder-	**án**
recibir	ellas	recibir-	**án**

¡ATENCIÓN!   Note that all the endings, except that of the **nosotros** form, take accent marks.

— ¿A dónde **irán** Uds. este fin de semana?

*Where **will you go** this weekend?*

— **Iremos** de excursión si hace buen tiempo.

*We **will go** on a trip if the weather is good.*

2. A small number of Spanish verbs are irregular in the future tense. These verbs use a modified form of the infinitive as a stem. The endings are the same as those for regular verbs.

IRREGULAR FUTURE STEMS		
Infinitive	*Modified Form (Stem)*	*First Person Sing.*
decir	dir-	**diré**
hacer	har-	**haré**
haber	habr-	**habré**
querer	querr-	**querré**
saber	sabr-	**sabré**
poder	podr-	**podré**
salir	saldr-	**saldré**
poner	pondr-	**pondré**
venir	vendr-	**vendré**
tener	tendr-	**tendré**

— ¿A qué hora **saldrán** para el aeropuerto? — **Saldremos** tan pronto como lleguen mis parientes.

*At what time **will you leave** for the airport?*
We will leave as soon as my relatives arrive.

— ¿**Podrás** venir mañana?

Will you be able to come tomorrow?

— Sí, **vendré** a menos que llueva.

Yes, I will come unless it rains.

3. Uses of the Spanish future tense

a. The English equivalent of the Spanish future tense is *will* or *shall* plus a verb. As you have already learned, Spanish also uses the construction **ir a** plus an infinitive, or the present tense with a time expression, to refer to future actions or states, very much like the English present progressive or the expression *going to.*

Esta noche **iremos** al cine.

*Tonight **we will go** to the movies.*

Esta noche **vamos** a ir al cine.

*Tonight **we're going to go** to the movies.*

Esta noche **vamos** al cine.

*Tonight **we're going** to the movies.*

b. Unlike English, the Spanish future is *not* used to express willingness. In Spanish, willingness is expressed by the verb **querer.**

— ¿**Quieres** llamar a Tomás? — Ahora no puedo.

Will you call Tom?
I can't now.

■ **¡Vamos a practicar!** ■

A. Rewrite the following sentences, using the future tense. Follow the model below.

MODELO: Los hombres van a preparar el almuerzo.
*Los hombres **prepararán** el almuerzo.*

1. Le voy a decir que debe limpiar el garaje.
2. Ella va a tener que pagar exceso de equipaje.
3. Ellos van a servir pollo con papas fritas.
4. Vamos a poner los muebles en el dormitorio.
5. ¿Luis va a bañar al perro?
6. Mañana va a hacer calor.
7. ¿Qué van a hacer los turistas?
8. ¿Tú vas a salir para el restaurante dentro de media hora?
9. ¿Qué le vas a regalar a tu tío?
10. ¿Uds. van a venir a hacer las reservaciones?

B. Tell what everybody will do.

1. De postre, yo haré helado y tú...
2. Nosotros iremos al cine y Uds. ...
3. Elena pondrá los platos en la mesa y yo...
4. Yo llevaré mi vestido a la tintorería y mi sobrino...
5. Yo tendré que fregar los platos y ellos...
6. Ellos podrán comprar un coche y nosotros...
7. Olga viajará en clase turista y yo...
8. Nosotros cobraremos veinte dólares y Ud. ...

C. The Conditional Tense (*El condicional*)

1. The Spanish conditional tense is equivalent in meaning to the English *should* or *would,* or the expressions *could* or *might.* Like the future, the Spanish conditional has only one set of endings for all three conjugations. It also uses the infinitive as its stem.

LO RECONOCERÍA
EN CUALQUIER PARTE
POR SUS ZAPATOS...

FORMATION OF THE CONDITIONAL TENSE			
Infinitive		*Stem*	*Endings*
trabajar	yo	trabajar-	**ía**
aprender	tú	aprender-	**ías**
escribir	Ud.	escribir-	**ía**
ir	él	ir-	**ía**
ser	ella	ser-	**ía**
dar	nosotros	dar-	**íamos**
servir	Uds.	servir-	**ían**
estar	ellos	estar-	**ían**
preferir	ellas	preferir-	**ían**

— Me **gustaría** ir al parque. *I would like to go to the park.*
— Nosotros **preferiríamos** ir a la piscina. *We would prefer to go to the pool.*

— Voy a escribir la carta en inglés. *I'm going to write the letter in English.*
— Yo la **escribiría** en español. *I would write it in Spanish.*

2. The same verbs that have irregular stems in the future tense are also irregular in the conditional. The endings are the same as those for regular verbs.

IRREGULAR CONDITIONAL STEMS		
Infinitive	*Modified Form* (*Stem*)	*First-Person Sing.*
decir	dir-	**diría**
hacer	har-	**haría**
haber	habr-	**habría**
querer	querr-	**querría**
saber	sabr-	**sabría**
poder	podr-	**podría**
salir	saldr-	**saldría**
poner	pondr-	**pondría**
venir	vendr-	**vendría**
tener	tendr-	**tendría**

— ¿Qué **podría** hacer yo para ayudarte? *What could I do to help you?*
— **Podrías** cocinar. *You could cook.*

3. Uses of the Spanish conditional

    a. The Spanish conditional is equivalent to the English *would* plus a verb.

— ¿Qué **harías** tú?	*What **would you** do?*
— Yo lo **mandaría** a la tintorería.	*I **would send** it to the dry cleaner.*

    b. In Spanish, the conditional is also used to soften a request or to express politeness.

— ¿**Podrías** venir un momento?	***Could you** come for a minute?*
— Sí, en seguida.	*Yes, right away.*

■ **¡Vamos a practicar!** ■

    A. Using the conditional, rewrite the following sentences.

    MODELO: Yo prefiero no ponerle pimienta a la comida.
                  *Yo no le **pondría** pimienta a la comida.*

    1. Yo prefiero decírselo a mi hermana.
    2. Nosotros preferimos ir a una pensión.
    3. Ángel prefiere usar una cucharita.
    4. ¿Ud. prefiere hablar con el dueño?
    5. Ellos prefieren venir por la noche.
    6. ¿Tú prefieres invitarlos a la boda?
    7. Yo prefiero comprar el refrigerador que él me enseñó.
    8. Ella prefiere no casarse con él.
    9. Yo prefiero salir mañana.
  10. ¿Uds. prefieren hacer arroz con pollo?

B.   Using the conditional, tell what you would do in the following situations.

MODELO: El (La) profesor(a) le dice que mañana hay un examen.
                  *Yo **estudiaría** mucho.*

1. Su mamá le pide que limpie la sala de estar, pero Ud. está estudiando.
2. Hoy es el último día para pagar la matrícula y Ud. no tiene dinero.
3. El mozo le trae la sopa y está fría.
4. Sus padres vienen a pasar el fin de semana con Ud.
5. Le duele mucho la cabeza.
6. Ud. tiene el pelo largo y ahora se usa el pelo corto.

Y AHORA, ¿QUÉ?

Palabras y más palabras

Choose the word or phrase that best completes the following sentences, then read each aloud.

1. Voy a poner las frutas en el (refrigerador, rizador, catarro).
2. Vamos a pasarle la (curita, garganta, aspiradora) al cuarto.
3. Necesito cortar el (brazo, dependiente, césped) del jardín.
4. Voy a barrer. Necesito (la escoba, la sábana, la funda).
5. Mandaré el (resfrío, probador, traje) a la tintorería mañana.
6. Yo usaría detergente para (fregar, planchar, torcer) los platos.
7. ¿Podrías (ayudar, cortar, sacar) la basura?
8. Llaman a la puerta. ¡Date (fractura, prisa, herida)! ¡Ve a abrir!
9. Voy a (lavarme, fijarme, olvidarme) si hay bróculi en el congelador.
10. Le puse vinagre y (biftec, visa, aceite) a la ensalada.
11. Voy a poner el (pan, recogedor, césped) en el horno.
12. Pluto es un (plato, perro, gato).
13. Él quiere que yo (cocine, barra, lave) mi cuarto.
14. Mis padres vendrán a (pasar, cambiar, sacar) este fin de semana con nosotros.
15. Te ayudaré a planchar (la propina, las servilletas, el papel higiénico).
16. Entonces, no te olvides de llamarme (dentro de, debajo de, a la derecha de) media hora.

Nunca olvidaré esta Navidad.
¡ Nos regalaste un computador !

¡Vamos a conversar!

A.   What happens to Rosa and Luis? Base your answers on the dialogue.

1. ¿Cuánto tiempo hace que Luis y Rosa viven en Guatemala?
2. ¿Qué están haciendo Rosa y Luis?
3. ¿Por qué no está con ellos la criada?
4. ¿Quiénes vendrán a pasar el fin de semana con ellos?
5. ¿Qué debe hacer Luis mientras Rosa barre la cocina?
6. ¿Quién está fregando los platos?
7. ¿Qué mandaría Luis a la tintorería?
8. ¿Qué debe traerle Luis a Rosa?
9. ¿Dónde está la basura?
10. ¿Qué necesita Luis para limpiar el garaje?
11. ¿Qué hizo Luis?
12. ¿Qué hizo Rosa?
13. ¿Cuándo estarán los padres de Luis en la casa?
14. ¿Qué quiere Rosa que le traiga Luis?
15. ¿Qué debe ponerle Rosa a la ensalada?
16. ¿Dónde están los paquetes de bróculi?
17. ¿Qué le dice Rosa a Luis?
18. ¿Qué tendrá que preparar Rosa?

B.   Choose a partner, then interview each other, using the **tú** form.

Pregúntele a su compañero(-a) de clase...

1. ... si tiene criada
2. ... cuántas veces a la semana le pasa la aspiradora a su cuarto
3. ... si friega los platos todos los días
4. ... si limpia el refrigerador todas las semanas
5. ... si sabe cocinar
6. ... si le pone aceite y vinagre a la ensalada
7. ... quién saca la basura en su casa
8. ... si lava sus pantalones o si los manda a la tintorería
9. ... si le gusta cortar el césped
10. ... si lo / la ayudaría a Ud. a limpiar su cuarto
11. ... si iría con Ud. a la cafetería
12. ... a quién le gustaría invitar a pasar el fin de semana en su casa
13. ... a dónde irá este domingo
14. ... a qué hora volverá a su casa hoy
15. ... si tiene un perro y cómo se llama
16. ... cuándo es su día libre
17. ... cuánto tiempo hace que no limpia su cuarto
18. ... qué tendrá que hacer mañana por la mañana

Situaciones

You find yourself in the following situations. What would you say? What might the other person say?

1. You are asking your brother or sister to help you. You need to tell him or her to do the following, using the **tú** form.

   a. to vacuum the carpet
   b. to sweep the kitchen
   c. to wash the dishes
   d. to take your pants to the cleaner

   e. to change the sheets
   f. to mow the lawn
   g. to set the table
   h. to make a salad

2. You are telling a small child *not* to do the following things.

   a. . . . open the window
   b. . . . leave the house
   c. . . . bathe with cold water

   d. . . . play with the forks
   e. . . . open the door if someone knocks

Adaptación del diálogo

With a classmate, adapt the dialogues at the beginning of this lesson by making the following changes:

Cambien:

1. lo que Rosa quiere que haga Luis mientras ella barre la cocina
2. lo que está haciendo Luis
3. el color del pantalón
4. lo que Rosa quiere que le traiga Luis para lavar
5. lo que hicieron Luis y Rosa por la tarde
6. dentro de cuánto tiempo estarán allí los padres de Luis
7. lo que quiere Rosa que le traiga Luis para poner la mesa
8. lo que va a preparar Rosa
9. la verdura que quiere Rosa
10. el tipo de salsa que tendrá que preparar Rosa

Para escribir

You have been asked to play "fortune teller" at a charity bazaar. Using the future tense, prepare a few general "predictions" for the following types of "clientele." Add some advice about what they will have to do. (For additional vocabulary, you may wish to refer to the **Un paso más** section.)

1. a teenage girl
2. a young woman
3. a sixteen-year old boy
4. a man in his twenties

5. an unmarried woman in her thirties
6. a married man
7. an older man
8. an older woman

Un paso más

Learn some additional words and phrases that relate to the ones you have acquired in this unit.

◆ More about relatives

la cuñada	sister-in-law	el padrastro	step-father
el cuñado	brother-in-law	la nuera	daughter-in-law
la hijastra	step-daughter	el yerno	son-in-law
el hijastro	step-son	la suegra	mother-in-law
la madrastra	step-mother	el suegro	father-in-law

◆ More about the house

el lavaplatos	dishwasher	la tostadora	toaster
la licuadora	blender	el horno de microonda	microwave oven
la plancha	iron	la lavadora	washing machine
la secadora	dryer	la sobrecama, colcha	bedspread

Para practicar

A. Who is related to whom?

    1. La hermana de mi esposo es mi _____.
    2. El esposo de mi hija es mi _____ y la esposa de mi hijo es mi
        _____.
    3. No es mi madre, pero es la esposa de mi padre; es mi _____.
    4. El esposo de mi hermana es mi _____.
    5. El padre y la madre de mi esposo son mis _____.
    6. Él es el padrastro de su _____.

B. What do we need? (Start all your answers with **Necesitamos.**)

    1. para planchar
    2. para secar la ropa
    3. para poner en la cama
    4. para lavar los platos
    5. para tostar el pan
    6. para lavar la ropa
    7. para preparar un batido (*milkshake*)
    8. para cocinar algo *muy* rápido

Una carte de Graciela

3 de septiembre de 1988

Querida Marcela:

Me gustó mucho lo que me contaste de tu familia. Ahora me gustaría contarte algo sobre la mía.

Tengo dos hermanos y una hermana. Mis hermanos son mayores que yo, y mi hermana es la menor de todos. Mi papá es dentista y mi mamá es abogada. Ahora los dos están viajando por el sur de España, visitando a mis abuelos. Ojalá vuelvan pronto porque los extraño mucho.

¿No te gustaría venir a verme? Quiero que conozcas a José Luis, mi hermano mayor. Es pelirrojo, delgado, de estatura mediana y, aunque no es muy guapo, es el más simpático de la familia. Yo creo que Uds. dos podrían ser muy buenos amigos. Víctor, mi otro hermano, es moreno, de pelo castaño. Es probable que se case el año que viene. Mi hermanita[1] se llama Ana María. Tiene diez años y es un poco gordita, pero es muy simpática.

En tu carta no me dices nada de los periódicos que te mandé. ¡No me digas que no los recibiste! Envíame algunas revistas de tu país, por favor.

Es difícil que yo pueda ir a Caracas antes de las vacaciones de Navidad. Creo que iré a mediados de diciembre, aunque no es seguro. Te escribiré o te llamaré por teléfono para avisarte.

Escríbeme pronto y mándame una fotografía tuya, o ven tú. ¡Sé buena!

Cariños,

Graciela

P.D. No te olvides de mandarme la dirección de Cristina.

---

[1]To express the idea of smallness, and also to denote affection, the diminutive suffix **-ito (-a, -os, -as)** is used in Spanish.

Nuevas palabras

el, la abogado(-a) lawyer
   a mediados de in the
     middle of
   avisar to let someone know
   contar (o>ue) to tell
el, la dentista dentist
   la dirección address

extrañar to miss
la fotografía, la foto
   picture, photograph
la Navidad Christmas
   otro(-a) other, another
el país country

¿Recuerda usted?

1. ¿Qué le gustaría hacer a Graciela?
2. ¿Los hermanos de Graciela son mayores o menores que ella?
3. ¿Qué profesión tienen sus padres?
4. ¿Qué están haciendo los padres de Graciela?
5. ¿Cómo es José Luis?
6. ¿Qué sabe Ud. de Víctor?
7. ¿Ana María es menor o mayor que Graciela?
8. ¿Qué quiere Graciela que le envíe Marcela?
9. ¿Es seguro que Graciela irá a Caracas antes de la Navidad?
10. ¿Qué hará Graciela para avisarle?

Díganos...

1. ¿Tiene Ud. hermanos y hermanas? ¿Cuántos?
2. ¿Es Ud. menor o mayor que sus hermanos?
3. ¿Dónde viven sus abuelos?
4. ¿Quiere Ud. que su profesor(a) conozca a su familia?
5. ¿Le gustaría conocer a la familia de su profesor(a)?
6. Describa a sus padres, por favor.
7. ¿Tiene Ud. amigos en Latinoamérica?
8. ¿Le gustaría visitar Latinoamérica?
9. ¿Qué piensa hacer durante las vacaciones de Navidad? (¿de verano?)
10. ¿Prefiere Ud. escribirles a sus amigos o llamarlos por teléfono?

◆ **A. Comparative of adjectives and adverbs**

Complete the following sentences, giving the Spanish equivalent of the words in parentheses.

1. Ella es _____ yo. Yo soy tres años _____ ella. (*younger than, older than*)
2. El dormitorio es _____ el comedor. (*bigger than*)
3. Mi coche es _____ el de Rosa. Es _____ de todos. (*better than, the best*)
4. Mi abuela tiene _____ sesenta años. (*less than*)
5. Tu hermano es _____ mi hermana. (*as tall as*)
6. Mi primo es _____ la clase. (*the most intelligent in*)

B. Possessive pronouns

Complete each of the following sentences, giving the Spanish equivalent of the word in parentheses.

1. Mi piscina es más grande que _____ , María. (*yours*)
2. Las maletas que están en la sala son _____ . (*mine*)
3. Yo voy a invitar a mis parientes. ¿Tú vas a invitar a _____ ? (*yours*)
4. Estos muebles son _____ . (*ours*)
5. Mi garaje es para dos coches. _____ es para tres. (*Theirs*)
6. El regalo no es _____ ; es _____ . (*mine / hers*)

C. Expressions that take the subjunctive

Using the new beginnings, rewrite each of the following sentences, making any necessary changes.

1. Mandamos las invitaciones hoy.
   (Es necesario que...)
2. La boda de mi sobrina es en julio.
   (Es probable que la boda de mi sobrina...)
3. Sus padres se van al este.
   (Puede ser que sus padres...)
4. La casa tiene salón de estar.
   (Es seguro que la casa...)
5. Mi tío viene mañana.
   (Es difícil que mi tío...)
6. Mi hermano me regala los muebles.
   (Ojalá que mi hermano...)

D. Vocabulary

Complete the following sentences, using the vocabulary you have learned in this lesson.

1. Mi tía está haciendo un flan. Está en la _____ .
2. ¿Se casan? ¿Cuándo es la _____ ?
3. No _____ que tu mamá sea menor que tú.
4. Tú nunca haces _____ te digo.
5. Mi hermana compró un sofá para el _____ de estar.
6. No mandé _____ para la boda porque no voy a invitar a nadie.
7. Mis tíos, primos, sobrinos, etc., son mis _____ .
8. Mi _____ es el hijo de mi hermano.
9. La boda es mañana y no sé lo que les voy a _____ .
10. Quiero comprar una mesa y seis sillas porque no tengo _____ para el _____ .

Lección 15 ◆   ### A. Commands with *tú*

Change the following negative commands to the affirmative.

1. No planches el mantel.
2. No se lo digas.
3. No bañes al perro.
4. No salgas con esa mujer.
5. No le pongas aceite a la ensalada.
6. No lo ayudes.
7. No te vayas.
8. No vengas este fin de semana.
9. No te des prisa.
10. No lo hagas ahora.
11. No me traigas la aspiradora.
12. No cortes el césped hoy.

B. The future tense

Complete the following sentences, using the future tense of the verbs in parentheses.

1. Ella _____ (poner) la mesa y _____ (fregar) los platos.
2. Entonces yo _____ (lavar) las toallas y tú _____ (barrer) la cocina.
3. Ellos _____ (venir) dentro de media hora y entonces nosotros _____ (salir).
4. Nosotros _____ (tener) una fiesta el domingo. _____ (Invitar) a todos nuestros amigos.
5. Yo le _____ (decir) que tenga paciencia.
6. ¿Tú _____ (hacer) un flan?
7. Ustedes no _____ (querer) pasar la aspiradora.
8. El domingo _____ (haber) una fiesta, pero nosotros no _____ (poder) ir.

C. The conditional tense

Rewrite the following sentences, changing the verbs to the conditional tense.

1. Yo no compro ese refrigerador.
2. Ella pone el bróculi en el congelador.
3. Tú no puedes comer.
4. Silvia nunca se olvida de mí.
5. No me gusta cocinar.
6. ¿Tú usas esa escoba para barrer?

D. Vocabulary

Complete the following sentences, using the vocabulary you have learned in this lesson.

1. Yo no lavaría ese pantalón; lo mandaría a la _____ .
2. La basura está _____ del fregadero.
3. Estoy haciendo la cama. Voy a cambiar las _____ y las _____ .
4. _____ a la puerta. Ve a abrir.
5. Para barrer el garaje necesito la _____ y el _____ .
6. Compré un mantel con seis _____ .
7. Ten _____ . Me estoy dando _____ .
8. Este fin de _____ , voy a cortar el _____ y pasar la _____ .
9. Debes poner el pan en el _____ .
10. Me voy a bañar. Necesito una _____ .
11. Pon la leche en el _____ .
12. Voy a preparar una _____ de _____ para el bróculi.

Medios de transporte

By the end of this unit, you will
be able to:

- ◆ get directions while travelling
- ◆ handle a speeding ticket
- ◆ ask for gas, oil, and other
  services at a gas station
- ◆ request information about
  services available on public
  transportation

Al volante

Hacía una semana que Elisa y Jorge, un matrimonio de Bolivia, estaban en Madrid y todavía no habían visitado ni el Museo del Prado ni el Parque del Retiro.

Elisa — No vayamos hoy al Parque del Retiro. Vamos al Museo del Prado.

Jorge — No sé dónde queda. Preguntémoselo al empleado de esa gasolinera.

Elisa — Sí, y también podemos comprar gasolina y ver si necesitamos cambiar el aceite.

En la gasolinera:

Jorge — Llene el tanque y póngale agua al radiador, por favor.

Elisa	— ¿Puede decirnos cómo se va al Museo del Prado?
Empleado	— Sigan derecho hasta la Plaza de la Cibeles, unas seis cuadras. En el semáforo, doblen a la derecha. En seguida verán el museo.
Elisa	— ¡Gracias! (*A Jorge.*) Yo te dije que ya habíamos pasado por allí y no nos habíamos dado cuenta.

Una multa:
Jorge y Elisa están en la autopista, camino a Barcelona. Jorge va demasiado rápido y un policía lo detiene.

Policía	— Déjeme ver su licencia para conducir.
Jorge	— Yo iba solamente a cien kilómetros por hora.
Policía	— La velocidad máxima es de noventa kilómetros por hora. Lo siento, pero tengo que ponerle una multa.
Jorge	— ¿Dónde tengo que pagarla?
Policía	— En Barcelona. Le aconsejo que maneje con cuidado.

Media hora después, el motor empezó a hacer un ruido extraño. Jorge paró, fue a un teléfono y llamó a un taller de mecánica. Una hora después, vino la grúa y remolcó el coche hasta el taller.

AT THE WHEEL

Elisa and Jorge, a couple from Bolivia, had been in Madrid for a week and they still had not visited either the Museo del Prado *or the* Parque del Retiro.

E: Let's not go to the *Parque del Retiro* today. Let's go to the *Museo del Prado*.

J: I don't know where it's located. Let's ask the attendant at that gas station.

E: Yes, and we can also buy gas and see if we need to change the oil.

At the gas station:

J: Fill the tank and put water in the radiator, please.

E: Could you tell us how to get to the *Museo del Prado?*

C: Go straight ahead up to the *Plaza de la Cibeles*, about six blocks. At the traffic light, turn right. You'll see the museum right away.

E: Thank you! (*To Jorge.*) I told you that we had already gone by there and hadn't realized it.

A fine:
Jorge and Elisa are on the freeway on their way to Barcelona. Jorge is going too fast and a policeman stops him.

P: Let me see your driver's license.

J: I was going only a hundred kilometers an hour.

P: The speed limit is ninety kilometers an hour. I'm sorry, but I have to give you a ticket.

J: Where do I have to pay it?

P: In Barcelona. I advise you to drive carefully.

Half an hour later the motor started to make a strange noise. Jorge stopped, went to a phone and called a repair shop. An hour later, the tow truck came and towed the car to the shop.

VOCABULARIO

Cognados

la gasolina gasoline	**el museo** museum
el kilómetro kilometer	**el radiador** radiator
máximo(-a) maximum	**el tanque** tank
el motor motor, engine	

NOMBRES

la autopista freeway
la cuadra block
la gasolinera, estación de servicio service station
la grúa, el remolcador tow truck
el matrimonio couple, husband and wife
la multa fine, traffic ticket
el policía policeman
el ruido noise
el semáforo traffic light
el taller de mecánica repair shop
la velocidad speed
el volante steering wheel

VERBOS

dejar to let, allow
detener (*conj. like* **tener**) to stop
doblar to turn
llenar to fill
manejar, conducir (yo conduzco) to drive

parar to stop
quedar to be located
remolcar to tow

ADJETIVO

extraño(-a) strange

OTRAS PALABRAS Y EXPRESIONES

al volante at the (steering) wheel
camino a on the way to
con cuidado carefully
poner una multa to give a ticket, to fine
darse cuenta de to realize, notice
Déjeme ver. Let me see.
demasiado too
derecho straight ahead
medios de transporte means of transportation
rápido fast
unos(-as)... about . . .
velocidad máxima speed limit

Notas culturales

1. Madrid, la capital de España, está considerada como la ciudad de la amistad por su animación y su hospitalidad. Es una de las ciudades más visitadas del mundo por numerosos turistas que desean conocer su historia, su arte, sus monumentos y sus plazas y jardines. Los monumentos de Madrid datan desde el siglo quince hasta el presente y en ellos pueden apreciarse diferentes estilos.

Entre los jardines, el más famoso es el Parque del Retiro, que tiene un hermoso lago donde los visitantes pueden remar; también pueden oír conciertos en el parque y visitar las exposiciones de artesanía que se presentan en su Palacio de Cristal. Madrid tiene muchísimos museos de pintura, arquitectura y ciencias; el más famoso de todos es el Museo del Prado. La vida nocturna es muy activa y la gente no sólo va al teatro de noche, sino que también va a pasear o a tomar café en una de las muchísimas cafeterías que hay. Madrid tiene numerosos teatros, cines, clubes nocturnos, cabarets y «tablados flamencos». Una de las calles más famosas de la ciudad es la Gran Vía, donde se encuentran algunas de las tiendas más elegantes de Europa.

Calle de Alcalá cerca de la famosa Fuente de La Cibeles en Madrid.

2. El famoso **Museo del Prado** se encuentra en un espléndido edificio del siglo dieciocho. Su colección de pinturas contiene obras que datan desde el siglo doce. Contiene la mayor colección de pinturas de artistas españoles como el Greco, Velázquez, Ribera, Murillo y Goya. También hay obras de otros pintores europeos como Bosch, Van Eyck y Rembrandt. Además, el Prado tiene una colección de escultura, otra de monedas antiguas y una colección de objetos de oro muy valiosa.

Admirando una pintura de Goya en el Museo del Prado.

Puntos para recordar

A. First-Person Plural Command
(*El imperativo de la primera persona del plural*)

1. In Spanish, the first-person plural of an affirmative command (*let us* + *verb*) can be expressed in two different ways:

a. by using the first-person plural of the present subjunctive.

Preguntemos el precio de la gasolina.	***Let's ask*** the price of gas.

b. by using the expression **vamos a** + infinitive.

Vamos a preguntar el precio de la gasolina.	***Let's ask*** the price of gas.

2. The verb **ir** does not use the subjunctive in the first-person plural affirmative command.

Vamos a Barcelona.	***Let's go*** to Barcelona.

In a negative command, the subjunctive *is* used.

No vayamos a Barcelona.	***Let's not go*** to Barcelona.

3. In all direct, affirmative commands, object pronouns are attached to the verb, and a written accent is then placed on the stressed syllable.

Comprémos**lo**.	*Let's buy it.*
Detengámos**los**.	*Let's stop them.*

If the pronouns **nos** or **se** are attached to the verb, the final **-s** of the verb is dropped before adding the pronoun.

Sentémo**nos** aquí.	*Let's sit here.*
Vistámo**nos** ahora.	*Let's get dressed now.*
Démo**selo** a los niños.	*Let's give it to the children.*

In a direct, negative command, object pronouns are placed in front of the verb.

No **lo** compremos.	*Let's not buy it.*
— **Vamos** a Barcelona; **no vayamos** a Sevilla.	***Let's go*** to Barcelona; ***let's not go*** to Sevilla.
— **Quedémonos** en Madrid.	***Let's stay*** in Madrid.
— ¿Dónde queda el Museo del Prado?	*Where is the Museo del Prado located?*
— No sé. **Preguntémoselo** a aquel policía.	*I don't know.* ***Let's ask*** *that policeman.*

■ ¡Vamos a practicar! ■

A. Rewrite the following sentences according to the model.

>   MODELO: Vamos a doblar a la derecha.
>   ***Doblemos*** *a la derecha.*

1. Vamos a manejar con cuidado.
2. Vamos a esperar su llamada.
3. Vamos a decírselo al policía.
4. Vamos a acostarnos dentro de una hora.
5. Vamos a darnos prisa.
6. Vamos a darle una multa.
7   Vamos a preguntárselo al empleado.
8. Vamos a llamar una grúa.

B. What should you and I do in the following situations? Respond, using the first-person plural command.

1. Estamos en un restaurante y necesitamos el menú.
2. Estamos enfermos(-as).
3. Queremos lavar las sábanas y no tenemos detergente.
4. La comida no tiene sal.
5. No sabemos dónde queda el museo.
6. Tenemos mucho sueño.
7. Nuestro(-a) compañero(-a) de cuarto se lastimó.
8. No sabemos qué hacer este fin de semana.

C. You are the interpreter. Tell what these people are saying.

1. Let's sit here.
2. Let's not go to Mexico; let's go to Peru.
3. Let's give it to Mary.
4. Let's get up early.
5. Let's not tell her anything.

El policía le da una multa a alguien.
No se la da a estos muchachos,
porque ellos parecen *(seem)*
muy contentos.

B. The Past Perfect (Pluperfect) Tense *(El pluscuamperfecto)*

The past perfect tense is formed by conjugating the imperfect tense of the auxiliary verb **haber** with the past participle of the main verb.

Imperfect of **haber**	
había	**habíamos**
habías	**habíais**
había	**habían**

FORMATION OF THE PAST PERFECT TENSE[1]			
	estudiar	**beber**	**ir**
yo	**había** estudi**ado**	**había** beb**ido**	**había ido**
tú	**habías** estudi**ado**	**habías** beb**ido**	**habías ido**
Ud. él ella	**había** estudi**ado**	**había** beb**ido**	**había ido**
nosotros	**habíamos** estudi**ado**	**habíamos** beb**ido**	**habíamos ido**
vosotros	**habíais** estudi**ado**	**habíais** beb**ido**	**habíais ido**
Uds. ellos ellas	**habían** estudi**ado**	**habían** beb**ido**	**habían ido**

In Spanish, as in English, the past perfect tense is used to refer to actions, states or events that were already completed before the start of another past action, state or event.

— ¡**Ibas** a mucha velocidad!
— Es cierto. No me **había dado cuenta** de que iba tan rápido.

*You **were going** very fast!*
*That's true. **I hadn't realized** I was going so fast.*

— ¿Ricardo está aquí?
— Sí, cuando yo vine, él ya **había llegado.**

Is Ricardo here?
*Yes, when I came, he **had already arrived.***

[1]See past participle, page 232.

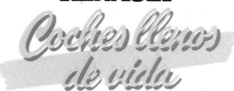

RENAULT

Coches llenos de vida

■ ¡Vamos a practicar! ■

A. Tell what these people had or had not done.

1. Nosotros les _____ (traer) unas toallas.
2. Él me _____ (decir) que la velocidad máxima era de cien millas por hora.
3. Yo ya _____ (poner) el mantel y las servilletas en la mesa.
4. El policía no me _____ (poner) una multa.
5. Los chicos ya _____ (dormirse).
6. Tú _____ (romper) dos platos.
7. El perro ya _____ (morir) cuando él llegó.
8. Yo nunca _____ (conducir) ese coche.
9. Esa mujer no _____ (hacer) nada.
10. Él nunca me _____ (dejar) darle un abrazo.

B. We want to know what happened earlier.

1. ¿Uds. habían estudiado español antes de venir a la universidad?
2. ¿Ya habían preparado la cena cuando tú llegaste a tu casa anoche?
3. ¿El profesor / la profesora ya había venido cuando tú llegaste a clase hoy?
4. ¿Te habían dicho que esta clase era fácil?
5. ¿Ya habías comprado el libro antes de empezar esta clase?

C. Give the Spanish equivalent of the following sentences.

1. She had ironed the pillowcases!
2. They had returned in the middle of the month.
3. We had planned a party.
4. They had written to me.
5. He hadn't seen the traffic light.
6. I had already eaten when John arrived.

C. Uses of *hacía . . . que* (*Usos de* **hacía . . . que**)

Hacía . . . que is used:

1. to describe a situation that had been going on for a period of time and was still going on at a given moment in the past.

— ¿Cuánto tiempo **hacía que** Ud. **tenía** la licencia para conducir?	*How long **had you had** the driver's license?*
— **Hacía** unos dos años.	*It **had been** about two years.*

2. to describe an action that was going on in the past when another action occurred.

— ¿Cuánto tiempo **hacía que conocías** a Felipe cuando se casaron?	*How long **had you known** Felipe when you got married?*
— Tres meses.	*Three months.*

¡ATENCIÓN! Note that in the **hacía . . . que** construction, the verb that follows is generally in the imperfect tense. With **hacía . . . que** Spanish uses the following formula:

Hacía + length of time + **que** + subject + verb (*imperfect*)

Hacía   dos horas   **que**   ellos   **estudiaban**

■ ¡Vamos a practicar! ■

A. Following the model, write sentences using the elements given and the expression **hacía . . . que.**

MODELO: una hora / yo / esperar / el mecánico / llegar
         ***Hacía** una hora que yo **esperaba** cuando el mecánico llegó.*

1. cuatro días / yo / estar / Madrid / él / llegar
2. tres horas / nosotros / manejar / autopista
3. veinte minutos / el motor / hacer / ruido extraño
4. tres años / tú / estudiar / español
5. cinco años / mis padres / conocerse / ellos / casarse

B.   Answer the following questions about how long each action depicted below had
     been going on.

1. ¿Cuánto tiempo hacía que ella esperaba?   2. ¿Cuánto tiempo hacía que él trabajaba?

3. ¿Cuánto tiempo hacía que ellas hablaban?   4. ¿Cuánto tiempo hacía que Uds. bailaban?

5. ¿Cuánto tiempo hacía que Ud. vivía allí?   6. ¿Cuánto tiempo hacía que ella estudiaba?

Y AHORA, ¿QUÉ?

Palabras y más palabras

A. Choose the word or phrase that does *not* belong in each group.

1. cuchara	cuchillo	volante
2. kilómetro	grado	milla
3. camino a	es probable	puede ser
4. cocinar	manejar	conducir
5. barre	queda	está
6. tenedor	cuadra	cucharita
7. déjeme ver	buen viaje	quiero saber
8. ducha	policía	multa
9. rápido	velocidad	derecho
10. seguir derecho	doblar	dudar
11. pimienta	al volante	autopista
12. es preferible	darse cuenta	es mejor

B. Señales de tráfico *(Traffic signs)*

Here are some important traffic signs you will see while driving through any Spanish-speaking country. Study them carefully.

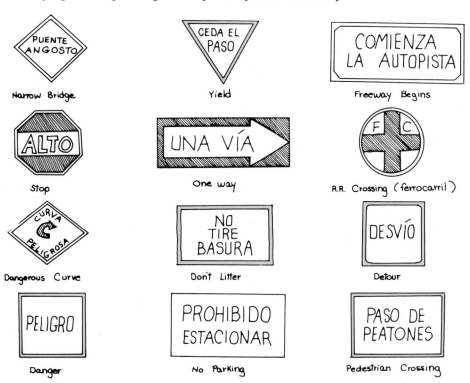

PUENTE ANGOSTO	CEDA EL PASO	COMIENZA LA AUTOPISTA
Narrow Bridge	Yield	Freeway Begins
ALTO	UNA VÍA	F C
Stop	One way	R.R. Crossing (ferrocarril)
CURVA PELIGROSA	NO TIRE BASURA	DESVÍO
Dangerous Curve	Don't Litter	Detour
PELIGRO	PROHIBIDO ESTACIONAR	PASO DE PEATONES
Danger	No Parking	Pedestrian Crossing

Now tell which sign you must be aware of when you find yourself in the following situations.

1. A train is coming.
2. You are looking for a place to park your car.
3. There are people crossing the street.
4. You are going over a bridge.
5. You are about to enter a freeway.
6. Your friend has some banana peels he or she wants to get rid of.
7. You come to an intersection.
8. You are going to have to yield.
9. You are driving around town, and you have to decide which direction to take.
10. There is construction on the road, and you can't go straight ahead.
11. You see an obviously dangerous spot ahead.
12. You are driving down a mountain.

¡Vamos a conversar!

A. What happens to Elisa and Jorge in Spain? Base your answers on the dialogue.

1. ¿En qué ciudad de España están Elisa y Jorge?
2. ¿Qué lugares de interés quieren visitar en Madrid?
3. ¿Sabe Jorge dónde queda el Museo del Prado?
4. ¿Qué quieren comprar en la gasolinera?
5. ¿A quién le pregunta Elisa cómo se va al Museo del Prado?
6. ¿Tienen que seguir derecho o doblar?
7. ¿Cuántas cuadras hay hasta la Plaza de la Cibeles?
8. ¿Qué tienen que hacer en el semáforo?
9. ¿De qué no se habían dado cuenta Jorge y Elisa?
10. ¿Camino a qué ciudad van Jorge y Elisa?
11. ¿Por qué los detiene un policía?
12. ¿A cuántos kilómetros por hora iba Jorge?
13. ¿Cuál es la velocidad máxima en la autopista?
14. ¿Dónde tiene que pagar Jorge la multa?
15. ¿Qué le aconseja el policía a Jorge?
16. ¿Qué pasó media hora después?
17. ¿Qué hizo Jorge?
18. ¿Qué usaron para remolcar el coche hasta el taller de mecánica?

B. Choose a partner, then interview each other, using the **tú** form.

Pregúntele a su compañero(-a) de clase...

1. ... si ha estado en Madrid

2. ... qué lugares de interés hay en la ciudad donde él o ella vive
3. ... si le gusta tomar fotografías
4. ... a cuántas cuadras de la universidad vive
5. ... cuál es la velocidad máxima en la autopista
6. ... si tiene licencia para conducir
7. ... si conduce demasiado rápido
8. ... si le han puesto alguna multa
9. ... si siempre maneja con cuidado
10. ... cómo se va a la cafetería

Situaciones

You find yourself in the following situations. What do you say? What might the other person say?

1. Your classmate needs to go to your house or apartment from the university. Tell him or her how to get there.
2. You are in a strange city and you need to ask directions to: the museum, the post office, and your hotel.
3. A policeman or policewoman is going to give you a ticket. Try to talk him (her) out of it.
4. You are at a gas station telling the clerk what your car needs.

Adaptación del diálogo

With a classmate, adapt the dialogues at the beginning of this lesson by making the following changes.

Cambien:

1. el tiempo que hacía que Jorge y Elisa estaban en Madrid
2. el lugar a donde quiere ir Elisa
3. la persona a quien le piden información
4. cómo se va a la Plaza de la Cibeles
5. la ciudad a donde van Jorge y Elisa
6. a qué velocidad iba Jorge
7. la velocidad máxima en ese lugar
8. el tiempo que tardó en llegar la grúa

Para escribir

Describe the last problem you faced while traveling. Who was with you? Where were you going? What happened? How did you resolve the problem? Who helped? What were the reactions of your traveling companion(s)?

Inés y Nora van a Barcelona para visitar a sus parientes. Ahora están en el avión, que acaba de despegar.

Inés	— La auxiliar de vuelo dijo que pusiéramos los maletines debajo de los asientos.
Nora	— Sí, porque el compartimiento de equipajes ya está lleno.
Inés	— Ojalá pasaran una película...
Nora	— No creo que lo hagan. El vuelo es muy corto. ¿Por qué no le pediste a la azafata que nos trajera unos audífonos?
Inés	— ¡Buena idea! Tengo ganas de escuchar música...
Nora	— Si tuviera cambio, pediría un refresco.

Inés — Los refrescos son gratis. Sólo hay que pagar por las bebidas alcohólicas.

Una hora más tarde, el piloto anuncia que van a aterrizar y que los pasajeros deben abrocharse el cinturón.

Después de pasar dos semanas en Barcelona, las chicas deciden ir en tren a París. Ahora están en la estación de trenes, comprando los billetes en la ventanilla.

Inés — Queremos dos billetes para el expreso a París.
Empleado — ¿Quieren litera?
Inés — Sí, una litera alta y una baja.
Nora — El tren lleva coche-comedor, ¿verdad?
Empleado — Sí, señorita. El tren sale a las nueve, del andén número tres.
Nora — ¿Puede darnos un itinerario?
Empleado — Sí, un momento. Aquí tiene los billetes y el cambio.
Inés — (*A Nora.*) Sería estupendo si pudiéramos alquilar un coche en París para ver otras ciudades.

En París, las chicas alquilan un coche automático, de dos puertas, para viajar por todo el país.

Nora — ¡Me encanta París! Si pudiera, me quedaría a vivir aquí.

BY PLANE OR BY TRAIN?

Inés and Nora go to Barcelona to visit their relatives. Now they are on the plane, which has just taken off.

I: The stewardess said to put the hand luggage under the seat.

N: Yes, because the luggage rack is already full.

I: I wish they would show a movie . . .

N: I don't think they will. The flight is very short. Why didn't you ask the stewardess to bring us some headphones?

I: Good idea! I feel like listening to music . . .

N: If I had (some) change, I'd order a soda.

I: Sodas are free. You only have to pay for alcoholic beverages.

An hour later, the pilot announces that they are going to land, and that the passengers must fasten their seatbelts.

After spending two weeks in Barcelona, the girls decide to go by train to Paris. Now they are at the train station, buying tickets at the ticket window.

I: We want two tickets for the express to Paris.

C: Do you want berths?

I: Yes, an upper berth and a lower (one).

N: The train has a dining-car, right?

C: Yes, miss. The train leaves at nine from platform number three.

N: Can you give us a schedule?

C: Yes, one moment. Here are the tickets and the change.

I: (*to Nora.*) It would be great if we could rent a car in Paris to see other cities.

In Paris, the girls rent a two-door, automatic car to travel across the whole country.

N: I love Paris! If I could, I'd stay here to live.

VOCABULARIO

Cognados

alcohólico(-a) alcoholic	**el momento** moment
automático(-a) automatic	**la música** music
el expreso express	**el piloto** pilot
la idea idea	**el tren** train

NOMBRES

el andén platform (*railway*)
los audífonos headphones
el, la auxiliar de vuelo (la azafata) steward, stewardess
la bebida drink
el billete ticket
el cambio change
el coche-comedor dining-car
el compartimiento de equipajes luggage rack
la estación de trenes (ferrocarril) train (*railroad*) station
el itinerario schedule, timetable
la litera berth
la ventanilla ticket window

VERBOS

alquilar to rent
anunciar to announce
aterrizar to land

despegar to take off (*plane*)
escuchar to listen to

ADJETIVOS

alto(-a) upper
bajo(-a) lower
estupendo(-a) great
gratis free (of charge)
lleno(-a) full

OTRAS PALABRAS Y EXPRESIONES

abrocharse el cinturón (de seguridad) fasten seatbelts
encantarle[1] a uno to love
hay que + infinitive one must, one has to, it is necessary to
pasar una película to show a movie
por todo el país across the whole country
tener ganas de to feel like (doing something)

[1]The structure is the same as for **gustar**:

¡Me **encanta** Madrid!
¡Me **encantan** todas las ciudades españolas!

Nota cultural

Barcelona, la capital de la provincia del mismo nombre en la región de Cataluña, es el puerto principal y el centro comercial más importante de España en el Mediterráneo; en ella se encuentra la mayor parte de las instituciones financieras y las grandes industrias del país.

Barcelona es una ciudad cosmopolita, de gran individualidad por su herencia catalana y el gran sentido de independencia de su gente. Aunque la ciudad es muy moderna, conserva todavía numerosos monumentos históricos muy antiguos como, por ejemplo, algunos de los muros que construyeron los romanos, que ocuparon la región durante el siglo tercero. Otros puntos de interés son: la iglesia de La Sagrada Familia, construida por el famoso arquitecto catalán Antonio Gaudí, el monumento a Cristóbal Colón, el paseo de la Rambla y la Plaza de Cataluña, situada en el centro de la ciudad.

La vida cultural en Barcelona es muy activa. Hay allí numerosos teatros, bibliotecas y museos, entre ellos el Museo Picasso, recientemente inaugurado. Barcelona fue una de las primeras ciudades españolas que tuvo una imprenta y una de las primeras de Europa donde se publicó un periódico.

En Barcelona, como en toda Cataluña, se hablan dos idiomas: el español y el catalán. Desde 1980, Cataluña es una región autónoma dentro de España.

Una calle en el corazón del Barrio Gótico, la sección medieval de Barcelona.

Puntos para recordar

A. The Imperfect Subjunctive (*El imperfecto de subjuntivo*)

1. Forms

   a. To form the imperfect subjunctive of all Spanish verbs — regular and irregular — drop the **-ron** ending of the third-person plural of the preterit and add the following endings to the stem.

IMPERFECT SUBJUNCTIVE ENDINGS	
-ra	- ´ramos
-ras	-rais
-ra	-ran

   b. Notice that an accent mark is required by the **nosotros** form:
   ... que nosotros habláramos, ... que nosotros fuéramos.

	FORMS OF THE IMPERFECT SUBJUNCTIVE		
Verb	*Third-Person Preterit*	*Pl. Stem*	*First-Person Sing. Imperf. Subjunctive*
			(*-ra* form)
hablar	habla**ron**	habla-	**hablara**
aprender	aprendie**ron**	aprendie-	**aprendiera**
vivir	vivie**ron**	vivie-	**viviera**
dejar	deja**ron**	deja-	**dejara**
ir	fue**ron**	fue-	**fuera**
saber	supie**ron**	supie-	**supiera**
decir	dije**ron**	dije-	**dijera**
poner	pusie**ron**	pusie-	**pusiera**
pedir	pidie**ron**	pidie-	**pidiera**
estar	estuvie**ron**	estuvie-	**estuviera**

■ ¡Vamos a practicar! ■

Supply the imperfect subjunctive forms of the following verbs.

1. *que yo:*   llenar, comer, vivir, decir, ir
2. *que tú:*   dejar, atender, abrir, poner, estar
3. *que él:*   revisar, volver, dormir, pedir, tener
4. *que nosotros:*   ver, ser, entrar, saber, hacer
5. *que ellos:*   leer, salir, llegar, sentarse, aprender

2. Uses

    a. The imperfect subjunctive is always used in a subordinate clause when the verb of the main clause is in the past.

— ¿Por qué no **compraste** los boletos?	*Why didn't you buy the tickets?*
— **Temía** que no **pudiéramos** viajar hoy.	*I was afraid we wouldn't be able to travel today.*

    b. When the verb of the main clause is in the present, but the subordinate clause refers to the past, the imperfect subjunctive is often used.

— Oscar es un muchacho muy bueno.	*Oscar is a very kind young man.*
— ¡Sí! **Me alegro** de que **viniera** a vernos **ayer.**	*Yes! I'm glad he came to see us yesterday.*

Mamá me dijo que pusiera la mesa, pero no me dijo dónde...

■ ¡Vamos a practicar! ■

    A. Rewrite the following sentences, using the new beginning and making any other necessary changes.

    MODELO: Me alegro de que estés aquí. **(Me alegré)**
                  *Me alegré de que **estuvieras** aquí.*

    1. Dudo que consigamos literas.   (Dudaba)
    2. No es verdad que necesite cambio.   (No era verdad)
    3. Es difícil que ellos alquilen un coche automático.   (Era difícil)
    4. Quiero que me escuche.   (Quería)
    5. Le digo que no compre bebidas alcohólicas.   (Le dije)
    6. Me sugiere que me abroche el cinturón.   (Me sugirió)
    7. Le pido que pase una película.   (Le pedí)
    8. Siento que el concierto no sea gratis.   (Sentí)

B.   Complete the following sentences in an original manner, using the imperfect subjunctive.

    1. Era necesario que nosotros...
    2. Mis padres me pidieron que...
    3. Los estudiantes deseaban que el (la) profesor(a)...
    4. Mi novio(-a) siente que yo...
    5. Dudo que las azafatas...
    6. No creíamos que los pilotos...
    7. Sentimos que el tren...
    8. El profesor dudaba que nosotros...

B.   *If* clauses   (*Cláusulas que comienzan con si*)

    1. When a clause introduced by **si** refers to a situation that is hypothetical or contrary to fact, **si** is always followed by the imperfect subjunctive.

— **Si** yo **tuviera** dinero, le daría mil dólares a Jorge.	*If I **had** money, I would give Jorge a thousand dollars.*
— **Si** yo **fuera** tú, no le daría nada.	*If I **were** you, I wouldn't give him anything.*

Hypothetical

Si yo **hablara** con el presidente...	*If I **were** to speak to the president . . .*

Contrary-to-fact

Si yo **fuera** tú...	*If I **were** you . . .*

¡ATENCIÓN!   Note that the imperfect subjunctive is used in the *if* clause, while the conditional is used in the main clause.

    Si yo **tuviera** dinero, le **daría** mil dólares a Jorge.

Si tu piel
pudiera hablar,
diría...

PAÑUELOS

2. When the *if* clause refers to something that is likely to happen or possible, the indicative is used.

— ¿**Puedes** llevar mi coche a la estación de servicio mañana?   *Can you take my car to the service station tomorrow?*

— Lo llevaré si **tengo** tiempo.   *I will take it **if I have** time.*

3. The imperfect subjunctive is always used after the expression **como si** (*as if*) because it implies a condition that is contrary to fact.

— ¿Cree que estoy conduciendo muy rápido?   *Do you think I'm driving very fast?*

— ¡Sí! Esta es una zona residencial, y tú estás manejando como si **estuviéramos** en la autopista...   *Yes! this is a residential zone, and you're driving as if **we were** on the freeway . . .*

¡ATENCIÓN!   The present subjunctive is *never* used in an *if* clause.

■ **¡Vamos a practicar!** ■

A. Complete the following sentences, using the imperfect subjunctive or indicative of the verbs in parentheses, as appropriate.

1. Si este coche _____ (tener) el mismo precio que ese, lo compraría.
2. No te pondrían multas si _____ (manejar) con cuidado.
3. Si _____ (tener) tiempo, iré a verte.
4. Habla como si lo _____ (saber) todo.
5. Si tú _____ (necesitar) gasolina, podemos ir a esa gasolinera.
6. Me aconseja como si ella _____ (ser) mi mamá.
7. Si tú _____ (viajar) en tren, vas a necesitar un itinerario.
8. Yo pondría el maletín en el compartimiento de equipajes, si no _____ (estar) lleno.

B. Referring to the pictures below for ideas, tell what the following people would do if circumstances were different.

MODELO: Yo no tengo dinero. Si...
*Si yo **tuviera** dinero, **viajaría**.*

1. Ellos no tienen hambre. Si...

2. Nosotros no podemos estudiar hoy. Si...

3. Tú tienes que trabajar. Si no...

4. Uds. no van a la fiesta. Si...

5. Hoy es sábado. Si...

6. El coche no está descompuesto. Si...

7. Laura no está enferma. Si...

8. La señora Soto no tiene el periódico. Si...

EL SUBJUNTIVO: RESUMEN GENERAL

Resumen de los usos del subjuntivo en las cláusulas subordinadas

1. Use the subjunctive. . .

  a. After verbs of volition (when there is change of subject):

    Yo quiero que él **salga.**

  b. After verbs of emotion (when there is change of subject):

    Me alegro de que tú **estés** aquí.

  c. After impersonal expressions (when there is a subject):

    Es necesario que él **estudie.**

2. Use the subjunctive . . .

  a. To refer to something indefinite or non-existent:

    Busco una casa que **sea** cómoda.
    No hay nadie que lo **sepa.**

  b. If the action is to occur at some indefinite time in the future as a condition of another action:

    Cenarán cuando él **llegue.**

  c. To express doubt and denial:

    Dudo que **pueda** venir.
    Niego que él **esté** aquí.

  d. In an *if*-clause, to refer to something contrary to fact or to something impossible or very improbable:

    Si **pudiera,** iría.

    Si el presidente me **invitara** a la Casa Blanca, yo aceptaría.

Use the infinitive . . .

  a. After verbs of volition (when there is no change of subject):

    Yo quiero **salir.**

  b. After verbs of emotion (when there is no change of subject):

    Me alegro de **estar** aquí.

  c. After impersonal expressions (when speaking in general):

    Es necesario **estudiar.**

Use the indicative . . .

  a. To refer to something specific:

    Tengo una casa que **es** cómoda.
    Hay alguien que lo **sabe.**

  b. If the action has been completed or is habitual:

    Cenaron cuando él **llegó.**
    Siempre cenan cuando él **llega.**

  c. When there is no doubt or denial:

    No dudo que **puede** venir.
    No niego que él **está** aquí.

  d. In an *if*-clause, when not referring to anything that is contrary to fact, impossible, or very improbable:

    Si **puedo,** iré.

    Si Juan me **invita** a su casa, aceptaré.

Y AHORA, ¿QUÉ?

Palabras y más palabras

Choose the word or phrase that best completes each of the following sentences.

1. El avión va a (anunciar, alquilar, aterrizar) dentro de diez minutos.
2. ¿Quiere una litera alta o (baja, privada, libre)?
3. No tienes que pagar nada: las bebidas son (nuevas, estupendas, gratis).
4. Me gusta mucho París. ¡(Me levanto, Me encanta, Me visto)!
5. Para escuchar la música necesito los (volantes, cinturones, audífonos)
6. Mis parientes querían que fuera a visitarlos, pero yo no (tenía, llenaba, llegaba) ganas de salir de casa.
7. Este tren no tiene (coche, sofá, mesa) comedor.
8. Para tener una «A» en la clase, (hay que, quiere que, puede que) estudiar.
9. Si el concierto fuera (lleno, frito, gratis), iría.
10. Van a viajar por todo el (tanque, semáforo, país).
11. El expreso va a salir del (aceite, andén, césped) número cinco.
12. No puedo comprar los pasajes ahora. (La ventanilla, el andén, la velocidad) está cerrada.
13. La cerveza es una (bebida, auxiliar de vuelo, multa) alcohólica.
14. Le pagué, pero no me dio el (pariente, momento, cambio).
15. Voy a (contar, aterrizar, alquilar) un coche automático de dos puertas.

¡Vamos a conversar!

A. What happens to Inés and Nora? Base your answers on the dialogue.

1. ¿Para qué van a Barcelona Inés y Nora?
2. ¿Dónde les dijo la auxiliar de vuelo que pusieran los maletines?
3. ¿Por qué no van a pasar una película en el avión?
4. ¿Qué tiene ganas de hacer Inés?
5. ¿Qué pediría Nora si tuviera cambio?
6. ¿Por qué no hay que pagar por los refrescos?
7. ¿Qué anuncia el piloto?
8. ¿Qué deben hacer los pasajeros?
9. ¿Cómo van a ir las chicas a París?
10. ¿Dónde compran los billetes?
11. ¿Cómo sabe Ud. que las chicas no van a dormir en el asiento?
12. ¿De qué andén sale el tren?
13. ¿Qué le pide Nora al empleado?
14. ¿Qué dice Inés que sería estupendo poder hacer?
15. ¿Qué haría Nora si pudiera?

B. Choose a partner, then interview each other using the **tú** form.

Pregúntele a su compañero(-a) de clase...

1. ... si tiene ganas de ver a sus parientes.
2. ... si prefiere viajar por tren o por avión.
3. ... dónde pone el maletín cuando viaja.
4. ... qué tiene ganas de hacer.
5. ... si usa audífonos cuando escucha música.
6. ... si prefiere tomar refrescos o bebidas alcohólicas.
7. ... si se abrocha el cinturón cuando va en coche.
8. ... si prefiere una litera alta o una baja.
9. ... si tiene un coche automático.
10. ... si su coche es de dos puertas o de cuatro puertas.
11. ... si le gustaría vivir en París.
12. ... en qué parte de los Estados Unidos le gustaría vivir.
13. ... si preferiría viajar a Francia o a España.
14. ... qué piensa que sería estupendo poder hacer.

Situaciones

You find yourself in the following situations. What do you say? What might the other person say?

1. You are on a plane and you tell your friend where to put his/her luggage.
2. You want to know if they are going to show a movie and whether or not you have to pay for the headphones.
3. You tell your friend what you feel like doing and eating.
4. You are traveling by train. Tell the clerk what accommodations you want.
5. You are asking your friend what places in the United States and in the world he / she would like to visit. Respond to his / her choices.

Adaptación del diálogo

With a classmate, adapt the dialogues at the beginning of this lesson by making the following changes.

Cambien:

1. la ciudad a donde van y a quiénes van a visitar
2. el lugar donde ponen los maletines
3. lo que tiene ganas de hacer Inés
4. lo que pediría Nora si tuviera cambio
5. a qué ciudad van por tren
6. el andén de donde sale el tren
7. lo que dice Inés que sería estupendo hacer
8. lo que haría Nora si pudiera

Para escribir

Imagine that you are vacationing at your favorite spot and write a letter to a friend, telling him/her what you are doing. Details you may want to describe include:

- any interesting events that occurred during the trip
- the place you are visiting
- your accommodations
- places of interest you have seen
- any new acquaintances you have met
- activities in which you have engaged since your arrival

(For additional vocabulary, you may wish to refer to the **Un paso más** section.)

SIN VISA

VACACIONES EN NAVIDAD

DISFRUTE DE UNAS VERDADERAS VACACIONES EN LA ISLA MAS PARADISIACA DEL CARIBE:

ST. KITTS. ISLAS VIRGENES EN EL MARAVILLOSO JACK TAR VILLAGE, EL UNICO PARAISO CON TODO INCLUIDO.

SALIDA: Dic. 19   REGRESO: Dic. 26

INFORMES: AGENCIA DE VIAJES LOS NOMADAS

Calle 78 Nº 11-93 Teléfono: 116100.

Learn some additional words and phrases that relate to the ones you have acquired in this unit.

◆ More about cars

arrancar	*to start* (*a motor*)
la batería	*battery*
el capó	*hood*
la chapa	*license plate*
el freno	*brake*
el limpiaparabrisas	*windshield wiper*
el maletero	*trunk*
el neumático, la llanta, la goma	*tire*
la rueda	*wheel*
tener un pinchazo	*to have a flat*

◆ More about traveling by plane

abordar	*to board*
la aduana	*customs*
la llegada	*arrival*
la salida	*departure*
la tarjeta de embarque (embarco)	*boarding pass*
tener algo que declarar	(*to have something to declare*)
tener... de retraso (atraso)	(*to be . . . behind schedule*)

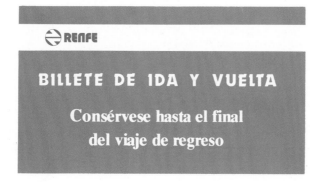

¿Qué diría usted?

A. Name the parts of the car indicated by the numbers.

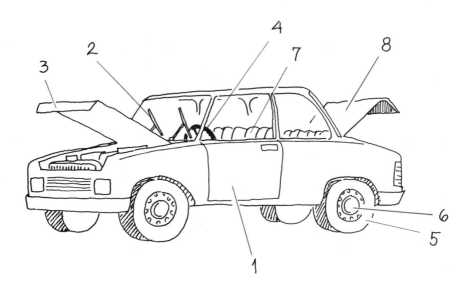

B. What are we talking about?

1. Lo necesito para parar el coche.
2. Se lo doy a la azafata cuando subo al avión.
3. Tengo que pasar por allí para declarar lo que traigo de otro país.
4. Subir a un avión.
5. Sirve para identificar mi coche.
6. Lugar del coche donde se ponen las maletas.

C. What words or phrases are missing in the dialogues?

1. — ¿Ya viste cuál era la hora de _____ del avión?
   — Sí, no llega hasta las nueve. Tiene una hora de _____ .
2. — ¿Carlos, por qué no arranca tu coche?
   — Creo que la _____ está muerta.
3. — ¿Vas a comprar un neumático nuevo?
   — Sí, porque ayer tuve un _____ .
4. — ¿A qué hora sale el tren?
   — No tengo el itinerario y no sé la hora de _____ .

Un martes trece[1]

Julio iba manejando por la calle Cuarta, pensando en lo que tenía que hacer ese día en la oficina; no se dio cuenta de que la luz del semáforo estaba roja y no paró. Un policía lo detuvo y, después de decirle que le dejara ver su licencia para conducir, le puso una multa.

Siguió manejando camino a la oficina, y de pronto oyó un ruido extraño en el motor y el coche se paró. Trató de ponerlo en marcha, pero el motor no arrancó. Buscó un teléfono público y llamó al club automovilístico; también llamó a su jefe para decirle que llegaría tarde.

Hacía una hora que esperaba cuando por fin llegó la grúa. Remolcaron el coche a la estación de servicio y, cuando el mecánico revisó el coche, encontró los siguientes problemas: el tanque estaba vacío, el motor necesitaba aceite, el acumulador y el radiador necesitaban agua, el carburador estaba sucio y también necesitaba comprar un limpiaparabrisas nuevo.

Julio vio que, además de todos esos problemas, una goma tenía un pinchazo. Le pidió al mecánico que la cambiara y que revisara los frenos porque no funcionaban bien.

El mecánico le dijo que, como necesitaba algunas piezas de repuesto, no podría tener el coche listo hasta el lunes.

Julio decidió llamar a su jefe otra vez para decirle que ese día no iría a la oficina. Cuando cruzaba la calle, lo atropelló un coche.

Camino al hospital, en la ambulancia, Julio pensó en lo que había leído en su horóscopo ese día: «Martes trece. No salgas de casa hoy».

[1]Tuesday the thirteenth is regarded as a day of bad luck in Spanish-speaking countries.

Poniéndole aire a una llanta.

Nuevas palabras

el acumulador, la batería
  battery
la calle street
cruzar to cross
de pronto, de repente
  suddenly
funcionar to work (*e.g., a motor*)
el, la jefe(-a) boss
listo(-a) ready
la luz light
el mecánico mechanic

la oficina office
oír[1] to hear
otra vez again
la pieza de repuesto spare part
poner en marcha, arrancar to
  start (*an engine*)
revisar to check
tratar (de) to try (to)
vacío(-a) empty

¿Recuerda usted...?

1. ¿Por qué calle iba manejando Julio?
2. ¿En qué iba pensando?
3. ¿Cómo estaba la luz del semáforo?
4. ¿Qué le dijo el policía que le dejara ver?
5. ¿Qué oyó Julio de pronto cuando iba camino a la oficina?
6. ¿Qué le pasó al coche?
7. ¿Arrancó el motor cuando Julio trató de ponerlo en marcha?
8. ¿Para qué buscó Julio un teléfono público?
9. ¿Qué le dijo a su jefe?
10. ¿Cuánto tiempo hacía que Julio esperaba cuando llegó la grúa?
11. ¿El tanque tenía gasolina o estaba vacío?
12. ¿Qué otros problemas encontró el mecánico?
13. ¿Además de todo eso, ¿qué otros problemas vio Julio?
14. ¿Por qué quería Julio que revisaran los frenos?
15. ¿Para cuándo dijo el mecánico que tendría listo el coche? ¿Por qué?
16. ¿Para qué decidió Julio llamar a su jefe otra vez?
17. ¿Qué le pasó cuando cruzaba la calle?
18. ¿Qué decía el horóscopo de Julio?

Díganos...

1. Si no hubiera ningún otro coche en la calle y la luz del semáforo estuviera roja, ¿pararía usted?
2. ¿Alguna vez lo (la) detuvo un policía?
3. ¿Manejaría usted sin su licencia para conducir?
4. ¿Qué haría usted si oyera un ruido extraño en el motor de su coche?
5. ¿Qué haría usted si su coche no arrancara?
6. ¿Alguna vez tuvieron que remolcar su coche a una estación de servicio?
7. ¿Qué haría usted si el tanque de su coche estuviera vacío y no hubiera ninguna estación de servicio cerca?
8. Si una goma de su coche tuviera un pinchazo, ¿podría usted cambiarla?
9. ¿Funcionan bien los frenos de su coche?
10. Si su horóscopo dijera «No salgas de tu casa hoy», ¿saldría usted o se quedaría en su casa?

---

[1]**Oír** is conjugated in the present indicative as follows: **oigo, oyes, oye, oímos, oís, oyen.**

Lección 16 ◆ **A. The first-person plural command**

Answer the following questions, using the information provided in parentheses. Use the first-person plural command.

1. ¿Dónde doblamos?   (aquí)
2. ¿A quién se lo decimos?   (a nadie)
3. ¿A qué hora nos levantamos?   (a las siete)
4. ¿Qué hacemos?   (un flan)
5. ¿A quién se lo damos?   (a Jorge)

B. The pluperfect indicative

Change the verbs in the following sentences from the preterit to the pluperfect.

1. Él me dio las revistas.
2. Yo le dije que ellos estaban a dos cuadras de aquí.
3. No vieron el semáforo.
4. Tú no te diste cuenta.
5. El perro murió en la autopista.
6. Nosotros abrimos las ventanas.

C. Uses of *hacía que*

Give the Spanish equivalent of the following sentences. Begin each with **hacía.**

1. We had been on that highway for two hours.
2. We had been using that oil for three months.
3. We had been waiting for twenty minutes when the policeman arrived.
4. I hadn't seen her for five years.
5. He hadn't eaten for two days.

D. Vocabulary

Complete the following sentences, using the vocabulary you have learned in this lesson.

1. La _____ máxima es de noventa _____ por hora.
2. No puedo _____ porque no tengo _____ para conducir.
3. El hotel queda a cinco _____ de aquí.
4. El policía me _____ y me puso una _____ porque iba muy _____ .
5. Cuando él está al _____ , no quiere que le hablemos porque dice que tiene que manejar con mucho _____ .

    6. Mis padres no me _____ manejar en la autopista.

    7. Los colores del _____ son rojo, amarillo y verde.

    8. No dobles; sigue _____ .

    9. No me di _____ de que estabas aquí.

   10. Íbamos por la autopista, _____ a San Francisco.

   11. El motor empezó a hacer un _____ extraño.

   12. La grúa va a _____ el coche hasta el _____ de mecánica.

Lección 17   ◆   A. The imperfect subjunctive

Fill in the blanks below, using the imperfect subjunctive of the verbs in parentheses.

    1. Él me pidió que le _____ (comprar) los billetes.

    2. No era verdad que el avión no _____ (poder) aterrizar.

    3. Yo quería que tú _____ (llamar) al auxiliar de vuelo.

    4. Ellos dudaban que el mecánico _____ (revisar) el coche.

    5. Me sugirió que _____ (poner) las maletas debajo del asiento.

    6. Me alegré mucho de que ellos _____ (tener) las piezas de repuesto.

    7. Siento mucho que ustedes no _____ (venir) anoche.

    8. Dijo que era difícil que ellos _____ (conseguir) el itinerario.

B. *If* clauses

Complete the following sentences, using the Spanish equivalent of the words in parentheses.

    1. Compraré un limpiaparabrisas _____ .   (*If I need it*)

    2. Me habla _____ su hijo.   (*as if I were*)

    3. _____ , iré a la estación de trenes.   (*If I have time*)

    4. _____ , nos iríamos de vacaciones.   (*If we had money*)

    5. ¿Lo harías _____ ?   (*if you could*)

    6. Hablan _____ todo.   (*as if they knew it*)

C. Vocabulary

Complete the following sentences, using the vocabulary you have learned in this lesson.

    1. Hoy van a _____ una película estupenda.

    2. El opuesto de «despegar» es _____ .

    3. Me gusta _____ música por la noche.

    4. Tengo _____ de comer chocolate.

    5. Si tuviera dinero viajaría por _____ el país.

    6. Le di la tarjeta de _____ a la auxiliar de _____ .

    7. Necesito un _____ para saber cuáles son las horas de _____ y salidas de los trenes.

    8. No quiero vino porque no tomo _____ alcohólicas.

    9. Mi primo viene también; vienen todos mis _____ .

   10. El piloto nos dijo que nos _____ el cinturón.

Optional Material

Compound Tenses of the Subjunctive (*Los tiempos compuestos de subjuntivo*)

A. The Present Perfect Subjunctive (*El pretérito perfecto del subjuntivo*)

1. Forms

The present perfect subjunctive is formed with the present subjunctive of the auxiliary verb **haber** plus the past participle of the main verb.

PRESENT PERFECT SUBJUNCTIVE		
Present Subjunctive of **haber**	+	*Past Participle of the Main Verb*
yo **haya**		**hablado**
tú **hayas**		**comido**
él **haya**		**vivido**
ella **haya**		**escrito**
nosotros **hayamos**		**hecho**
vosotros **hayáis**		**ido**
ellos **hayan**		**puesto**
ellas **hayan**		**dicho**

■ ¡Vamos a practicar! ■

For each subject below, conjugate the following verbs in the present perfect indicative.

1. *que yo:* escuchar, oír, divertirse, decir
2. *que tú:* llenar, despertarse, volver, pedir
3. *que ella:* celebrar, poner, estacionar, escribir
4. *que nosotros:* cruzar, hacer, decidir, vestirse
5. *que ellos:* conversar, abrir, morir, irse

2. Uses

The present perfect subjunctive is used in the same way as the present perfect in English, but only in sentences that call for the subjunctive in the subordinate clause.

— Espero que Eva **haya traído** los discos.

*I hope Eva **has brought** the records.*

— Sí, y también ha traído el tocadiscos.

Yes, and she has also brought the record player.

— Álvaro prometió llevar a los niños al cine.

Álvaro promised to take the children to the movies.

— Dudo que lo **haya hecho.**

*I doubt that he **has done** it.*

■ ¡Vamos a practicar! ■

A. Rewrite the following sentences, using the new beginnings. Make any necessary changes.

MODELO: Ha llevado el coche a la gasolinera. **(Espero)**
*Espero que **haya llevado** el coche a la gasolinera.*

1. Ha estado aquí sólo un momento.   (Dudo)
2. Han comprado una batería nueva.   (Espero)
3. Ha podido celebrar su cumpleaños.   (Ojalá)
4. Has perdido parte del interés.   (Es posible)
5. No hemos comprado gasolina.   (Siento)
6. Me he divertido mucho en la fiesta.   (No es verdad)
7. Han pasado unos días felices.   (Me alegro de)
8. Le han dado las direcciones para llegar al teatro.   (Espero)
9. Le han mandado la chapa.   (No creo)
10. Han ido al concierto otra vez.   (No es cierto)

B. Complete these sentences in an original manner, using the present perfect subjunctive.

1. Me alegro mucho de que mis padres...
2. Siento mucho que los invitados...
3. Espero que la película...
4. No creo que los estudiantes...
5. No es cierto que yo...
6. Me sorprende que el concierto...
7. Ojalá que el (la) profesor(a)...
8. No es verdad que él...

B. The Pluperfect Subjunctive (*El pluscuamperfecto de subjuntivo*)

The pluperfect subjunctive is formed with the imperfect subjunctive of the auxiliary verb **haber** plus the past participle of the main verb. It is used in the same way the past perfect is used in English, but in sentences in which the main clause calls for the subjunctive.

THE PLUPERFECT SUBJUNCTIVE		
Imperfect Subjunctive of **haber**	+	*Past Participle of the Main Verb*
yo	**hubiera**	**hablado**
tú	**hubieras**	**comido**
él	**hubiera**	**vivido**
nosotros	**hubiéramos**	**visto**
vosotros	**hubierais**	**hecho**
ellos	**hubieran**	**vuelto**

Yo **dudaba** que ellos **hubieran llegado.**

*I **doubted** that they **had arrived.***

Yo **esperaba** que tú **hubieras pagado** tus cuentas.

*I **was hoping** that you **had paid** your bills.*

■ ¡Vamos a practicar! ■

A. Change the verbs according to the new subjects.

Dudaba que yo lo hubiera hecho.

1. Dudaba que tú _____ .
2. Dudaba que _____ depositado.
3. Dudaba que ellos _____ .
4. Dudaba que _____ dicho.
5. Dudaba que nosotros _____ .
6. Dudaba que _____ traído.
7. Dudaba que Ester _____ .
8. Dudaba que _____ escrito.
9. Dudaba que los estudiantes _____ .

B. Change the following sentences according to the model.

MODELO: Él se alegra de que ellos hayan hecho la traducción.
Él se alegró _____ .
*Él **se alegró** de que ellos **hubieran hecho** la traducción.*

1. Nosotros sentimos que hayas estado solo en Lima.
Nosotros sentíamos _____ .

    2. Yo espero que Uds. hayan hecho el trabajo.
       Yo esperaba _____ .
    3. Siente que yo no haya podido venir el sábado.
       Sintió _____ .
    4. No creo que hayas comprado esas sábanas.
       No creí _____ .
    5. Me sorprende que no hayas cambiado la goma.
       Me sorprendió _____ .
    6. Me alegro de que hayamos conseguido la colcha.
       Me alegré _____ .
    7. Es probable que ellos hayan tenido que trasbordar.
       Era probable _____ .
    8. No es verdad que el oculista te haya puesto esas gotas.
       No era verdad _____ .

C. Write the following sentences in Spanish.

    1. We were hoping that they had done everything possible.
    2. I was sorry you had moved.
    3. They were glad that he had brought the washing machine.
    4. It was a pity that they hadn't gotten a lower berth.
    5. We were glad that you had brought your driver's license.

Appendixes

Appendix A SPANISH SOUNDS

Vowels

There are five distinct vowels in Spanish: **a, e, i, o, u.** Each vowel has only one basic, constant sound. The pronunciation of each vowel is constant, clear, and brief. The length of the sound is practically the same whether it is produced in a stressed or unstressed syllable.[1]

While producing the sounds of the English stressed vowels that most closely resemble Spanish, the speaker changes the position of the tongue, lips, and lower jaw, so that the vowel actually starts as one sound and then *glides* into another. In Spanish, however, the tongue, lips, and jaw keep a constant position during the production of the sound.

> **English:** banana   **Spanish:** banana

The stress falls on the same vowel and syllable in both Spanish and English, but the stressed English *a* is longer than the Spanish stressed **a.**

> **English:** banana   **Spanish:** banana

Note also that the stressed English *a* has a sound different from the other *a*'s in the word, while the Spanish **a** sound remains constant.

a in Spanish sounds similar to the English *a* in the word *father.*

> alta   casa   palma   Ana   cama   Panamá   alma   apagar

e is pronounced like the English *e* in the word *eight.*

> mes   entre   este   deje   ese   encender   teme   prender

i has a sound similar to the English *ee* in the word *see.*

> fin   ir   sí   sin   dividir   Trini   difícil

o is similar to the English *o* in the word *no,* but without the glide.

> toco   como   poco   roto   corto   corro   solo   loco

u is pronounced like the English *oo* sound in the word *shoot,* or the *ue* sound in the word *Sue.*

> su   Lulú   Úrsula   cultura   un   luna   sucursal   Uruguay

---

[1]In a stressed syllable, the prominence of the vowel is indicated by its loudness.

Diphthongs and Triphthongs

When unstressed **i** or **u** falls next to another vowel in a syllable, it unites with that vowel to form what is called a *diphthong*. Both vowels are pronounced as one syllable. Their sounds do not change; they are only pronounced more rapidly and with a glide. For example:

tra**i**ga	Lid**ia**	tre**i**nta	s**ie**te	**oi**go	ad**ió**s
Aurora	ag**ua**	b**ue**no	antig**uo**	c**iu**dad	L**ui**s

A triphthong is the union of three vowels, a stressed vowel between two unstressed ones (**i** or **u**) in the same syllable. For example: Parag**uay,** estud**iéi**s.

NOTE: Stressed **i** and **u** do not form diphthongs with other vowels, except in the combinations **iu** and **ui.** For example: **rí**-o, **sa-bí-ai**s.

In syllabication, diphthongs and triphthongs are considered as a single vowel; their components cannot be separated.

Consonants

p   Spanish **p** is pronounced in a manner similar to the English *p* sound, but without the puff of air that follows after the English sound is produced.

pesca   pude   puedo   parte   papá
postre   piña   puente   Paco

k   The Spanish **k** sound, represented by the letters **k, c** before **a, o, u** or a consonant, and **qu,** is similar to the English *k* sound, but without the puff of air.

casa   comer   cuna   clima   acción   que
quinto   queso   aunque   kiosko   kilómetro

t   Spanish **t** is produced by touching the back of the upper front teeth with the tip of the tongue. It has no puff of air as in the English **t.**

todo   antes   corto   Guatemala   diente
resto   tonto   roto   tanque

d   The Spanish consonant **d** has two different sounds depending on its position. At the beginning of an utterance and after **n** or **l,** the tip of the tongue presses the back of the upper front teeth.

día   doma   dice   dolor   dar
anda   Aldo   caldo   el deseo   un domicilio

In all other positions the sounds of **d** is similar to the *th* sound in the English word *they,* but softer.

medida   todo   nada   nadie   medio
puedo   moda   queda   nudo

g   The Spanish consonant **g** is similar to the English *g* sound in the word *guy* except before **e** or **i.**

goma   glotón   gallo   gloria   lago   alga
gorrión   garra   guerra   angustia   algo   Dagoberto

j   The Spanish sound **j** (or **g** before **e** and **i**) is similar to a strongly exaggerated English *h* sound.

gemir   juez   jarro   gitano   agente
juego   giro   bajo   gente

b,v   There is no difference in sound between Spanish **b** and **v.** Both letters are pronounced alike. At the beginning of an utterance or after **m** or **n, b** and **v** have a sound identical to the English *b* sound in the word *boy.*

vivir   beber   vamos   barco   enviar
hambre   batea   bueno   vestido

When pronounced between vowels, the Spanish **b** and **v** sound is produced by bringing the lips together but not closing them, so that some air may pass through.

sábado   autobús   yo voy   su barco

y, ll   In most countries, Spanish **ll** and **y** have a sound similar to the English sound in the word *yes.*

el llavero   un yelmo   el yeso   su yunta   llama   yema
oye   trayecto   trayectoria   mayo   milla   bella

NOTE: When it stands alone or is at the end of a word, Spanish **y** is pronounced like the vowel **i.**

rey   hoy   y   doy   buey   muy   voy   estoy   soy

r   The sound of Spanish **r** is similar to the English *dd* sound in the word *ladder.*

crema   aroma   cara   arena   aro
harina   toro   oro   eres   portero

rr   Spanish **rr** and also **r** in an initial position and after **n, l,** or **s** are pronounced with a very strong trill. This trill is produced by bringing the tip of the tongue near the alveolar ridge and letting it vibrate freely while the air passes through the mouth.

rama   carro   Israel   cierra   roto
perro   alrededor   rizo   corre   Enrique

s   Spanish **s** is represented in most of the Spanish world by the letters **s, z,** and **c** before **e** or **i.** The sound is very similar to the English sibilant *s* in the word *sink.*

sale   sitio   presidente   signo
salsa   seda   suma   vaso

> sobrino   ciudad   cima   canción
> zapato   zarza   cerveza centro

h   The letter **h** is silent in Spanish.

> hoy   hora   hilo   ahora
> humor   huevo   horror almohada

ch   Spanish **ch** is pronounced like the English *ch* in the word *chief.*

> hecho   chico   coche   Chile
> mucho   muchacho   salchicha

f   Spanish **f** is identical in sound to the English *f.*

> difícil feo   fuego   forma
> fácil   fecha foto   fueron

l   Spanish **l** is similar to the English *l* in the word *let.*

> dolor lata   ángel lago   sueldo
> los   pelo   lana   general fácil

m   Spanish **m** is pronounced like the English *m* in the word *mother.*

> mano   moda   mucho   muy
> mismo   tampoco   multa   cómoda

n   In most cases, Spanish **n** has a sound similar to the English *n.*

> nada   nunca   ninguno   norte
> entra   tiene   sienta

The sound of Spanish **n** is often affected by the sounds that occur around it. When it appears before **b, v,** or **p,** it is pronounced like an **m.**

> tan bueno   toman vino   sin poder
> un pobre   comen peras   siguen bebiendo

ñ   Spanish **ñ** is similar to the English *ny* sound in the word *canyon.*

> señor   otoño   ñoño   uña
> leña   dueño   niños   años

x   Spanish **x** has two pronunciations depending on its position. Between vowels the sound is similar to English *ks.*

> examen   exacto   boxeo   éxito
> oxidar   oxígeno   existencia

When it occurs before a consonant, Spanish **x** sounds like *s.*

> expresión   explicar   extraer   excusa
> expreso   exquisito   extremo

NOTE: When **x** appears in **México** or in other words of Mexican origin, it is pronounced like the Spanish letter **j.**

Rhythm

Rhythm is the variation of sound intensity that we usually associate with music. Spanish and English each regulate these variations in speech differently, because they have different patterns of syllable length. In Spanish the length of the stressed and unstressed syllables remains almost the same, while in English stressed syllables are considerably longer than unstressed ones. Pronounce the following Spanish words, enunciating each syllable clearly.

es-tu-dian-te	bue-no	Úr-su-la
com-po-si-ción	di-fí-cil	ki-ló-me-tro
po-li-cí-a	Pa-ra-guay	

Because the length of the Spanish syllables remains constant, the greater the number of syllables in a given word or phrase, the longer the phrase will be.

Linking

In spoken Spanish, the different words in a phrase or a sentence are not pronounced as isolated elements but combined together. This is called *linking*.

Pepe come pan.	Pe-pe-co-me-pan
Tomás toma leche.	To-más-to-ma-le-che
Luis tiene la llave.	Luis-tie-ne-la-lla-ve
La mano de Roberto.	La-ma-no-de-Ro-ber-to

1. The final consonant of a word is pronounced together with the initial vowel of the following word.

Carlos anda	Car-lo-san-da
un ángel	u-nán-gel
el otoño	e-lo-to-ño
unos estudios interesantes	u-no-ses-tu-dio-sin-te-re-san-tes

2. A diphthong is formed between the final vowel of a word and the initial vowel of the following word. A triphthong is formed when there is a combination of three vowels (see rules for the formation of diphthongs and triphthongs on page 376).

su hermana	suher-ma-na
tu escopeta	tues-co-pe-ta
Roberto y Luis	Ro-ber-toy-Luis
negocio importante	ne-go-cioim-por-tan-te
lluvia y nieve	llu-viay-nie-ve
ardua empresa	ar-duaem-pre-sa

3. When the final vowel of a word and the initial vowel of the following word are identical, they are pronounced slightly longer than one vowel.

A-nal-can-za	Ana alcanza	tie-ne-so	tiene eso
lol-vi-do	lo olvido	Ada-tien-de	Ada atiende

The same rule applies when two identical vowels appear within a word.

cr*e*s	cr*ee*s
Te-rán	Teherán
c*o*r-di-na-ción	coordinación

4. When the final consonant of a word and the initial consonant of the following word are the same, they are pronounced like one consonant with slightly longer than normal duration.

e-*l*a-do	el lado	tie-ne-*s*ed	tienes sed
Car-lo-*s*al-ta	Carlos salta		

Intonation

Intonation is the rise and fall of pitch in the delivery of a phrase or a sentence. In general, Spanish pitch tends to change less than English, giving the impression that the language is less emphatic.

As a rule, the intonation for normal statements in Spanish starts in a low tone, raises to a higher one on the first stressed syllable, maintains that tone until the last stressed syllable, and then goes back to the initial low tone, with still another drop at the very end.

Tu amigo viene mañana.	José come pan.
Ada está en casa.	Carlos toma café.

Syllable Formation in Spanish

General rules for dividing words into syllables:

Vowels

1. A vowel or a vowel combination can constitute a syllable.

   a-lum-no   a-bue-la   Eu-ro-pa

2. Diphthongs and triphthongs are considered single vowels and cannot be divided.

   bai-le   puen-te   Dia-na   es-tu-diáis   an-ti-guo

3. Two strong vowels **(a, e, o)** do not form a diphthong and are separated into two syllables.

   em-ple-ar   vol-te-ar   lo-a

4. A written accent on a weak vowel (*i* or *u*) breaks the diphthong, thus the vowels are separated into two syllables.

   trí-o   dú-o   Ma-rí-a

Consonants

1. A single consonant forms a syllable with the vowel that follows it.

   po-der   ma-no   mi-nu-to

   NOTE: **ch, ll,** and **rr** are considered single consonants: **a-ma-ri-llo, co-che, pe-rro.**

2. When two consonants appear between two vowels, they are separated into two syllables.

   al-fa-be-to   cam-pe-ón   me-ter-se   mo-les-tia

   EXCEPTION: When a consonant cluster composed of **b, c, d, f, g, p,** or **t** with **l** or **r** appears between two vowels, the cluster joins the following vowel: **so-bre, o-tros, ca-ble, te-lé-gra-fo.**

3. When three consonants appear between two vowels, only the last one goes with the following vowel.

   ins-pec-tor   trans-por-te   trans-for-mar

   EXCEPTION: When there is a cluster of three consonants in the combinations described in rule 2, the first consonant joins the preceding vowel and the cluster joins the following vowel: **es-cri-bir, ex-tran-je-ro, im-plo-rar, es-tre-cho.**

Accentuation

In Spanish, all words are stressed according to specific rules. Words that do not follow the rules must have a written accent to indicate the change of stress. The basic rules for accentuation are as follows.

1. Words ending in a vowel, **n,** or **s** are stressed on the next-to-the-last syllable.

   hi-jo   **ca**-lle   **me**-sa   fa-**mo**-sos
   flo-**re**-cen   **pla**-ya   **ve**-ces

2. Words ending in a consonant, except **n** or **s,** are stressed on the last syllable.

   ma-**yor**   a-**mor**   tro-pi-**cal**   na-**riz**   re-**loj**   co-rre-**dor**

3. All words that do not follow these rules must have the written accent.

   ca-**fé**   sa-**lió**   rin-**cón**   fran-**cés**   sa-**lón**
   án-gel   **lá**-piz   **dé**-bil   a-**zú**-car   **Víc**-tor
   sim-**pá**-ti-co **lí**-qui-do **mú**-si-ca e-**xá**-me-nes de-**mó**-cra-ta

4. Pronouns and adverbs of interrogation and exclamation have a written accent to distinguish them from the relatives.

¿Qué comes?	*What are you eating?*
La pera que él no comió.	*The pear that he did not eat.*
¿Quién está ahí?	*Who is there?*
El hombre a quien tú llamaste.	*The man whom you called.*
¿Dónde está?	*Where is he?*
En el lugar donde trabaja.	*At the place where he works.*

5. Words that have the same spelling but different meanings take a written accent to differentiate one from the other.

el	*the*	él	*he, him*	te	*you*	té	*tea*
mi	*my*	mí	*me*	si	*if*	sí	*yes*
tu	*your*	tú	*you*	mas	*but*	más	*more*

Appendix *B* VERBS

Regular verbs

Model **-ar, -er, -ir** verbs

INFINITIVE

amar (*to love*)   **comer** (*to eat*)   **vivir** (*to live*)

PRESENT PARTICIPLE

amando (*loving*)   **comiendo** (*eating*)   **viviendo** (*living*)

PAST PARTICIPLE

amado (*loved*)   **comido** (*eaten*)   **vivido** (*lived*)

SIMPLE TENSES

Indicative Mood

PRESENT

(*I love*)		(*I eat*)		(*I live*)	
am**o**	am**amos**	com**o**	com**emos**	viv**o**	viv**imos**
am**as**	am**áis**	com**es**	com**éis**	viv**es**	viv**ís**
am**a**	am**an**	com**e**	com**en**	viv**e**	viv**en**

IMPERFECT

(*I used to love*)		(*I used to eat*)		(*I used to live*)	
am**aba**	am**ábamos**	com**ía**	com**íamos**	viv**ía**	viv**íamos**
am**abas**	am**abais**	com**ías**	com**íais**	viv**ías**	viv**íais**
am**aba**	am**aban**	com**ía**	com**ían**	viv**ía**	viv**ían**

PRETERIT

(*I loved*)		(*I ate*)		(*I lived*)	
am**é**	am**amos**	com**í**	com**imos**	viv**í**	viv**imos**
am**aste**	am**asteis**	com**iste**	com**isteis**	viv**iste**	viv**isteis**
am**ó**	am**aron**	com**ió**	com**ieron**	viv**ió**	viv**ieron**

FUTURE

(*I will love*)		(*I will eat*)		(*I will live*)	
amar**é**	amar**emos**	comer**é**	comer**emos**	vivir**é**	vivir**emos**
amar**ás**	amar**éis**	comer**ás**	comer**éis**	vivir**ás**	vivir**éis**
amar**á**	amar**án**	comer**á**	comer**án**	vivir**á**	vivir**án**

CONDITIONAL

(*I would love*)		(*I would eat*)		(*I would live*)	
amar**ía**	amar**íamos**	comer**ía**	comer**íamos**	vivir**ía**	vivir**íamos**
amar**ías**	amar**íais**	comer**ías**	comer**íais**	vivir**ías**	vivir**íais**
amar**ía**	amar**ían**	comer**ía**	comer**ían**	vivir**ía**	vivir**ían**

Subjunctive Mood

PRESENT

([*that*] I [*may*] love)		([*that*] I [*may*] eat)		([*that*] I [*may*] live)	
ame	amemos	coma	comamos	viva	vivamos
ames	améis	comas	comáis	vivas	viváis
ame	amen	coma	coman	viva	vivan

IMPERFECT

(two forms: **ara, ase**)

([*that*] I [*might*] love)	([*that*] I [*might*] eat)	([*that*] I [*might*] live)
amara(-ase)	comiera(-iese)	viviera(-iese)
amaras(-ases)	comieras(-ieses)	vivieras(-ieses)
amara(-ase)	comiera(-iese)	viviera(-iese)
amáramos(-ásemos)	comiéramos(-iésemos)	viviéramos(-iésemos)
amarais(-aseis)	comierais(-ieseis)	vivierais(-ieseis)
amaran(-asen)	comieran(-iesen)	vivieran(-iesen)

IMPERATIVE MOOD

(*love*)	(*eat*)	(*live*)
ama (tú)	come (tú)	vive (tú)
ame (Ud.)	coma (Ud.)	viva (Ud.)
amemos (nosotros)	comamos (nosotros)	vivamos (nosotros)
amad (vosotros)	comed (vosotros)	vivid (vosotros)
amen (Uds.)	coman (Uds.)	vivan (Uds.)

COMPOUND TENSES

PERFECT INFINITIVE

haber amado   **haber comido**   **haber vivido**

PERFECT PARTICIPLE

habiendo amado   **habiendo comido**   **habiendo vivido**

Indicative Mood

PRESENT PERFECT

(*I have loved*)		(*I have eaten*)		(*I have lived*)	
he amado	hemos amado	he comido	hemos comido	he vidido	hemos vivido
has amado	habéis amado	has comido	habéis comido	has vivido	habéis vivido
ha amado	han amado	ha comido	han comido	ha vivido	han vivido

PLUPERFECT

(*I had loved*)	(*I had eaten*)	(*I had lived*)
había amado	había comido	había vivido
habías amado	habías comido	habías vivido
había amado	había comido	había vivido
habíamos amado	habíamos comido	habíamos vivido
habíais amado	habíais comido	habíais vivido
habían amado	habían comido	habían vivido

FUTURE PERFECT

(*I will have loved*)	(*I will have eaten*)	(*I will have lived*)
habré amado	habré comido	habré vivido
habrás amado	habrás comido	habrás vivido
habrá amado	habrá comido	habrá vivido
habremos amado	habremos comido	habremos vivido
habréis amado	habréis comido	habréis vivido
habrán amado	habrán comido	habrán vivido

CONDITIONAL PERFECT

(*I would have loved*)	(*I would have eaten*)	(*I would have lived*)
habría amado	habría comido	habría vivido
habrías amado	habrías comido	habrías vivido
habría amado	habría comido	habría vivido
habríamos amado	habríamos comido	habríamos vivido
habríais amado	habríais comido	habríais vivido
habrían amado	habrían comido	habrían vivido

Subjunctive Mood

PRESENT PERFECT

([*that*] *I* [*may*] *have loved*)	([*that*] *I* [*may*] *have eaten*)	([*that*] *I* [*may*] *have lived*)
haya amado	haya comido	haya vivido
hayas amado	hayas comido	hayas vivido
haya amado	haya comido	haya vivido
hayamos amado	hayamos comido	hayamos vivido
hayáis amado	hayáis comido	hayáis vivido
hayan amado	hayan comido	hayan vivido

PLUPERFECT
(two forms: **-ra, -se**)

([*that*] *I* [*might*] *have loved*)	([*that*] *I* [*might*] *have eaten*)	([*that*] *I* [*might*] *have lived*)
hubiera(-iese) amado	hubiera(-iese) comido	hubiera(-iese) vivido
hubieras(-ieses) amado	hubieras(-ieses) comido	hubieras(-ieses) vivido
hubiera(-iese) amado	hubiera(-iese) comido	hubiera(-iese) vivido
hubiéramos(-iésemos) amado	hubiéramos(-iésemos) comido	hubiéramos(-iésemos) vivido
hubierais(-ieseis) amado	hubierais(-ieseis) comido	hubierais(-ieseis) vivido
hubieran(-iesen) amado	hubieran(-iesen) comido	hubieran(-iesen) vivido

Stem-changing verbs

The -ar and -er stem-changing verbs

Stem-changing verbs are those that have a spelling change in the root of the verb. Verbs that end in **-ar** and **-er** change the stressed vowel **e** to **ie**, and the stressed **o** to **ue**. These changes occur in all persons, except the first and second persons plural, of the present indicative, present subjunctive, and imperative.

INFINITIVE	**Indicative**	**Imperative**	**Subjunctive**
cerrar (*to close*)	cierro cierras cierra	—— cierra cierre	cierre cierres cierre
	cerramos cerráis cierran	cerremos cerrad cierren	cerremos cerréis cierren
perder (*to lose*)	pierdo pierdes pierde	—— pierde pierda	pierda pierdas pierda
	perdemos perdéis pierden	perdamos perded pierdan	perdamos perdáis pierdan
contar (*to count; to tell*)	cuento cuentas cuenta	—— cuenta cuente	cuente cuentes cuente
	contamos contáis cuentan	contemos contad cuenten	contemos contéis **cuenten**
volver (*to return*)	vuelvo vuelves vuelve	—— vuelve vuelva	vuelva vuelvas vuelva
	volvemos volvéis vuelven	volvamos volved vuelvan	volvamos volváis vuelvan

Verbs that follow the same pattern are:

acordarse	*to remember*	despertar(se)	*to wake up*	nevar	*to snow*
acostar(se)	*to go to bed*	discernir	*to discern*	pensar	*to think; to plan*
almorzar	*to have lunch*	empezar	*to begin*	probar	*to prove; to taste*
atravesar	*to go through*	encender	*to light, to turn on*	recordar	*to remember*
cocer	*to cook*	encontrar	*to find*	rogar	*to beg*
colgar	*to hang*	entender	*to understand*	sentar(se)	*to sit down*
comenzar	*to begin*	llover	*to rain*	soler	*to be in the habit of*
confesar	*to confess*	mover	*to move*	soñar	*to dream*
costar	*to cost*	mostrar	*to show*	tender	*to stretch; to unfold*
demostrar	*to demonstrate, show*	negar	*to deny*	torcer	*to twist*

The -ir stem-changing verbs

There are two types of stem-changing verbs that end in **-ir:** one type changes stressed **e** to **ie** in some tenses and to **i** in others, and stressed **o** to **ue** or **u;** the second type changes stressed **e** to **i** only in all the irregular tenses.

Type I: **ir: e > ie / o > ue or u**

These changes occur as follows.

Present Indicative: all persons except the first and second plural change **e** to **ie** and **o** to **ue**. *Preterit:* third person, singular and plural, changes **e** to **i** and **o** to **u**. *Present Subjunctive:* all persons change **e** to **ie** and **o** to **ue**, except the first- and second-persons plural, which change **e** to **i** and **o** to **u**. *Imperfect Subjunctive:* all persons change **e** to **i** and **o** to **u**. *Imperative:* all persons except the first- and second-persons plural change **e** to **ie** and **o** to **ue**; first-person plural changes **e** to **i** and **o** to **u**. *Present Participle:* changes **e** to **i** and **o** to **u**.

INFINITIVE	**Indicative**		**Imperative**	**Subjunctive**	
sentir *(to feel)*	PRESENT	PRETERIT		PRESENT	IMPERFECT
	siento	sentí		sienta	sintiera(-iese)
PRESENT PARTICIPLE	sientes	sentiste	siente	sientas	sintieras
	siente	sintió	sienta	sienta	sintiera
sintiendo	sentimos	sentimos	sintamos	sintamos	sintiéramos
	sentís	sentisteis	sentid	sintáis	sintierais
	sienten	sintieron	sientan	sientan	sintieran
dormir *(to sleep)*	duermo	dormí		duerma	durmiera(-iese)
	duermes	dormiste	duerme	duermas	durmieras
	duerme	durmió	duerma	duerma	durmiera
durmiendo	dormimos	dormimos	durmamos	durmamos	durmiéramos
	dormís	dormisteis	dormid	durmáis	durmierais
	duermen	durmieron	duerman	duerman	durmieran

Other verbs that follow the same pattern are:

advertir	*to warn*	divertir(se)	*to amuse oneself*	preferir	*to prefer*
arrepentirse	*to repent*	herir	*to wound, to hurt*	referir	*to refer*
consentir	*to consent, to pamper*	mentir	*to lie*	sugerir	*to suggest*
convertir(se)	*to turn into*	morir	*to die*		

Type II: **-ir: e > i**

The verbs in the second category are irregular in the same tenses as those of the first type. The only difference is that they only have one change: **e > i** in all irregular persons.

INFINITIVE	**Indicative**		**Imperative**	**Subjunctive**	
pedir *(to ask for, request)*	PRESENT	PRETERIT		PRESENT	IMPERFECT
	pido	pedí		pida	pidiera(-iese)
PRESENT PARTICIPLE	pides	pediste	pide	pidas	pidieras
	pide	pidió	pida	pida	pidiera
pidiendo	pedimos	pedimos	pidamos	pidamos	pidiéramos
	pedís	pedisteis	pedid	pidáis	pidierais
	piden	pidieron	pidan	pidan	pidieran

Verbs that follow this pattern:

concebir	*to conceive*	impedir	*to prevent*	reñir	*to fight*
competir	*to compete*	persequir	*to pursue*	seguir	*to follow*
despedir(se)	*to say good-bye*	reír(se)	*to laugh*	servir	*to serve*
elegir	*to choose*	repetir	*to repeat*	vestir(se)	*to dress*

Orthographic-Changing Verbs

Some verbs undergo a change in the spelling of the stem in some tenses, in order to keep the sound of the final consonant. The most common ones are those with the consonants **g** and **c**. Remember that **g** and **c** in front of **e** or **i** have a soft sound, and in front of **a, o,** or **u** have a hard sound. In order to keep the soft sound in front of **a, o,** or **u**, **g** and **c** change to **j** and **z,** respectively. In order to keep the hard sound of **g** or **c** in front of **e** and **i**, **u** is added to the **g** (**gu**) and the **c** changes to **qu**. The most important verbs of this type that are regular in all the tenses but change in spelling are the following.

1. Verbs ending in **-gar** change **g** to **gu** before **e** in the first person of the preterit and in all persons of the present subjunctive.

   pagar   *to pay*
   Preterit: pa**gu**é, pagaste, pagó, etc.
   Pres. Subj.:   pa**gu**e, pa**gu**es, pa**gu**e, pa**gu**emos, pa**gu**éis, pa**gu**en

   Verbs that follow the same pattern: **colgar, llegar, navegar, negar, regar, rogar, jugar.**

2. Verbs ending in **-ger** or **-gir** change **g** to **j** before **o** and **a** in the first person of the present indicative and in all the persons of the present subjunctive.

   proteger   *to protect*
   Pres. Ind.:   prote**j**o, proteges, protege, etc.
   Pres. Subj.:   prote**j**a, prote**j**as, prote**j**a, prote**j**amos, prote**j**áis, prote**j**an

   Verbs that follow the same pattern: **coger, dirigir, elegir, escoger, exigir, recoger, corregir.**

3. Verbs ending in **-guar** change **gu** to **gü** before **e** in the first persons of the preterit and in all persons of the present subjunctive.

   averiguar   *to find out*
   Preterit: averi**gü**é, averiguaste, averiguó, etc.
   Pres. Subj.:   averi**gü**e, averi**gü**es, averi**gü**e, averi**gü**emos, averi**gü**éis, averi**gü**en

   The verb **apaciguar** follows the same pattern.

4. Verbs ending in **-guir** change **gu** to **g** before **o** and **a** in the first person of the present indicative and in all persons of the present subjunctive.

   conseguir   *to get*
   Pres. Ind.:   consi**g**o, consigues, consigue, etc.
   Pres. Subj.:   consi**g**a, consi**g**as, consi**g**a, consi**g**amos, consi**g**áis, consi**g**an

   Verbs that follow the same pattern: **distinguir, perseguir, proseguir, seguir.**

5. Verbs ending in **-car** change **c** to **qu** before **e** in the first person of the preterit and in all persons of the present subjunctive.

tocar   *to touch, to play (a musical instrument)*
Preterit: to**qu**é, tocaste, tocó, etc.
Pres. Subj.:   to**qu**e, to**qu**es, to**qu**e, to**qu**emos, to**qu**éis, to**qu**en

Verbs that follow the same pattern: **atacar, buscar, comunicar, explicar, indicar, sacar, pescar.**

6. Verbs ending in **-cer** or **-cir** preceded by a consonant change **c** to **z** before **o** and **a** in the first person of the present indicative and in all persons of the present subjunctive.

torcer   *to twist*
Pres. Ind.:   tuer**z**o, tuerces, tuerce, etc.
Pres. Subj.:   tuer**z**a, tuer**z**as, tor**z**amos, tor**z**áis, tuer**z**an

Verbs that follow the same pattern: **convencer, esparcir, vencer.**

7. Verbs ending in **-cer** or **-cir** preceded by a vowel change **c** to **zc** before **o** and **a** in the first person of the present indicative and in all persons of the present subjunctive.

conocer   *to know, be acquainted with*
Pres. Ind.:   cono**zc**o, conoces, conoce, etc.
Pres. Subj.:   cono**zc**a, cono**zc**as, cono**zc**a, cono**zc**amos, cono**zc**áis, cono**zc**an

Verbs that follow the same pattern: **agradecer, aparecer, carecer, establecer, entristecer** (*to sadden*)**, lucir, nacer, obedecer, ofrecer, padecer, parecer, pertenecer, relucir, reconocer.**

8. Verbs ending in **-zar** change **z** to **c** before **e** in the first person of the preterit and in all persons of the present subjunctive.

rezar   *to pray*
Preterit: re**c**é, rezaste, rezó, etc.
Pres. Subj.:   re**c**e, re**c**es, re**c**e, re**c**emos, re**c**éis, re**c**en

Verbs that follow the same pattern: **alcanzar, almorzar, comenzar, cruzar, empezar, forzar, gozar, abrazar.**

9. Verbs ending in **-eer** change the unstressed **i** to **y** between vowels in the third-person singular and plural of the preterit, in all persons of the imperfect subjunctive, and in the present participle.

creer   *to believe*
Preterit: creí, creíste, creyó, creímos, creísteis, creyeron
Imp. Subj.:   creyera(-ese), creyeras, creyera, creyéramos, creyerais, creyeran
Pres. Part.:   creyendo
Past Part.:   creído

Verbs that follow the same pattern: **leer, poseer.**

10. Verbs ending in **-uir** change the unstressed **i** to **y** between vowels (except **-quir,** which has the silent **u**) in the following tenses and persons.

huir *to escape, to flee*
Pres. Part.: huyendo
Pres. Ind.: huyo, huyes, huye, huimos, huís, huyen
Preterit: huí, huiste, huyó, huimos, huisteis, huyeron
Imperative: huye, huya, huyamos, huid, huyan
Pres. Subj.: huya, huyas, huya, huyamos, huyáis, huyan
Imp. Subj.: huyera(-ese), huyeras, huyera, huyéramos, huyerais, huyeran

Verbs that follow the same pattern: **atribuir, concluir, constituir, construir, contribuir, destituir, destruir, disminuir, distribuir, excluir, incluir, influir, instruir, restituir, sustituir.**

11. Verbs ending in **-eír** lose the **e** in the third-person singular and plural of the preterit, in all persons of the imperfect subjunctive, and in the present participle.

reír *to laugh*
Pres. Ind.: río, ríes, ríen, reímos, reís, ríen
Preterit: reí, reíste, rio, reímos, reísteis, rieron
Pres. Subj.: ría, rías, ría, riamos, riáis, rían
Imp. Subj.: riera(-ese), rieras, riera, riéramos, rierais, rieran
Pres. Part.: riendo

Verbs that follow the same pattern: **sonreír, freír.**

12. Verbs ending in **-iar** add a written accent to the **i,** except in the first- and second-persons plural of the present indicative and subjunctive.

fiar(se) *to trust*
Pres. Ind.: fío (me), fías (te), fía (se), fiamos (nos), fiais (os), fían (se)
Pres. Subj.: fíe (me), fíes (te), fíe (se), fiemos (nos), fiéis (os), fíen (se)

Verbs that follow the same pattern: **enviar, ampliar, criar, desviar, enfriar, guiar, telegrafiar, vaciar, variar.**

13. Verbs ending in **-uar** (except **-guar**) add a written accent to the **u,** except in the first- and second-persons plural of the present indicative and subjunctive.

actuar *to act*

Verbs that follow the same pattern: **continuar, acentuar, efectuar, exceptuar, graduar, habituar, insinuar, situar.**

14. Verbs ending in **-ñir** lose the **i** of the diphthongs **ie** and **ió** in the third-person singular and plural of the preterit and all persons of the imperfect subjunctive. They also change the **e** of the stem to **i** in the same persons and in the present indicative and present subjunctive.

teñir *to dye*
Pres. Ind.: tiño, tiñes, tiñe, teñimos, teñís, tiñen
Preterit: teñí, teñiste, tiñó, teñimos, teñisteis, tiñeron
Pres. Subj.: tiña, tiñas, tiña, tiñamos, tiñáis, tiñan
Imp. Subj.: tiñera(-ese), tiñeras, tiñera, tiñéramos, tiñerais, tiñeran

Verbs that follow the same pattern: **ceñir, constreñir, desteñir, estreñir, reñir.**

Some Common Irregular Verbs

Only those tenses with irregular forms are given below.

adquirir   *to acquire*
Pres. Ind.:   adquiero, adquieres, adquiere, adquirimos, adquirís, adquieren
Pres. Subj.:   adquiera, adquieras, adquiera, adquiramos, adquiráis, adquieran
Imperative: adquiere, adquiera, adquiramos, adquirid, adquieran

andar   *to walk*
Preterit: anduve, anduviste, anduvo, anduvimos, anduvisteis, anduvieron
Imp. Subj.:   anduviera (anduviese), anduvieras, anduviera, anduviéramos, anduvierais, anduvieran

avergonzarse   *to be ashamed, to be embarrassed*
Pres. Ind.:   me avergüenzo, te avergüenzas, se avergüenza, nos avergonzamos, os avergonzáis, se avergüenzan
Pres. Subj.:   me avergüence, te avergüences, se avergüence, nos avergoncemos, os avergoncéis, se avergüencen
Imperative: avergüénzate, avergüéncese, avergoncémonos, avergonzaos, avergüéncense

caber   *to fit, to have enough room*
Pres. Ind.:   quepo, cabes, cabe, cabemos, cabéis, caben
Preterit: cupe, cupiste, cupo, cupimos, cupisteis, cupieron
Future: cabré, cabrás, cabrá, cabremos, cabréis, cabrán
Conditional: cabría, cabrías, cabría, cabríamos, cabríais, cabrían
Imperative: cabe, quepa, quepamos, cabed, quepan
Pres. Subj.:   quepa, quepas, quepa, quepamos, quepáis, quepan
Imp. Subj.:   cupiera (cupiese), cupieras, cupiera, cupiéramos, cupierais, cupieran

caer   *to fall*
Pres. Ind.:   caigo, caes, cae, caemos, caéis, caen
Preterit: caí, caíste, cayó, caímos, caísteis, cayeron
Imperative: cae, caiga, caigamos, caed, caigan
Pres. Subj.:   caiga, caigas, caiga, caigamos, caigáis, caigan
Imp. Subj.:   cayera (cayese), cayeras, cayera, cayéramos, cayerais, cayeran
Past Part.:   caído

conducir   *to guide, to drive*
Pres. Ind.:   conduzco, conduces, conduce, conducimos, conducís, conducen
Preterit: conduje, condujiste, condujo, condujimos, condujisteis, condujeron
Imperative: conduce, conduzca, conduzcamos, conducid, conduzcan
Pres. Subj.:   conduzca, conduzcas, conduzca, conduzcamos, conduzcáis, conduzcan
Imp. Subj.:   condujera (condujese), condujeras, condujera, condujéramos, condujerais, condujeran

(All verbs ending in **-ducir** follow this pattern)

convenir   *to agree* (*see* **venir**)

dar   *to give*
Pres. Ind.:   doy, das, da, damos, dais, dan
Preterit: di, diste, dio, dimos, disteis, dieron
Imperative: da, dé, demos, dad, den
Pres. Subj.:   dé, des, dé, demos, deis, den
Imp. Subj.:   diera (diese), dieras, diera, diéramos, dierais, dieran

decir *to say, tell*
Pres. Ind.:   digo, dices, dice, decimos, decís, dicen
Preterit: dije, dijiste, dijo, dijimos, dijisteis, dijeron
Future: diré, dirás, dirá, diremos, diréis, dirán
Conditional: diría, dirías, diría, diríamos, diríais, dirían
Imperative: di, diga, digamos, decid, digan
Pres. Subj.:   diga, digas, diga, digamos, digáis, digan
Imp. Subj.:   dijera (dijese), dijeras, dijera, dijéramos, dijerais, dijeran
Pres. Part.:   diciendo
Past Part.:   dicho

detener *to stop; to hold; to arrest (see* **tener***)*

entretener *to entertain, to amuse (see* **tener***)*

errar *to err; to miss*
Pres. Ind.:   yerro, yerras, yerra, erramos, erráis, yerran
Imperative: yerra, yerre, erremos, errad, yerren
Pres. Subj.:   yerre, yerres, yerre, erremos, erréis, yerren

estar *to be*
Pres. Ind.:   estoy, estás, está, estamos, estáis, están
Preterit: estuve, estuviste, estuvo, estuvimos, estuvisteis, estuvieron
Imperative: está, esté, estemos, estad, estén
Pres. Subj.:   esté, estés, esté, estemos, estéis, estén
Imp. Subj.:   estuviera (estuviese), estuvieras, estuviera, estuviéramos, estuvierais, estuvieran

haber *to have*
Pres. Ind.:   he, has, ha, hemos, habéis, han
Preterit: hube, hubiste, hubo, hubimos, hubisteis, hubieron
Future: habré, habrás, habrá, habremos, habréis, habrán
Conditional: habría, habrías, habría, habríamos, habríais, habrían
Pres. Subj.:   haya, hayas, haya, hayamos, hayáis, hayan
Imp. Subj.:   hubiera (hubiese), hubieras, hubiera, hubiéramos, hubierais, hubieran

hacer *to do, make*
Pres. Ind.:   hago, haces, hace, hacemos, hacéis, hacen
Preterit: hice, hiciste, hizo, hicimos, hicisteis, hicieron
Future: haré, harás, hará, haremos, haréis, harán
Conditional: haría, harías, haría, haríamos, haríais, harían
Imperative: haz, haga, hagamos, haced, hagan
Pres. Subj.:   haga, hagas, haga, hagamos, hagáis, hagan
Imp. Subj.:   hiciera (hiciese), hicieras, hiciera, hiciéramos, hicierais, hicieran
Past Part.:   hecho

imponer *to impose, to deposit (see* **poner***)*

ir *to go*
Pres. Ind.:   voy, vas, va, vamos, vais, van
Imp. Ind.:   iba, ibas, iba, íbamos, ibais, iban
Preterit: fui, fuiste, fue, fuimos, fuisteis, fueron
Imperative: ve, vaya, vayamos, id, vayan
Pres. Subj.:   vaya, vayas, vaya, vayamos, vayáis, vayan
Imp. Subj.:   fuera (fuese), fueras, fuera, fuéramos, fuerais, fueran

jugar   *to play*
Pres. Ind.:   juego, juegas, juega, jugamos, jugáis, juegan
Imperative: juega, juegue, juguemos, jugad, jueguen
Pres. Subj.:   juegue, juegues, juegue, juguemos, juguéis, jueguen

obtener   *to obtain* (*see* **tener**)

oír   *to hear*
Pres. Ind.:   oigo, oyes, oye, oímos, oís, oyen
Preterit: oí, oíste, oyó, oímos, oísteis, oyeron
Imperative: oye, oiga, oigamos, oíd, oigan
Pres. Subj.:   oiga, oigas, oiga, oigamos, oigáis, oigan
Imp. Subj.:   oyera (oyese), oyeras, oyera, oyéramos, oyerais, oyeran
Pres. Part.:   oyendo
Past Part.:   oído

oler   *to smell*
Pres. Ind.:   huelo, hueles, huele, olemos, oléis, huelen
Imperative: huele, huela, olamos, oled, huelan
Pres. Subj.:   huela, huelas, huela, olamos, oláis, huelan

poder   *to be able to*
Preterit: pude, pudiste, pudo, pudimos, pudisteis, pudieron
Future: podré, podrás, podrá, podremos, podréis, podrán
Conditional: podría, podrías, podría, podríamos, podríais, podrían
Imperative: puede, pueda, podamos, poded, puedan
Imp. Subj.:   pudiera (pudiese), pudieras, pudiera, pudiéramos, pudierais, pudieran
Pres. Subj.   pudiendo

poner   *to place, to put*
Pres. Ind.:   pongo, pones, pone, ponemos, ponéis, ponen
Preterit: puse, pusiste, puso, pusimos, pusisteis, pusieron
Future: pondré, pondrás, pondrá, pondremos, pondréis, pondrán
Conditional: pondría, pondrías, pondría, pondríamos, pondríais, pondrían
Imperative: pon, ponga, pongamos, poned, pongan
Pres. Subj.:   ponga, pongas, ponga, pongamos, pongáis, pongan
Imp. Subj.:   pusiera (pusiese), pusieras, pusiera, pusiéramos, pusierais, pusieran
Past Part.:   puesto

querer   *to want, wish; to like, love*
Preterit: quise, quisiste, quiso, quisimos, quisisteis, quisieron
Future: querré, querrás, querrá, querremos, querréis, querrán
Conditional: querría, querrías, querría, querríamos, querríais, querrían
Imp. Subj.:   quisiera (quisiese), quisieras, quisiera, quisiéramos, quisierais, quisieran

resolver   *to decide on*
Past Part.:   resuelto

saber   *to know*
Pres. Ind.:   sé, sabes, sabe, sabemos, sabéis, saben
Preterit: supe, supiste, supo, supimos, supisteis, supieron
Future: sabré, sabrás, sabrá, sabremos, sabréis, sabrán
Conditional: sabría, sabrías, sabría, sabríamos, sabríais, sabrían
Imperative: sabe, sepa, sepamos, sabed, sepan
Pres. Subj.:   sepa, sepas, sepa, sepamos, sepáis, sepan
Imp. Subj.:   supiera (supiese), supieras, supiera, supiéramos, supierais, supieran

salir   *to leave; to go out*
Pres. Ind.:   salgo, sales, sale, salimos, salís, salen
Future: saldré, saldrás, saldrá, saldremos, saldréis, saldrán
Conditional: saldría, saldrías, saldría, saldríamos, saldríais, saldrían
Imperative: sal, salga, salgamos, salid, salgan
Pres. Subj.:   salga, salgas, salga, salgamos, salgáis, salgan

ser   *to be*
Pres. Ind.:   soy, eres, es, somos, sois, son
Imp. Ind.:   era, eras, era, éramos, erais, eran
Preterit: fui, fuiste, fue, fuimos, fuisteis, fueron
Imperative: sé, sea, seamos, sed, sean
Pres. Subj.:   sea, seas, sea, seamos, seáis, sean
Imp. Subj.:   fuera (fuese), fueras, fuera, fuéramos, fuerais, fueran

suponer   *to assume* (*see* **poner**)

tener   *to have*
Pres. Ind.:   tengo, tienes, tiene, tenemos, tenéis, tienen
Preterit: tuve, tuviste, tuvo, tuvimos, tuvisteis, tuvieron
Future: tendré, tendrás, tendrá, tendremos, tendréis, tendrán
Condtional: tendría, tendrías, tendría, tendríamos, tendríais, tendrían
Imperative: ten, tenga, tengamos, tened, tengan
Pres. Subj.:   tenga, tengas, tenga, tengamos, tengáis, tengan
Imp. Subj.:   tuviera (tuviese), tuvieras, tuviera, tuviéramos, tuvierais, tuvieran

traducir   *to translate* (*see* **conducir**)

traer   *to bring*
Pres. Ind.:   traigo, traes, trae, traemos, traéis, traen
Preterit: traje, trajiste, trajo, trajimos, trajisteis, trajeron
Imperative: trae, traiga, traigamos, traed, traigan
Pres. Subj.:   traiga, traigas, traiga, traigamos, traigáis, traigan
Imp. Subj.:   trajera (trajese), trajeras, trajera, trajéramos, trajerais, trajeran
Pres. Part.:   trayendo
Past Part.:   traído

valer   *to be worth*
Pres. Ind.:   valgo, vales, vale, valemos, valéis, valen
Future: valdré, valdrás, valdrá, valdremos, valdréis, valdrán
Conditional: valdría, valdrías, valdría, valdríamos, valdríais, valdrían
Imperative: vale, valga, valgamos, valed, valgan
Pres. Subj.:   valga, valgas, valga, valgamos, valgáis, valgan

venir   *to come*
Pres. Ind.:   vengo, vienes, viene, venimos, venís, vienen
Preterit: vine, viniste, vino, vinimos, vinisteis, vinieron
Future: vendré, vendrás, vendrá, vendremos, vendréis, vendrán
Conditional: vendría, vendrías, vendría, vendríamos, vendríais, vendrían
Imperative: ven, venga, vengamos, venid, vengan
Pres. Subj.:   venga, vengas, venga, vengamos, vengáis, vengan
Imp. Subj.:   viniera (viniese), vinieras, viniera, viniéramos, vinierais, vinieran
Pres. Part.:   viniendo

ver   *to see*
Pres. Ind.:   veo, ves, ve, vemos, veis, ven
Imp. Ind.:   veía, veías, veía, veíamos, veíais, veían
Preterit: vi, viste, vio, vimos, visteis, vieron
Imperative: ve, vea, veamos, ved, vean
Pres. Subj.:   vea, veas, vea, veamos, veáis, vean
Imp. Subj.:   viera (viese), vieras, viera, viéramos, vierais, vieran
Past Part.:   visto

volver   *to return*
Past Part.:   vuelto

Appendix C GLOSSARY OF GRAMMATICAL TERMS

adjective: A word that is used to describe a noun: *tall* girl, *difficult* lesson.

adverb: A word that modifies a verb, an adjective, or another adverb. It answers the questions "How?", "When?", "Where?": She walked *slowly*. She'll be here *tomorrow*. She is *here*.

agreement: A term applied to changes in form that nouns cause in the words that surround them. In Spanish, verb forms agree with their subjects in person and number (**yo** hablo, **él** habla, etc.). Spanish adjectives agree in gender and number with the noun they describe. Thus, a feminine plural noun requires a feminine plural ending in the adjective that describes it (cas**as** amarill**as**) and a masculine singular noun requires a masculine singular ending in the adjective (libr**o** negr**o**).

auxiliary verb: A verb that helps in the conjugation of another verb: I *have* finished. He *was* called. She *will* go. He *would* eat.

command form: The form of the verb used to give an order or a direction: *Go! Come back! Turn* to the right!

conjugation: The process by which the forms of the verb are presented in their different moods and tenses: I *am*, you *are*, he *is*, she *was*, we *were*, etc.

contraction: The combination of two or more words into one: *isn't, don't, can't.*

definite article: A word used before a noun indicating a definite person or thing: *the* woman, *the* money.

demonstrative: A word that refers to a definite person or object: *this, that, these, those.*

diphthong: A combination of two vowels forming one syllable. In Spanish, a diphthong is composed of one *strong* vowel (**a, e, o**) and one *weak* vowel (**u, i**) or two weak vowels: **ei, au, ui.**

exclamation: A word used to express emotion: *How* strong! *What* beauty!

gender: A distinction of nouns, pronouns, and adjectives, based on whether they are masculine or feminine.

indefinite article: A word used before a noun that refers to an indefinite person or object: *A* child. *An* apple.

infinitive: The form of the verb generally preceded in English by the word *to* and showing no subject or number: *to do, to bring.*

interrogative: A word used in asking a question: *Who? What? Where?*

main clause: A group of words that includes a subject and a verb and by itself has complete meaning: *They saw me. I go now.*

noun: A word that names a person, place, or thing: *Ann, London, pencil,* etc.

number: Number refers to singular and plural: *chair, chairs.*

object: Generally a noun or a pronoun that is the receiver of the verb's action. A direct object answers the question *"What?"* or *"Whom?"*: We know *her.* Take *it.* An indirect object answers the question *"To whom?"* or *"To what?"*: Give *John* the money. Nouns and pronouns can also be objects of prepositions: The letter is *from Rick.* I'm thinking *about you.*

past participle: Past forms of a verb: *gone, worked, written,* etc.

person: The form of the pronoun and of the verb that shows the person referred to: *I* (first person singular), *you* (second person singular), *she* (third person singular), etc.

possessive: A word that denotes ownership or possession: This is *our* house. The book isn't *mine.*

preposition: A word that introduces a noun or pronoun and indicates its function in the sentence: They were *with* us. She is *from* Nevada.

pronoun: A word that is used to replace a noun: *she, them us,* etc. A **subject pronoun** refers to the person or thing spoken of: *They* work. An **object pronoun** receives the action of the verb: They arrested *us* (direct object pronoun). She spoke to *him* (indirect object pronoun). A pronoun can also be the object of a preposition: The children stayed with *us.*

reflexive pronoun: A pronoun that refers back to the subject: *myself,* *yourself, himself, herself, itself, ourselves,* etc.

subject: The person, place, or thing spoken of: *Robert* works. *Our car* is new.

subordinate clause: A clause that has no complete meaning by itself but depends on a main clause: They knew *that I was here.*

tense: The group of forms in a verb that show the time in which the action of the verb takes place: *I go* (present indicative), *I'm going* (present progressive), *I went* (past), *I was going* (past progessive), *I will go* (future), *I would go* (conditional), *I have gone* (present perfect), *I had gone* (past perfect), *that I may go* (present subjunctive), etc.

verb: A word that expresses an action or a state: We *sleep.* The baby *is* sick.

Appendix *D* ANSWER KEY TO Tome este examen

Pasos 1-2

A. 1. unos lápices 2. los borradores 3. las lecciones 4. unos meses
5. los vasos 6. unas sillas 7. las clases 8. los profesores
9. los hombres 10. unas mujeres

B. 1. treinta días 2. seis lápices 3. veintidós (veinte y dos) sillas
4. trece ventanas 5. doce libros 6. quince cuadernos
7. dieciocho (diez y ocho) estudiantes 8. once mapas

C. —¿Cuántos estudiantes hay en la clase? / —Hay veinte estudiantes. /
—¿Hay una pizarra? / —Sí, hay dos (pizarras).

D. 1. Hasta 2. Buenas 3. Buenos / llama 4. gusto
5. fecha 6. día 7. siento 8. nada

Lección 1

A. 1. tomas 2. conversa 3. hablamos 4. deseo
5. estudia 6. trabajan 7. necesita 8. terminamos

B. 1. Qué 2. Dónde 3. Cómo 4. Cuándo
5. Cuántas 6. Quién 7. Por qué 8. Cuál

C. 1. ¡Oye! ¿Qué hora es? ¿La una?
2. Él toma química a las nueve y media de la mañana.
3. Nosotros estudiamos español por la tarde.
4. Son las ocho menos cuarto.

D. 1. se dice 2. horario / Aquí 3. laboratorio 4. Me llamo / gusto
5. toman 6. decir 7. días / está 8. Hasta
9. sala 10. Cómo

Lección 2

A. 1. la 2. las 3. el 4. el * 5. las
6. los 7. el 8. los 9. la 10. la

B. 1. escribe 2. vivimos 3. deben 4. corres
5. bebo 6. come 7. decide 8. deben

C. 1. son 2. eres 3. es 4. soy
5. somos

D. 1. —¿Hablan ellos italiano? / —No, ellos no hablan italiano.
2. —¿Aceptan Uds. cheques, señor?
3. ¿Es hoy el último día para pagar la matrícula?
4. ¡Caramba! No necesito tomar francés.
5. Lo siento, pero no bebo café.

E. 1. la novia de Pedro   2. la licencia para conducir de Alicia
    3. el apartamento de la Sra. Peña   4. los cheques de Carlos

F. 1. licencia / identificación   2. paga / cada   3. tiene
    4. cerca / apartamento   5. escribe   6. idiomas
    7. siempre   8. come / allí   9. norteamericanos
    10. último / pagar

Lección 3

A. 1. Tengo dos compañeros de cuarto.   2. Nosotros no tenemos hijos.
    3. ¿Viene Ud. con Mario, señorita Soto? 4. Ellos tienen que esperar.
    5. Vengo por la mañana.   6. ¿Cuántas maletas tienes, Rita?

B. 1. Tengo mucha hambre.   2. Ella no tiene frío; tiene calor.
    3. ¿Tiene sed, señor?   4. Ellos (Ellas) tienen prisa.
    5. Nosotros tenemos mucho sueño.   6. Él no tiene razón. Ella tiene veinte años.

C. 1. Yo conozco a Roberto.   2. Nosotros tenemos una hija.
    3. ¿Uds. esperan a la profesora?   4. ¿Tú conoces San Francisco?

D. 1. Mi   2. su   3. nuestro   4. nuestra
    5. tus   6. Su *or* El / ellos   7. tu   8. Mis

E. 1. al profesor   2. del laboratorio   3. del secretario   4. al hijo

F. 1. algo / idea   2. poner / debajo / espacio   3. ciencias   4. recreo
    5. esta   6. rato / esperan   7. requisitos   8. Bienvenido(-a)
    9. aquí   10. algunos   11. asiste   12. jugo

Lección 4

A. 1. ojos azules   2. una muchacha (chica) delgada
    3. los chicos (muchachos) rubios   4. inteligentes y bonitas
    5. alto y simpático   6. los bolígrafos rojos

B. 1. dan   2. está   3. vamos   4. están
    5. voy   6. das   7. vas   8. estoy

C. 1. Yo voy a llevar a los chicos a la biblioteca.
    2. Tú y yo vamos a dar una fiesta de bienvenida.
    3. ¿Tú vas a llamar por teléfono a tu novio?
    4. ¿A dónde van a ir ellos?
    5. Él va a bailar con Teresa.

D. 1. prefiero   2. comienzan   3. quieres   4. pensamos
    5. empiezan   6. prefiere

E. 1. setenta y ocho   2. ciento cincuenta y seis   3. noventa y cinco
    4. cien   5. ciento cuarenta y dos   6. sesenta y nueve
    7. ochenta y uno   8. setenta   9. ciento noventa y nueve
    10. sesenta y tres   11. ciento uno   12. ciento setenta y cinco

F. 1. teléfono   2. invitación   3. rubio   4. comer
    5. vino   6. próximo   7. moreno   8. Cómo
    9. hasta   10 tocadiscos   11. cintas   12. torta

Lección 5

A. 1. recuerdo   2. vuelve   3. cuestan   4. puedo
   5. encontramos   6. podemos   7. duerme

B. 1. Estoy poniendo   2. está durmiendo   3. están diciendo   4. Estamos tomando
   5. estás leyendo   6. está sirviendo

C. 1. Yo soy empleado(-a) de banco.   2. Inés está en la oficina de correos.
   3. Su novia es muy fea y antipática   4. La ventana está cerrada.
   5. Nosotros somos norteamericanos.   6. Las plumas son de plástico.
   7. Hoy es el dos de octubre.   8. Estas cartas son de Luis.
   9. ¿Tú eres de Estados Unidos?   10. El cajero está preocupado.
   11. La gente está haciendo cola.   12. Ellos están pidiendo información.

D. 1. este / ese   2. estas / aquellas   3. esos / aquellos   4. Esta / esa
   5. eso

E. 1. fácilmente   2. especialmente   3. lentamente   4. rápidamente
   5. lenta y claramente   6. francamente

F. 1. quinientos noventa y seis   2. doscientos uno
   3. setecientos treinta y tres   4. mil
   5. cuatrocientos sesenta y seis   6. novecientos siete
   7. trescientos quince   8. seiscientos setenta y siete

G. 1. interés / ciento   2. sacar / cualquier   3. estampilla   4. talonario
   5. depositar   6. aérea   7. postal   8. efectivo
   9. parte   10. importa   11. lloviendo / entrar   12. dormir / rato

Lección 6

A. 1. piden   2. servimos   3. consigues   4. dice
   5. sirve   6. digo   7. pedimos   8. consigue

B. 1. El champú es para mí, no para ti, Paquito.
   2. ¿Quiere Ud. ir conmigo o con él, Srta. Peña?
   3. No puedo ir contigo, Anita; tengo que ir con ellos (ellas).

C. 1. No, no voy a leerla. (No, no la voy a leer.)   2. No, él no lo (la) conoce.
   3. No, (yo) no te espero en la barbería.   4. No, ella no te llama mañana.
   5. No, no los necesito.   6. No, no lo tengo.
   7. No, ellos no nos conocen.   8. No, nosotros no las conseguimos.

D. 1. Llame   2. Aféitelos   3. Atiéndanlas   4. Esté
   5. me deje   6. Vayan   7. dé   8. lo haga
   9. sean   10. Póngala

E. 1. Usa / derecha   2. pelo / acá   3. caro   4. rizado
   5. turno / lavado   6. barba   7. permanente   8. como
   9. mientras   10. caspa   11. Siéntese   12. barbero
   13. cortarse / viene   14. verdad

Lección 7

A. 1. No, no me quedan grandes los zapatos.   2. No, no le doy un abrazo
   3. No, no te voy a comprar una corbata.   4. No, no les voy a dar las sandalias.
   5. No, no me aprietan las botas.   6. No, no nos dan las pantimedias.

B. 1. No le gusta esa blusa.   2. Me gusta llevar este abrigo.
    3. Nos gustan esos impermeables.   4. ¿Te gusta esta falda, Anita?
    5. Les gusta bailar.

C. 1. Tengo algunas camisas negras.   2. ¿Quiere algo más de la tienda?
    3. Siempre vamos al departamento de caballeros. 4. Quiero la blusa roja o la blusa verde.
    5. Siempre espero a alguien.

D. 1. se levantan / se acuestan   2. afeitarme   3. te pruebas   4. Siéntese
    5. nos bañamos   6. vestirse

E. 1. zapatería / par   2. anchos   3. calzas   4. compras / liquidación / ropa
    5. número / mismo   6. cartera   7. probador   8. dependienta / descuento
    9. departamento   10. hacer   11. frío   12. impermeable / paraguas
    13. cumpleaños   14. amigo

Lección 8

A. 1. limpié   2. compró   3. comieron   4. saliste
    5. bebimos   6. escribió   7. vi   8. trabajaste

B. 1. fue   2. trajeron   3. dieron   4. tuve
    5. hizo   6. busqué   7. fue   8. dijo
    9. vino   10. estuvimos

C. 1. Sí, te las compré.   2. Sí, se los trajimos.   3. Sí, me lo van a dar. / Sí, van a dármelo.
    4. Sí, él nos los va a traer.   5. Sí, ella se la va a comprar. / Sí, ella va a comprársela.
    6. Sí, ellos me las traen.

D. 1. docena / mercado   2. detergente   3. lechuga / tomate   4. fruta
    5. pescadería / carne   6. panadería   7. melocotón / patata   8. queso
    9. huevo   10. tiempo   11. darte prisa   12. partido

Lección 9

A. 1. divirtieron / siguieron / durmieron   2. pidió   3. murió
    4. Consiguió

B. 1. comía   2. ibas   3. era   4. hablaban
    5. veíamos   6. pedían

C. 1. Se habla italiano aquí.   2. Los bancos se abren a las nueve.
    3. ¿Cómo se sale de aquí?   4. ¿Cómo se dice eso en español?
    5. ¿A qué hora se cierran las tiendas?

D. 1. Hace cinco años que (yo) vivo en Lima.   2. ¿Cuánto tiempo hace que
       (Ud.) estudia español, señor Smith?   3. Hace dos horas que (ellos) esperan.
    4. Hace dos días que (ella) no come.

E. 1. abuelos   2. aniversario   3. mantequilla   4. Anteayer
    5. postre / crema   6. especialidad   7. pescado   8. propina
    9. trozo (pedazo)   10. cocinar

Lección 10

A. 1. enyesó 2. Eran / salí 3. dijo / tenía 4. era / era
    5. estaba / atropelló 6. fue / se sentía 7. tuve
    8. estábamos / llamaste

B. 1. cerradas 2. abierta 3. muerto 4. dormidos
    5. escritas 6. hecha

C. 1. ha llegado 2. he roto 3. han traído
    4. han vuelto / hemos podido 5. han muerto 6. has dicho

D. 1. por 2. por 3. para 4. por
    5. para 6. para / por 7. para / por 8. por
    9. por 10. por

E. 1. vendar 2. poner 3. sala de rayos X 4. escalera / sala
    5. torcí 6. pasó 7. Cuánto tiempo 8. pierna
    9. conocimiento 10. ambulancia 11. seguro médico 12. Para

Lección 11

A. 1. Yo quiero que ella vaya al hospital. 2. Nosotros deseamos que el doctor nos examine.
    3. Ella me sugiere que yo tome aspirinas. 4. El farmacéutico no quiere venderme
    penicilina. 5. Ellos nos aconsejan que compremos pastillas. 6. Yo no quiero usar
    esas gotas. 7. Ellos no quieren que ella los lleve al médico. 8. Nosotros no
    queremos ir a su consultorio. 9. ¿Tú me sugieres que venga luego? 10. Ella necesita
    que Uds. le den las curitas.

B. 1. ella se mejore pronto. 2. las radiografías sean muy caras. 3. estar aquí.
    4. irse de vacaciones. 5. mamá se sienta bien hoy. 6. ellos no puedan ir a la fiesta.

C. 1. infección 2. resfrío 3. siguiente / fin 4. gotas
    5. temperatura / fiebre 6. tos 7. mejore 8. luego / medicina
    9. aspirina 10. farmacéutico 11. pulmonía 12. antes

Lección 12

A. 1. hable español. 2. sea barato. 3. no son caros. 4. sirven pollo.
    5. tenga los comprobantes. 6. pueda reservar los pasajes?

B. 1. tenemos 2. den 3. es 4. pueda 5. sirven

C. 1. quienes 2. que 3. que 4. quien 5. que

D. 1. aviones 2. visa 3. salida 4. vacaciones
    5. llamada / vuelo / subir 6. sobre (de) 7. viaje 8. turista
    9. folletos / tipos 10. ida 11. pasillo 12. sección / fumar
    13. escala / trasbordar 14. solo

Lección 13

A. 1. terminen 2. llueva 3. podamos 4. traiga
    5. empiecen 6. viajo 7. llegue 8. no tengo hambre

B. 1. estén comiendo arroz con pollo. 2. el pasaje sea válido.
    3. ella prefiere té caliente. 4. cobran 50 dólares por noche.
    5. el cuarto no tenga calefacción.

C. 1. El dueño llegó hace tres horas. (Hace tres horas que el dueño llegó.)
    2. Estudié español hace diez años. (Hace diez años que estudié español.)
    3. Llegamos hace tres meses. (Hace tres meses que llegamos.)
    4. Me dieron las llaves hace diez días. (Hace diez días que me dieron las llaves.)
    5. Hicimos las reservaciones hace dos semanas. (Hace dos semanas que hicimos las reservaciones.)

D. 1. baño (cuarto de baño)   2. ducha   3. firmar   4. calefacción
    5. cama   6. comidas   7. botones   8. hora / desocupar
    9. como   10. caliente   11. cobran / noche   12. desayuno / almuerzo
   13. vista   14. hospedarse   15. servicio

Lección 14

A. 1. menor que / mayor que   2. más grande que   3. mejor que / el mejor
    4. menos de   5. tan alto como   6. el más inteligente de

B. 1. la tuya   2. mías   3. los tuyos   4. nuestros
    5. El suyo (El de ellos)   6. mío / suyo (de ella)

C. 1. mandemos las invitaciones hoy.   2. sea en julio.   3. se vayan al este.
    4. tiene salón de estar.   5. venga mañana.   6. me regale los muebles.

D. 1. cocina   2. boda   3. es posible   4. lo que
    5. salón   6. invitaciones   7. parientes   8. sobrino
    9. regalar   10. muebles / comedor

Lección 15

A. 1. Plancha el mantel.   2. Díselo.   3. Baña al perro.   4. Sal con esa mujer.
    5. Ponle aceite a la ensalada.   6. Ayúdalo.   7. Vete.   8. Ven este fin de semana.   9. Date prisa.   10. Hazlo ahora.   11. Tráeme la aspiradora.
  12. Corta el césped hoy.

B. 1. pondrá / fregará   2. lavaré / barrerás   3. vendrán / saldremos
    4. tendremos / Invitaremos   5. diré   6. harás
    7. querrán   8. habrá / podremos

C. 1. compraría   2. pondría   3. podrías   4. se olvidaría
    5. me gustaría   6. usarías

D. 1. tintorería   2. debajo   3. sábanas / fundas
    4. Llaman (Tocan)   5. escoba / recogedor   6. servilletas
    7. paciencia / prisa   8. semana / césped / aspiradora   9. horno
  10. toalla   11. refrigerador   12. salsa / queso

Lección 16

A. 1. Doblemos aquí.   2. No se lo digamos a nadie.   3. Levantémonos a las siete.
    4. Hagamos un flan.   5. Démoselo a Jorge.

B. 1. había dado   2. había dicho   3. habían visto   4. habías dado
    5. había muerto   6. habíamos abierto

C. 1. Hacía dos horas que estábamos en esa autopista.   2. Hacía tres meses que usábamos ese aceite.   3. Hacía veinte minutos que esperábamos cuando el policía llegó.
    4. Hacía cinco años que yo no la veía.   5. Hacía dos días que él no comía.

Lección 17

A. 1. comprara   2. pudiera   3. llamaras   4. revisara
    5. pusiera   6. tuvieran   7. vinieran   8. consiguieran

B. 1. si lo necesito.   2. como si fuera   3. Si tengo tiempo
    4. Si tuviéramos dinero   5. si pudieras   6. como si lo supieran

C. 1. pasar   2. «aterrizar»   3. oír   4. ganas
    5. todo   6. embarque / vuelo   7. itinerario / llegada
    8. bebidas   9. parientes   10. abrocháramos

Vocabularies

The number following each vocabulary item indicates the lesson in which it first appears. If the lesson number for a given item is between parentheses, students are not responsible for knowing that item.

The following abbreviations are used:

abbr.	abbreviation	*Mex.*	Mexico
adj.	adjective	*neut. pron.*	neuter pronoun
conj.	conjunction	*obj.*	object
dir. obj.	direct object	*pl.*	plural
f.	feminine	*prep.*	preposition
fam.	familiar	*pron.*	pronoun
form.	formal	*rel. pron.*	relative pronoun
indir. obj.	indirect object	*sing.*	singular
m.	masculine	*subj.*	subjunctive

Spanish—English

A

a at, 1; to, 3; **¿a dónde?** (to) where, 4; **a mediados de** in the middle of, 15; **a menos que** unless, 13; **¿a qué hora?** at what time? 1; **a ver** let's see, 1
abierto(-a) open(ed), 10
abogado lawyer, 15
abordar to board, 17
abrazo (*m.*) hug, 4
abrigo (*m.*) coat, 7
abril April, P2
abrir to open, 5
abrocharse el cinturón (de seguridad) to fasten one's seatbelt, 17
abuela grandmother, 9
abuelo grandfather, 9
abuelos grandparents, 9
acá here, 6
acabar de... to have just. . . , 3
accidente (*m.*) accident, 10
aceite (*m.*) oil, 15
aceptar to accept, 2
acompañado(-a) with someone else, accompanied, 12

acompañar to accompany, to go with, 12
aconsejar to advise, 11
acostarse (o > ue) to go to bed, 7
actividad (*f.*) activity, (15)
activo(-a) active, (16)
actuar to act, (14)
acumulador (*m.*) battery, 17
adelanto (*m.*) advance, (13)
además (*adv.*) besides, 11; **— de** (*prep.*) beside, 11
adiós good-bye, 1
aduana (*f.*) customs, 17
aerolínea (*f.*) airline, 12
aeropuerto (*m.*) airport, 12
afeitar(se) to shave, 6
agencia de viajes (*f.*) travel agency, 12
agente (*m. + f.*) agent, 12
agosto August, P2
agradable pleasant, 11
agrícola agricultural, (12)
agricultura (*f.*) agriculture, (13)
agua (el) (*f.*) water, 4; **— mineral** (*f.*) mineral water, 4
ahí there, 2

ahijada goddaughter, (14)
ahijado godson, (14)
ahora now, 5
ahorrar to save (*i.e.,* money), 11
aire (*m.*) air; **— acondicionado** (*m.*) air conditioning, 13; **al aire libre** open-air, outdoor, 8
alberca (*Mex.*) (*f.*) swimming pool, 14
albóndiga (*f.*) meatball, 9
alcohólico(-a) alcoholic, 17
alegrarse (de) to be glad (about), 11
alérgico(-a) allergic, 11
algo something, 7; **¿— más?** anything else? 7
algodón (*m.*) cotton, 11
alguien someone, somebody, 7
algún, alguna any, some; **algunas veces** sometimes, 7
alguno(s), alguna(s) any, some, 7
almorzar (o > ue) to have lunch, 9
almuerzo (*m.*) lunch, 13
alquilar to rent, 14

alto(-a) tall, 4; high, upper, 17;
¡**alto!** stop, 16

alumno(-a) pupil, student, P2

allí there, 2

amarillo(-a) yellow, P1

ambulancia (*f.*) ambulance, 10

amigo(-a) friend, 4

amistad (*f.*) friendship, (16)

analfabetismo (*m.*) illiteracy,
(14)

anaranjado(-a) orange, P1

ancho(-a) wide, 7

andén (*m.*) platform, 17

ángel (*m.*) angel, 15

angosto(-a) narrow, 16

animación (*f.*) liveliness, (16)

aniversario (*m.*) anniversary, 9

anoche last night, 8

anotar to write down, 9

anteayer the day before
yesterday, 9

antes (*adv.*) before, earlier;
— **de** (*prep.*) before, 11;
— **de que** (*conj.*) before, 13

antiguo(-a) old, 9

antipático(-a) unpleasant, 4

anunciar to announce, 17

año (*m.*) year, 3

apariencia (*f.*) appearance, 4

apartamento (*m.*) apartment,
2

apreciarse to be seen, to be
appreciated, (16)

aprender (a) to learn (to), 6

apretar (e > ie) to be tight, 7

apurarse to hurry, 8

aquel(-los), aquella(-s) (*adj.*)
that, those (*distant*), 5; (*pron.*)
that (one), those (*distant*), 5

aquello (*neuter pron.*) that, 5

aquí here, 3

área (*f.*) area, (15)

armario (*m.*) closet, 3

arquitecto(-a) (*m. + f.*)
architect, (17)

arquitectura (*f.*) architecture,
(16)

artesanía (*f.*) artisanry, (16)

artista (*m. + f.*) artist, (16)

artístico(-a) artistic, (12)

arrancar to start (*an engine*),
17

arriba on top, 6; up, upstairs, 16

arroz (*m.*) rice, 9

asado(-a) roast, 9

asiento (*m.*) seat, 12; — **de**
pasillo (*m.*) aisle seat, 12;
— **de ventanilla** (*m.*)
window seat, 12

asignatura (*f.*) course,
subject, 1

asistir (a) to attend, 3

aspiradora (*f.*) vacuum
cleaner, 15

aspirina (*f.*) aspirin, 11

atender (e > ie) to wait on, 6

aterrizar to land, 17

atracción (*f.*) attraction, (12)

atraer to attract, (12)

atravesar (e > ie) to cross,
(15)

atropellar to run over, 10

audífono (*m.*) headphone, 17

aún still, (11)

aunque although, 11

autobús (*m.*) bus, 10

automático(-a) automatic, 17

automóvil (*m.*) car, 7

autónomo(-a) autonomous,
(17)

autopista (*f.*) freeway, 16

auxiliar de vuelo (*m. + f.*)
steward, stewardess, 17

avenida (*f.*) avenue, 13

avión (*m.*) airplane, 12;
por — airmail, 5

avisar to let (someone)
know, 15

ayer yesterday, 8

ayudar to help, 15

azúcar (*m. + f.*) sugar, 8

azul blue, P1

B

bailar to dance, 4

bajar to go down, 7

bajo under, 3

bajo(-a) short, 4; lower, 17

balneario (*m.*) beach resort,
13

banana (*f.*) banana, (14)

banco (*m.*) bank, 5

bañadera (*f.*) bathtub, 13

bañarse to bathe, 7

baño (*m.*) bathroom, 13

barato(-a) inexpensive, cheap,
6

barba (*f.*) beard, 6

barbería (*f.*) barber shop, 6

barbero(-a) barber, 6

barrer to sweep, 15

basado(-a) based, (13)

bastante quite, enough, (11)

basura (*f.*) trash, garbage, 15

bata (*f.*) robe, 7

batería (*f.*) battery, 17

batido (*m.*) milkshake, 9

bautismo (*m.*) baptism, (14)

bautizar to baptize, (14)

beber to drink, 2

bebida (*f.*) drink, beverage, 17

béisbol (*m.*) baseball, 8

biblioteca (*f.*) library, 1

bien well, P2; — **cocido(-a)**
well-done, 9

bienvenido(-a) welcome, 3

biftec (*m.*) steak, 9

bigote (*m.*) mustache, 6

billete (*m.*) ticket, 12

billetera (*f.*) wallet, 7

biología (*f.*) biology, 1

bistec (*m.*) steak, 9

blanco(-a) white, P1

blanquillo (*m.*) (*Mex.*) egg, 8

blusa (*f.*) blouse, 7

boca (*f.*) mouth, 11

boda (*f.*) wedding, 14

boleto (*m.*) ticket, 12

bolígrafo (*m.*) ballpoint pen,
P2

bolso (*m.*) handbag, purse, 7;
— **de mano** (*m.*) handbag, 12

bonito(-a) pretty, 4

borrador (*m.*) eraser, P1

bota (*f.*) boot, 7

botánica (*f.*) herb shop
(*herbal medicine*), (11)

botella (*f.*) bottle, 4

botones (*m.*) bellhop, 13

Brasil Brazil, (12)

brasileño(-a) Brazilian, (12)

brazo (*m.*) arm, 10

bróculi (*m.*) broccoli, 15

bueno(-a) nice, good, kind, 4;
—**as noches** good evening,
P1; —**as tardes** good
afternoon, P1; —**os días**
good morning, P1

bufanda (*m.*) scarf, 7

buscar to look for, 5

C

caballero gentleman, 7

cabaret (*m.*) cabaret, (16)

cabeza (*f.*) head, 7
cada each, every, 11
cadena (*f.*) chain, (15)
caer(se) to fall (down), 10
café (*m.*) coffee, 1; cafe, 9; (*adj.*) brown, P1
cafetería (*f.*) cafeteria, 1
cajero(-a) cashier, 2; teller, 5
calcetín (*m.*) sock, 7
calefacción (*f.*) heating, 13
cálido(-a) hot, 7
caliente hot, 4
calzar to take a certain size in shoes, 7
calzoncillo (*m.*) undershorts, 7
calle (*f.*) street, 13
callejón (*m.*) alley, 13
cama (*f.*) bed, 3; **— chica** (*f.*) twin bed, 13; **— doble** (*f.*) double bed, 13
camarero (*m.*) waiter, 9
camarón (*m.*) shrimp, 9
cambiar to change, 11
cambio (*m.*) change, 17; **— de moneda** (*m.*) rate of exchange, 13
caminar to walk, 11
camino (*m.*) road; **camino a...** on the way to. . . , 16
camisa (*f.*) shirt, 7
camiseta (*f.*) tee-shirt, 7
camisón (*m.*) nightgown, 7
campo (*m.*) country, 9
cana (*f.*) gray hair, 7
cancelar to cancel, 13
canción (*f.*) song
cangrejo (*m.*) crab, 9
cansado(-a) tired, 4
capital (*f.*) capital, (11)
capó (*m.*) hood, 17
cara (*f.*) face, 11
¡caramba! gee! wow!, 1
Caribe (*m.*) Caribbean, (11)
carnaval (*m.*) Mardi Gras, (12)
carne (*f.*) meat, 8; **—asada** roast beef, 9
carnicería (*f.*) meat market, 8
cariños (*m. pl.*) love, 9
caro(-a) expensive, 6
carta (*f.*) letter, 4
cartera (*f.*) handbag, purse, 7
carro (*m.*) car, 7

carroza (*f.*) float, (12)
casa (*f.*) house, 5; **— at home,** 5
casarse (con) to marry, to get married, 14
caset (*m.*) cassette tape, 4
casi almost, 9
caso (*m.*) case,(14); **en — de** in case of, (14)
caspa (*f.*) dandruff, 6
castaño brown (*hair or eyes*), 4
catalán(-ana) Catalonian, (17)
catarro (*m.*) cold, 11
catorce fourteen, P2
cebolla (*f.*) onion, 8
ceder to yield, 16; **— el paso** to yield the right of way, 16
celebración (*f.*) celebration, (12)
celebrar to celebrate, 9
cena (*f.*) dinner, 9
cenar to have dinner, 4
centro (*m.*) center, (13); downtown, 13
cerca (de) near, 2
cerdo (*m.*) pork, 9
cereal (*m.*) cereal, 8
ceremonia (*f.*) ceremony, (14)
cero zero, P1
certificado(-a) certified, 5
cerveza (*f.*) beer, 4
cerrar (e > ie) to close, 6
césped (*m.*) lawn, 15
ciclón (*m.*) cyclone, 7
cielo (*m.*) sky, 7
cien (ciento) one hundred, 4
ciencias (*f. pl.*) sciences, (16); **— económicas** (*f. pl.*) economics 3
científico(-a) scientific, (12)
cierto true, 3
cinco five, P1
cincuenta fifty, 4
cine (*m.*) movie theater, 4
cinta (*f.*) tape, 4
cinto (*m.*) belt, 7
cinturón (*m.*) belt, 7
cítrico(-a) citrus, (11)
ciudad (*f.*) city, 5
claramente clearly, 5
claro(-a) clear, 5
clase (*f.*) class, 1; classroom, P1; **de primera —** first-class, 13

clima (*m.*) climate, 2
club nocturno (*m.*) night club, 4
cobrar to cash, 5; to charge, 13; **— un cheque** to cash a check, 5
cocina (*f.*) kitchen, 14
cocinar to cook, 9
coche (*m.*) car, 7; **— comedor** (*m.*) dining car, 17
codo (*m.*) elbow, 11
colcha (*f.*) bedspread, 15
colección (*f.*) collection, (16)
colonial colonial, (11)
colonizar to colonize, (12)
combinación (*f.*) slip, 7
comedor (*m.*) dining room, 13
comenzar (e > ie) to start, to begin, 4
comer to eat, 2; **— algo** to have something to eat, 3
comercial commercial, (17)
comercialmente commercially, (14)
comestibles (*m. pl.*) groceries, 8
comida (*f.*) food, meal, 11
como since, 7; as, like, 6; **¿cómo?** pardon me? P2; how, P2; **¿— está usted?** how are you? P2; **— no** of course, sure, 4; **¿— se dice...?** how do you say . . . ? P2; **¿ — se llama usted?** what is your name? P2; **¿ — te llamas?** what is your name? P2; **— siempre** as usual, 2; **¿ a —... ?** how much? 13
compadre (*m.*) friend, (14)
compañero(-a) de cuarto roommate, 3
compartimiento de equipajes (*m.*) luggage rack, 17
completamente completely, 5
completo(-a) complete, 5
comprar to buy, 5
comprobante (*m.*) claim check, 12
con with, P2
concierto (*m.*) concert, 4
conducir (yo conduzco) to drive, 16
confirmar to confirm, 13

congelador (*m.*) freezer, 15
conmigo with me, P2
conocer (yo conozco) to know, to meet, to be acquainted with, 3
conseguir (e > i) to obtain, to get, 6
consejero(-a) adviser, 3
conservar to conserve, (11)
considerar to consider, (16)
constituir to constitute, (15)
construcción (*f.*) construction, (12)
construir to build, (11)
consulta (*f.*) visit (*to a doctor's office*), 10
consultorio (*m.*) doctor's office, 11
contar (o > ue) to tell, 15
contener to contain, (16)
contigo (*fam. sing.*) with you, 3
continuar to continue, 9
contraste (*m.*) contrast, (11)
conversar to talk, to converse, 1
copa (*f.*) wine glass, 9
corazón (*m.*) heart, 11
corbata (*f.*) necktie, 7
cordero (*m.*) lamb, 9
cordillera (*f.*) mountain range, (15)
correo (*m.*) post office, 5
correr to run, to jog, 2
cortar to cut, 6; **— el césped** to mow the lawn, 15; **—se el pelo** to get a haircut, 6
corte (*m.*) haircut, 6
corto(-a) short, 6
cosa (*f.*) thing, 8
cosmopolita cosmopolitan, (17)
costa (*f.*) coast, (15)
costado (*m.*) side, 6
costar (o > ue) to cost, 5
costumbre (*f.*) custom, 9
creer to think, to believe, 3
crema (*f.*) cream, 9
criada (*f.*) maid, 15
criar to bring up, (15)
crimen (*m.*) crime, (11)
cristal (*m.*) glass, (16)
crucero (*m.*) cruise, 13
crudo(-a) raw, 9; **casi —** rare, 9
cruzar to cross, 17

cuaderno (*m.*) notebook, P1
cuadra (*f.*) block, 16
cuadrado(-a) square, (15)
¿cuál? (*pl.* **¿cuáles?**) which, what, 1
cualquier(a) any, anybody, 5
cuando when, 13
¿cuándo? when? 1
¿cuánto(-a)? how much, 1; **¿ — tiempo?** how long? 10
¿cuántos(-as)? how many? 1
cuarenta forty, 4
cuarto (*m.*) room, 3; **— de baño** (*m.*) bathroom, 13; quarter, 1; **menos —** quarter to, 1; **y —** quarter past, 1
cuatro four, P1
cuatrocientos(-as) four hundred, 5
cubano(-a) Cuban, 2
cuchara (*f.*) spoon, 9
cucharita (*f.*) teaspoon, 9
cuchillo (*m.*) knife, 9
cuello (*m.*) neck, 11
cuenta (*f.*) account, 5; bill, 9; **— corriente** (*f.*) checking account; **— de ahorros** (*f.*) savings account, 5
cuerpo (*m.*) body, 11
cuidado (*m.*) care; **con —** carefully, 16
cuidarse to take care of oneself, 11
cultural cultural, (12)
cumpleaños (*m.*) birthday, 7
cuñada (*f.*) sister-in-law, 15
cuñado (*m.*) brother-in-law, 15
curar to cure, (11)
curita (*f.*) bandaid, 11
curva (*f.*) curve, 16

CH

chaleco (*m.*) vest, 7
champú (*m.*) shampoo, 6
chapa (*f.*) license plate, 17
chaqueta (*f.*) jacket, 7
chau bye, P2
cheque (*m.*) check, 2
chica (*f.*) girl, 4
chico (*m.*) boy, 4
chico(-a) (*adj.*) small, little, 9
chocolate (*m.*) chocolate, 4

chorizo (*m.*) sausage, 9
chuleta (*f.*) chop, 9

D

dar to give, 4
darse cuenta (de) to notice, to realize, 16
darse prisa to hurry up, 15
datar desde to date from, (16)
de of, 1; from, 2; about, 12; **— la mañana (noche, tarde)** in the morning (evening, afternoon), 1; **— repente** suddenly, 17
debajo (de) under, 3
deber to have to, must, should, 2
década (*f.*) decade, (12)
decidir to decide, 2
decir (e > i) (yo digo) to say, to tell, 6; **¿cómo se — ... ?** how do you say... ? P2
declarar to declare, 17
dedo (*m.*) finger, 11; **— del pie** toe, 11
dejar to leave, 6; to let, to allow, 16; **— para mañana lo que uno puede hacer hoy** to procrastinate, 11
delgado(-a) slim, thin, 4
demasiado too, too much, 14
denso(-a) dense, (12)
dentista (*m. + f.*) dentist, 15
departamento (*m.*) department, 7; **— de caballeros** (*m.*) men's department, 7
dependiente(-a) clerk, 7
deporte (*m.*) sport, 11
depositar to deposit, 5
derecho straight ahead, 16
derecho(-a) right; **a la —** on the right, 6;
desaparecer to disappear, (13)
desayunar to have breakfast, 9
desayuno (*m.*) breakfast, 13
descendiente (*m. + f.*) descendant, (13)
descuento (*m.*) discount, 7
desde from, since, (12)
desear to wish, to want, 1
desempleo (*m.*) unemployment, (11)

desfile (*m.*) parade, (12)
desmayarse to faint, 10
desocupar to vacate, to check out, 13
despacio slow, P2
despegar to take off (*plane*), 17
despejado(-a) clear (*sky*), 7
después later, 7; **— de** after, 9
desvío (*m.*) detour, 16
detener (*conj. like* **tener**) to stop, 16
detergente (*m.*) detergent, 8
día (*m.*) day, P1; **al —** per day, 1; **al — siguiente** the next day, 11
dialecto (*m.*) dialect, (15)
diario (*m.*) newspaper; diary, 11
diccionario (*m.*) dictionary, P2
diciembre December, P2
dictado (*m.*) dictation, P1
dicho(-a) (decir) said, 10
diecinueve nineteen, P2
dieciocho eighteen, P2
dieciséis sixteen, P2
diecisiete seventeen, P2
diente (*m.*) tooth, 11
diez ten, P1
diferente different, (16)
difícil difficult, 5; **es —** it's unlikely, 14
dinero (*m.*) money, 5
dirección (*f.*) address, 15; **— única** one-way, 16
disco (*m.*) record, 4
disfraz (*m.*) costume, (12)
divertirse (e > ie) to have fun, 9
dividir to divide, (15)
doblar to turn, 16
doce twelve, P2
docena (*f.*) dozen, 8
doctor (Dr.) (*m.*) doctor, P2
doctora (Dra.) (*f.*) doctor, P2
documento (*m.*) document, 13
dólar (*m.*) dollar, 2
doler (o > ue) to hurt, to ache, 10
dolor (*m.*) pain, 11; **— de cabeza** (*m.*) headache, 11
domingo (*m.*) Sunday, P2

donde where, 1
¿dónde? where? 1
dorado(-a) gold, golden, P1
dormir (o > ue) to sleep, 5; **—se** to fall asleep, 8
dormitorio (*m.*) bedroom, 14
dos two, P1
doscientos(-as) two hundred, 5
ducha (*f.*) shower, 13
dudar to doubt, 12
dueño(-a) owner, 13
durante during, 11
durar to last, (12)
durazno (*m.*) peach, 8

E

e and, P2
economía (*f.*) economy, (13)
económico(-a) economic, (12)
edificio (*m.*) building, (11)
educación (*f.*) education, (13); **— física** physical education, 4
educativo(-a) educational, (14)
efectivo (*m.*) cash, 5
Egipto (*m.*) Egypt, (11)
ejemplo (*m.*) example, (17); **por —** for example, (17)
ejercicio (*m.*) exercise, 11; **hacer —** to exercise, 11
el the (*m. sing.*); **— que** the one that, 14
él he, 1; him, 6
electricidad (*f.*) electricity, (11)
elegante elegant, 7
elemental elementary, (14)
ella she, 1; her, 6
ellas (*f.*) they, 1; them, 6
ellos (*m.*) they, 1; them, 6
embarazada pregnant, 11
emergencia (*f.*) emergency, 10
empezar (e > ie) to start, to begin, 4
empleado(-a) clerk, 5
en in, at, on, P1; **— cuanto** as soon as, 13; **— regla** in order, 13; **— seguida** right away, immediately, 6
encantado(-a) delighted, P2
encantarle a uno to love, 17
encontrar (o > ue) to find, 5

energía (*f.*) energy, (11)
enero January, P2
enfermero(-a) nurse, 10
enfermo(-a) sick, ill, 4
ensalada (*f.*) salad, 4; **— mixta** (*f.*) mixed salad, 9
enseñar to show, 12
entonces then, 4
entrar (en) to enter, to go into, 5
entre between, among, 11; **— semana** during the week, 12
enviar to send, 5
enyesar to put a cast on, 10
época (*f.*) time, 11
equipaje (*m.*) luggage, 12
escala (*f.*) stopover, 12
escalera (*f.*) stairs, 10
escoba (*f.*) broom, 15
escribir to write, 2
escrito(-a) written, 10
escritorio (*m.*) desk, P1
escuchar to listen to, 17
escultura (*f.*) sculpture, (16)
ese, esos, esa(s) (*adj.*) that, those (*nearby*), 5; (*pron.*) that (one), those, 5
eso (*neut. pron.*) that, 5
espacio (*m.*) space, 3
espaguetis (*m. pl.*) spaghetti, 9
espalda (*f.*) back, 10
España (*f.*) Spain, 13
español (*m.*) Spanish (*language*), 1
especialidad (*f.*) specialty, 9
especialización (*f.*) major, 3
especialmente especially, 5
esperar to wait for, 3; to hope, 11
espléndido(-a) splendid, (12)
esposa (*f.*) wife, 6
esposo (*m.*) husband, 6
esquina (*f.*) corner, 10
esta (*pron.*) this (one), 3; (*adj.*) this, 5
estable stable, (11)
estación (*f.*) station; **— de servicio** (*f.*) service station, 16; **— de trenes (de ferrocarril)** (*f.*) train (*railroad*) station, 17
estacionar to park, 16

estampilla (*f.*)   stamp, 5
estante (*m.*)   shelf, 3
estar   to be, 4
estatura (*f.*)   height, 4
este (*m.*)   east, 14
este, estos, esta(s) (*adj.*)   this, these, 5; (*pron.*) this (one), these, the latter, 5
estilo (*m.*)   style, (16)
esto (*neut. pron.*)   this, 5
estómago (*m.*)   stomach, 11
estrecho(-a)   narrow, 7
estudiante (*m. + f.*)   student, P1
estudiar   to study, 1
estupendo(-a)   great, 17
europeo(-a)   European, (13)
examen (*m.*)   exam, P1
examinar   to examine, to check, 11
excepto   except (for), (12)
exceso (*m.*)   excess, 12; **— de equipaje** (*m.*)   excess baggage, 12
excursión (*f.*)   tour, excursion, 12
existencia (*f.*)   existence, (14)
exportación (*f.*)   export, (11)
exportador (*m.*)   exporter, (11)
exposición (*f.*)   exhibit, (16)
expreso   express, 17
extenso(-a)   extensive, (12)
exterior   exterior, 13
extra   extra, 13
extrañar   to miss, 15
extraño(-a)   strange, 16

F

fácil   easy, 5
fácilmente   easily, 5
faja (*f.*)   girdle, 7
falda (*f.*)   skirt, 7
famoso(-a)   famous, (12)
farmacéutico(-a)   pharmacist, 11
farmacia (*f.*)   pharmacy, 8
fe (*f.*)   faith, 11
febrero   February, P2
feliz   happy, 4
feo(-a)   ugly, 4
fiebre (*f.*)   fever, 11
fiesta (*f.*)   party, 4
fijarse   to check, to notice, 15

fin (*m.*)   end; **— de semana** (*m.*)   weekend, 15; **al —** finally, 7
financiero(-a)   financial, (17)
firmar   to sign, 13
física (*f.*)   physics, 1
flan (*m.*)   custard, 9
folleto (*m.*)   brochure, 12
formado(-a)   formed, (15)
foto (*f.*)   photograph, picture, 15
fotografía (*f.*)   photograph, picture, 15
fractura (*f.*)   fracture, 10
francamente   frankly, 5
francés (*m.*)   French (*language*), 2
franco(-a)   frank, 5
frecuencia (*f.*)   frequency; **con —** frequently, (11)
frecuente   frequent, 5
frecuentemente   frequently, 5
fregadero (*m.*)   sink, 15
fregar (e > ie)   to wash (*dishes*), 15
freno (*m.*)   brake, 17
fresa (*f.*)   strawberry, 9
frío(-a)   cold, iced, 4
fruta (*f.*)   fruit, 8
frutería (*f.*)   fruit store, 8
fumar   to smoke, 12
funcionar   to work, to function, 17
funda (*f.*)   pillowcase, 15
fundar   to found, (11)
fútbol (*m.*)   soccer, 8

G

ganadería (*f.*)   cattle raising, (13)
ganado (*m.*)   cattle, (11)
ganar   to earn, 13
garaje (*m.*)   garage, 14
garganta (*f.*)   throat, 11
gas (*m.*)   gas, (12)
gasolina (*f.*)   gasoline, 16
gasolinera (*f.*)   service station, 16
gastar   to spend (*money*), 8
gato(-a)   cat, 4
general   general, 5; **en —** generally, (12)
generalmente   generally, 5
gente (*f.*)   people, 5

gerente (*m. + f.*)   manager, 13
giro postal (*m.*)   money order, 5
gobierno (*m.*)   government, (12)
goma (*f.*)   tire, 17
gordo(-a)   fat, 4
gota (*f.*)   drop, 11; **— para la nariz** (*f. pl.*)   nose drops, 11
grabadora (*f.*)   tape recorder, P1
gracias   thank you, P2
grado (*m.*)   degree, 7; grade, (15)
gran   great, big, 7
grande   big, 7
gratis   free, 17
gripe (*m.*)   flu, 11
gris   gray, P1
grúa (*f.*)   tow truck, 16
grupo (*m.*)   group, (15)
guante (*m.*)   glove, 7
guapo(-a)   handsome, good-looking, 4
gustar   to like, to appeal to, 7
gusto   pleasure, P2; **el — es mío**   the pleasure is mine, P2

H

haber (*aux.*)   to have, 10
habitación (*f.*)   room, 3
habitante (*m. + f.*)   inhabitant, (13)
habla (*f.*)   speech, (13); **de — hispana**   Spanish-speaking, (13)
hablar   to speak, 1
hacer   to do, to make, 8; **hace...** ... ago, 13; **hace buen (mal) tiempo**   to be good (bad) weather, 7; **— calor**   to be hot, 7; **— cola**   to stand in line, 5; **— diligencias**   to run errands, 5; **— ejercicio**   to exercise, 11; **— escala**   to stop over, 12; **— frío**   to be cold, 7; **— sol**   to be sunny, 7; **— viento**   to be windy, 7
hambre (*f.*)   hunger, 3; **tener —**   to be hungry, 3
hamburguesa (*f.*)   hamburger, 9

hasta until, 4; **— luego** see you later, P1; **— mañana** see you tomorrow, P1; **— que** until, 13

hay there is, there are, P1; **— que** one must, 17

hecho(-a) made, done, 10

helado (*m.*) ice cream, 9

helado(-a) (*adj.*) iced, 4

herencia (*f.*) heritage, (17)

herida (*f.*) wound, 10

hermana (*f.*) sister, 7

hermano (*m.*) brother, 14

hermoso(-a) beautiful, 9

hidroeléctrico(-a) hydro-electric, (11)

hielo (*m.*) ice, 4

hierba (*f.*) herb, (11)

hija (*f.*) daughter, 3

hijastra (*f.*) step-daughter, 15

hijastro (*m.*) stepson, 15

hijo (*m.*) son, 3

hispánico(-a) Hispanic, (15)

hispano(-a) Hispanic, (14)

historia (*f.*) history, 1

histórico(-a) historic, (17)

hola hi, P1

hombre (*m.*) man, P1

hora (*f.*) hour, 1; time, 13; **¿qué — es?** what time is it? 1; **¿a qué — ?** at what time? 1

horno (*m.*) oven, 15; **al —** baked, 9

hospedarse to stay (*i.e., at a hotel*), 13

hospitalidad (*f.*) hospitality, (11)

hotel (*m.*) hotel, 9

hoy today, P2

hubo (haber) there was, there were, 11

huevo (*m.*) egg, 8

húmedo(-a) humid, 7

huracán (*m.*) hurricane, 7

I

ida (*f.*) departure; **de —** one-way, 12; **de — y vuelta** round-trip, 12

idea (*f.*) idea, 3

identificación (*f.*) identification, 2

idioma (*m.*) language, 2

iglesia (*f.*) church, (17)

impermeable (*m.*) raincoat, 7

importante important, 14

importar to matter, 5

imposible impossible, 14

imprenta (*f.*) printing press, (17)

inaccesible inaccessible, (12)

inaugurado(-a) inaugurated, (17)

incluir to include, 12

índice (*m.*) index, (14)

indígena native, (11)

indio(-a) Indian, (13)

individualidad (*f.*) individuality, (17)

industria (*f.*) industry, (17)

industrial industrial, (14)

inexistente nonexistent, (11)

infección (*f.*) infection, 11

inflación (*f.*) inflation, (13)

información (*f.*) information, 5

informática (*f.*) computer science, 1

ingeniería (*f.*) engineering, 7

inglés (*m.*) English (*language*), 1

institución (*f.*) institution, (12)

inteligente intelligent, 4

interés (*m.*) interest, 5

interior interior, 13

invierno (*m.*) winter, P2

invitación (*f.*) invitation, 4

invitar to ask, 12

inyección (*f.*) injection, 10

ir to go, 4; **— de compras** to go shopping, 7; **—se** to leave, 10; **—(se) de vacaciones** to go on vacation, 12

italiano (*m.*) Italian (*language*), 2

itinerario (*m.*) schedule, timetable, 17

izquierdo(-a) left; **a la —** to the left, 6

J

jabón (*m.*) soap, 8

jamás never, 7

jamón (*m.*) ham, 9

jarabe (*m.*) syrup, 11

jardín (*m.*) garden, 11

jefe(-a) boss, 17

juego (*m.*) game, 8

jueves Thursday, P2

jugo (*m.*) juice, 3; **— de naranja** orange juice, 3

julio July, P2

junio June, P2

K

kilómetro (*m.*) kilometer, 16

L

la (*f. sing.*) the, P1; her, you, it, 6

laboratorio (*m.*) laboratory, 2

lacio straight (*hair*), 6

lado (*m.*) side, 6

lago (*m.*) lake, (16)

langosta (*f.*) lobster, 9

lápiz (*m.*) pencil, P1

largo(-a) long, 6

las (*f. pl.*) the, P1; them, you, 6

lastimarse to get hurt, 11

latinoamericano(-a) Latin American, (11)

lavado (*m.*) shampoo, 6

lavadora (*f.*) washing machine, 15

lavaplatos (*m.*) dishwasher, 15

lavar to wash, 15; **— en seco** to dryclean, 15

le to him, to her, to you (*form.*), 7

lección (*f.*) lesson, P1

leche (*f.*) milk, 1

lechuga (*f.*) lettuce, 8

leer to read, 4

legalmente legally, (14)

lejía (*f.*) bleach, 8

lengua (*f.*) language, tongue, 11

lentamente slowly, 5

lento(-a) slow, 5

les (to) them, (to) you (*form.*), 7

levantarse to get up, 7

libre free, 11; vacant, 13

libro (*m.*) book, P1

licencia para conducir (*f.*) driver's license, 2

licuadora (*f.*) blender, 15

limitar to border, (12)
limpiaparabrisas (*m.*) windshield wiper, 17
limpiar to clean, 8; **— en seco** to dryclean, 15
liquidación (*f.*) sale, 7
lista de espera (*f.*) waiting list, 13
listo(-a) ready, 9
litera (*f.*) berth, 17
literario(-a) literary, (12)
literatura (*f.*) literature, 1
lo him, you, it, 6; **— que** what, 14
los (*m. pl.*) the, P1; them, you (*form.*), 6
luego then, later, 9
lugar (*m.*) place, (12)
luna de miel (*f.*) honeymoon, 14
lunes Monday, P2
luz (*f.*) light, P2

LL

llamada (*f.*) call, 12; **— telefónica** (*f.*) phone call, 11
llamar to call, to telephone, 3; **— a la puerta** to knock on the door, 15; **— por teléfono** to phone, 4
llamarse to be named; **¿cómo se llama?** what's your name? P2; **¿cómo te llamas?** what's your name? P2; **me llamo** my name is, P2
llanta (*f.*) tire, 17
llave (*f.*) key, 13
llegada (*f.*) arrival, 13
llegar to arrive, 3
llenar to fill, 16
lleno(-a) full, 17
llevar to take (*something or someone somewhere*), to carry, 4
llover (o > ue) to rain, 5; **— a cántaros** to rain cats and dogs, 5
lluvia (*f.*) rain, 7

M

madera (*f.*) wood, (11)
madrastra (*f.*) stepmother, 15
madre (*f.*) mother, 4

madrina (*f.*) godmother, (14)
madrugada (*f.*) early morning, 9
magnífico(-a) great, 4
maíz (*m.*) corn, (14)
mal badly, 11
maleta (*f.*) suitcase, 3
maletero (*m.*) trunk, 17
maletín (*m.*) hand luggage, 13
malo(-a) bad, 14
mamá mom, 4
mandar to send, 4; **¿mande?** pardon? P2
manejar to drive, 16
mano (*f.*) hand, P1
mantel (*m.*) tablecloth, 9
mantequilla (*f.*) butter, 8
manzana (*f.*) apple, 8
mañana tomorrow, 4
mapa (*m.*) map, P1
mar (*m.*) sea, ocean, 13
marisco (*m.*) shellfish, 9
martes Tuesday, P2
marrón brown, P1
marzo March, P2
más more, 14; plus, P2; **— de** more than, 13; **— ... que** more . . . than, 13
matemáticas (*f. pl.*) mathematics, 1
materia (*f.*) subject, 1
matrícula (*f.*) registration, tuition, 2
matrimonio (*m.*) couple, husband and wife, 16
máximo(-a) maximum, 15
mayo May, P2
mayor (*adj.*) older, oldest, 14; greater, larger, 14; **en su — parte** for the most part, (14)
mayoría (*f.*) majority, (13)
me (*obj. pron.*) me, 6; to me, 7; (to) myself, 7
mecánico (*m.*) mechanic, 17
mediano(-a) medium, 4
medicina (*f.*) medicine, 10
médico(-a) doctor, 10
medio(-a) half; **y —** half past, 1; **— hora** half an hour, 13
mediodía (*m.*) noon, 13; **al —** at noon, 13
medios de transporte (*m. pl.*) means of transportation, 16

mejor better, best, 14; **a lo —** maybe, perhaps, 7
mejorar to improve, 11
mejorarse to get better, 11
melocotón (*m.*) peach, 8
menor younger, youngest, 14; smaller, 14
menos less, least, 14; minus, P2
mentir (e >ie) to lie, 11
menú (*m.*) menu, 9
mercado (*m.*) market, 8
mercancía (*f.*) merchandise, (14)
merienda (*f.*) afternoon snack, 9
mes (*m.*) month, 6; **el — que viene** next month
mesa (*f.*) table, P1; desk, P1
mesero (*m.*) waiter, 9
mestizo(-a) of mixed race (*Indian and white*), (14)
meta (*f.*) goal, 11
metro (*m.*) subway, 13
mezcla (*f.*) mixture, (15)
mi (*adj.*) my, 3
mí (*obj. of prep.*) me, 6
mientras while, 3
miércoles Wednesday, P2
mil one thousand, 5
milla (*f.*) mile, (15)
millón (*m.*) million, 5
mineral mineral, (12)
minoría (*f.*) minority, (14)
minuto (*m.*) minute, 13
mío(-a) (*pron.*) mine, 14
míos(-as) mine, 14
mirar to look at, 2
mismo(-a) same, 3; **lo —** the same thing, 9
mitad (*f.*) half, (13)
modelo (*m.*) model, (14)
moderno(-a) modern, (11)
momento (*m.*) moment, 5
moneda (*f.*) currency, coin, (11)
montañoso(-a) mountainous, (14)
monumento (*m.*) monument, (12)
moreno(-a) dark, brunette, 4
morir (o > ue) to die, 9; **—se de hambre** to starve, to die of hunger, 9
mostrar (o > ue) to show, 12

motor (*m.*)   motor, engine, 16
mozo (*m.*)   waiter, 9
muchacha (*f.*)   girl, 4; maid, 15
muchacho (*m.*)   boy, 4
mucho(-a)   much, a lot of, 3;
   — gusto   a pleasure, how do
   you do? P2
muchos(-as)   many, 2; **—s**
   gracias   thank you very
   much, P2;
muebles (*m. pl.*)   furniture, 14
muerto(-a)   died, 10
mujer (*f.*)   woman, P1
muletas (*f. pl.*)   crutches, 10
multa (*f.*)   fine, traffic ticket, 16
mundo (*m.*)   world, (12)
muñeca (*f.*)   wrist, 11
muro (*m.*)   wall, (17)
museo (*m.*)   museum, 16
música (*f.*)   music, 17
muy   very, P2

N

nada   nothing, 7; **— más**
   nothing else, 8; **de —**   you're
   welcome, P2
nadie   nobody, no one, 7
naranja (*f.*)   orange, 8
nariz (*f.*)   nose, 11
natural   natural, (12)
Navidad (*f.*)   Christmas, 15
necesario(-a)   necessary, 14
necesitar   to need, 1
negro(-a)   black, P1
neumático (*m.*)   tire, 17
nevada (*f.*)   blizzard, 7
nevar (e > ie)   to snow, 7
ni   neither, nor, 7
niebla (*f.*)   fog, 7
nieta (*f.*)   granddaughter, (15)
nieto (*m.*)   grandson, (15)
ningún, ninguna   no, 7
ninguno(-a)   none, not any, 7
niño(-a)   child, 4
no   no, P2; **¿no?**   isn't that so?
   P2
nocturno(-a)   night (*adj.*), (16)
noche (*f.*)   night, 2; **esta —**
   tonight, 9
nombre (*m.*)   name, (17)
nominal   nominal, (12)
normal   normal, 5
normalmente   normally, 5
norte (*m.*)   North, 13

norteamericano(-a)   North
   American, 2
nos (*obj. pron.*)   us, 6; to us,
   7; (*to*) ourselves, 7; —
   vemos,   I'll see you, P2
nosotros(-as)   we, 1; us, 6
novecientos(-as)   nine
   hundred, 5
noventa   ninety, 4
novia (*f.*)   girlfriend, 2
noviembre   November, P2
novio (*m.*)   boyfriend, 2
nublado   cloudy, 7
nuera (*f.*)   daughter-in-law, 15
nuestro(-s), nuestra(-s) (*adj.*)
   our, 3; (*pron.*) ours, 14
nueve   nine, P1
número (*m.*)   number, P1
nunca   never, 7

O

o   or, 4; **o...o**   either . . . or, 7
objeto (*m.*)   object, (16)
obligatorio(-a)   obligatory, (14)
obra (*f.*)   work (*e.g., of art*)
   (16)
octubre   October, P2
ocupado(-a)   busy, 7;
   occupied, 13
ocupar   to occupy, (17)
ochenta   eighty, 4
ocho   eight, P1
ochocientos   eight hundred, 5
oeste (*m.*)   west, 13
oficial   official, (11)
oficina (*f.*)   office, 17; **— de**
   correos   post office, 5;
   — de telégrafos   telegraph
   office, 7
oído (*m.*)   ear (*inner*), 11
oír   to hear, 17
ojalá...   I hope . . . , 14
ojo (*m.*)   eye, 4
olvidar(se) (de)   to forget, 15
ómnibus (*m.*)   bus, 10
once   eleven, P2
oreja (*f.*)   ear (*external*), 11
oro (*m.*)   gold, (16)
os (*fam. pl.*)   (*to*) you, 7; (*to*)
   yourselves, 7
otoño (*m.*)   autumn, P2
otro(-a)   other, another, 15;
   otra vez   again, 17
oye   listen, P2

P

paciencia (*f.*)   patience, 15
Pacífico (*m.*)   Pacific Ocean,
   (15)
padrastro (*m.*)   stepfather,
   15
padre (*m.*)   father, 4
padres (*m. pl.*)   parents, 14
padrino (*m.*)   godfather, 14
pagar   to pay, 2
página (*f.*)   page, P1
país (*m.*)   country, 15
palacio (*m.*)   palace, 16
pan (*m.*)   bread, 8; **— dulce**
   sweet roll, 9; **— tostado**
   toast, 9
panadería (*f.*)   bakery, 8
panqueque (*m.*)   pancake, 9
pantalón, pantalones (*m.*)
   pants, trousers, 7
pantimedias (*f. pl.*)   pantyhose,
   7
papa (*f.*)   potato, 8; **—s fritas**
   French fries, 9
papá (*m.*)   dad, 4
papel (*m.*)   paper, P2;
   — higiénico   toilet paper, 8
paquete (*m.*)   package, 7
par (*m.*)   pair, 7
para   for, in order to, 7;
   — que   in order that, 13;
   ¿— qué?   what for? 10
parabrisas (*m.*)   windshield,
   17
parado(-a)   standing, 10
paraguas (*m.*)   umbrella, 7
paraguayo(-a)   Paraguayan,
   (11)
paralelo(-a)   parallel, (15)
parar   to stop, 16
pararse   to stand, 10
parecer   to look, to seem, 14
pariente(-a)   relative, 14
parque (*m.*)   park, 13; **— de**
   diversiones   amusement
   park, 4
parte (*f.*)   part, 5
participar   to participate, (12)
partido (*m.*)   game, 8
pasado(-a)   last, 8; **— mañana**
   the day after tomorrow, 9
pasaje (*m.*)   ticket, 12
pasajero(-a)   passenger, 12
pasaporte (*m.*)   passport, 12

pasar to happen, 13; to spend time, 13; — **la aspiradora** to vacuum, 15; — **por la aduana** to go through customs, 13; — **una película** to show a movie, 17; **pase** come in, P2
pasatiempo (*m.*) pastime, 11
pasear to go for a walk, (16)
paseo (*m.*) walk(way), (17)
paso de peatones (*m.*) crosswalk, 16
pastel (*m.*) pastry, cake, pie, 9
pastilla (*f.*) pill, 11
patata (*f.*) potato, 8
patio (*m.*) patio, 13
P. D. (post data) P. S., 4
peatón (*m.*) pedestrian, 16
pecho (*m.*) chest, 11
pedazo (*m.*) piece, 9
pedido (*m.*) order, 9
pedir (**e > i**) to ask for, to request, 6; — **turno** to make an appointment, 6
peinado (*m.*) hairdo, set, 6
película movie, film, 17
peligro (*m.*) danger, 16
peligroso(-a) dangerous, 16
pelirrojo(-a) redheaded, 4
pelo (*m.*) hair, 4
peluquería (*f.*) beauty parlor, 6
peluquero(-a) hairdresser, beautician, 6
penicilina (*f.*) penicillin, 11
pensar (**e > ie**) to think, to plan, 4
pensión (*f.*) boarding house, 13
peor worse, worst, 14
pequeño(-a) small, little, 9
pera (*f.*) pear, 8
perder (**e > ie**) to lose; — **el conocimiento** to lose consciousness, 10
perdón excuse me, sorry, P2
periódico (*m.*) newspaper, (17)
período (*m.*) period, (13)
permanente (*f.*) permanent, 6
permiso excuse me, P2; — **para conducir** (*m.*) driver's license, 2
pero but, 2
perro(-a) dog; — **caliente**

(*m.*) hot dog, 9
persona (*f.*) person, 12
pescadería (*f.*) fishmarket, 8
pescado (*m.*) fish, 8
petróleo (*m.*) oil, (12)
picnic (*m.*) picnic, 4; **de —** on a picnic, 4
pie (*m.*) foot, 7
pierna (*f.*) leg, 10
pieza de repuesto (*f.*) spare part, 17
pijama (*m.*) pajama, 7
piloto (*m.*) pilot, 17
pimienta (*f.*) pepper, 9
pinchazo (*m.*) flat tire, 17
pintura (*f.*) painting, (16)
piscina (*f.*) swimming pool, 13
piso (*m.*) floor, 8
pizarra (*f.*) chalkboard, P1; — **de anuncios** bulletin board, P2
plancha (*f.*) iron, 15
planchar to iron, 15
planear to plan, 13
platicar (*Mex.*) to talk, 1
platillo (*m.*) saucer, 9
plato (*m.*) dish, plate, 9
playa (*f.*) beach, 13
plaza (*f.*) square, (16)
pluma (*f.*) pen, P1
población (*f.*) population, (11)
pobre poor, (14)
poco(-a) little, 4
poder (**o > ue**) to be able to, 5
polvo (*m.*) powder, (11)
pollo (*m.*) chicken, 9
ponche (*m.*) punch (*beverage*), 4
poner (**yo pongo**) to put, to place, 3; to turn on, 17; — **en marcha** to start (*an engine*), 17; — **la mesa** to set the table, 9; — **una inyección** to give a shot, 10; — **una multa** to give a ticket, to fine, 16
ponerse to put on, 7
popular popular, (13)
por for, per, through, along, by, because of, on account of, on behalf of, 10; — **ciento** percent, 5; — **favor** please, P1; — **la mañana (noche, tarde)** in the morning (evening, afternoon), P1
porque because, 1

¿por qué? why? 1
portugués (*m.*) Portuguese (*language*), 2
posible possible, 5
posiblemente possibly, 5
postre (*m.*) dessert, 9; **de —** for dessert, 9
prácticamente practically, (12)
precio (*m.*) price, 13
preferible preferable, 14
preferir (**e > ie**) to prefer, 4
preguntar to ask (*a question*), 9
preocupado(-a) worried, 4
preparar(se) to prepare (*oneself*), 11
presentarse to be presented, (16)
presente present, (16)
préstamo (*m.*) loan, 7
prestigioso(-a) prestigious, (12)
primavera (*f.*) spring, P2
primera clase (*f.*) first class, 13
primo(-a) cousin, 14
principal principal, main, (11)
principalmente principally, (11)
privado(-a) private, 13
probable probable, 14
probador (*m.*) fitting room, 7
probar(se) (**o > ue**) to try on, 7
problema (*m.*) problem, 2
producir to produce, (11)
producto (*m.*) product, (11)
profesor(-a) professor, P1
programa (*m.*) program, 2
prohibido(-a) prohibited, 16
pronto soon, 11; **de —** suddenly, 17
propina (*f.*) tip, 9
provincia (*f.*) province, 17
próximo(-a) next, 6
publicar to publish, (17)
puede ser maybe, perhaps, 14
puente (*m.*) bridge, 16
puerta (*f.*) door, P1; — **de salida** (*f.*) boarding gate, 12
puerto (*m.*) port, (12)
pues... well . . . , 2
puesto(-a) put, placed, 10
puesto de revistas (*m.*) magazine stand, 13
pulmonía (*f.*) pneumonia, 11
punto (*m.*) point, (17); **en —** on the dot, 7

pupitre (*m.*) desk, P2
puré de papas (*m.*) mashed potatoes, 9

Q

que that, who, 3; which, what, 12; **— viene** next . . . , 6; **¡qué...!** what a . . . !, 9; **¿qué?** what?, 2; **¿ — día es hoy?** what day is today?, P2; **¿ — fecha es hoy?** what is today's date?, P2; **¿ — hay de nuevo?** what's new?, P2; **¿ — hora es?** what time is it?, 1; **¿ — quiere decir...?** what does . . . mean?, 2; **¿ — tal?** how's it going?, P2
quedar to fit, to suit, 7; to remain, to be left over, 12; to be located, 16
quedar(le) grande / chico(-a) a uno to be too big (small) on someone, 7
quedarse to stay, 13
querer (**e > ie**) to want, 4; **— decir** to mean, P2
querido(-a) dear, 4
queso (*m.*) cheese, 8
quien whom, 12
¿quién(es)? who?, 1; **¿de quién(es)?** whose?, 2
química (*f.*) chemistry, 1
quince fifteen, P2; **— días** two weeks, 12
quinientos(-as) five hundred, 5
quitarse to take off, 7

R

radiador (*m.*) radiator, 16
radiografía (*f.*) X-ray, 10
raíz (*f.*) root, (11)
rápidamente rapidly, 5
rápido fast, 5
raramente rarely, 5
raro(-a) rare, strange, 5
rasurarse to shave, 7
rato (*m.*) while, 2
raya (*f.*) part (*in hair*), 6
real real, 5
realmente really, 5

receta (*f.*) prescription, 11
recetar to prescribe, 10
recibir to receive, 4
recibo (*m.*) receipt, 2
reciente recent, 5
recientemente recently, 5
recogedor (*m.*) dustpan, 15
recomendar (**e > ie**) to recommend, 9
recordar (**o > ue**) to remember, 5
recurso (*m.*) resource, (12)
redentor (*m.*) redeemer, (12)
regalar to give (*a gift*), 7
regalo (*m.*) present, gift, 7
región (*f.*) region, (15)
registro (*m.*) register, 13
regresar to return, 12
reloj (*m.*) clock, P1
remar to row, (16)
remedio (*m.*) alternative, 12; **si no hay más —** if it can't be helped, 12
remolcar to tow, 16
represa (*f.*) dam, 11
requisito (*m.*) requirement, 3
reserva (*f.*) reserve, (12)
reservación (*f.*) reservation, 9
reservar to reserve, 12
resfriado (*m.*) cold, 11
resfrío (*m.*) cold, 11
residencia universitaria (*f.*) dormitory, 2
residente (*m. + f.*) resident, 2
restaurante (*m.*) restaurant, 9
retraso (*m.*) delay, 17; **tener ... de —** to be . . . behind schedule, 17
revisar to check, 17
revista (*f.*) magazine, 6
riquísimo(-a) very tasty, 9
rizado curly (*hair*), 6
rizador (*m.*) curling iron, 6
rizar to curl, 6
rodilla (*f.*) knee, 11
rojo(-a) red, P1
romano(-a) Roman, (17)
romper(se) to break, 10
ropa (*f.*) clothes, 3; **— interior** (*f.*) underwear, 7
ropero (*m.*) closet, 3
rosado(-a) pink, P1; **vino —** rosé wine, 4
rosbif (*m.*) roast beef, 9
roto(-a) broken, 10

rubio(-a) blond, 4
rueda (*f.*) wheel, 17
ruido (*m.*) noise, 16

S

sábado (*m.*) Saturday, P2
sábana (*f.*) sheet, 15
saber (**yo sé**) to know (*a fact, how to do something*), 3
sacar to take out, 5
sagrado(-a) sacred, holy, (17)
sal (*f.*) salt, 9
sala (*f.*) living room, 14; **— de emergencia** (*f.*) emergency room, 10; **— de estar** (*f.*) family room, den, 14; **— de rayos X (equis)** (*f.*) X-ray room, 10
salida (*f.*) exit, 12; departure, 17; **tener — a** to have a path to, (11)
salir (de) (yo salgo) to leave, to go out (of), 7
salón (*m.*) room, 3; **— de belleza** (*m.*) beauty parlor, 6; **— de estar** (*m.*) family room, den, 14; **— de recreo** (*m.*) recreation room, 3
salsa (*f.*) sauce, 15
salud (*f.*) health, 12
sandalia (*f.*) sandal, 7
sándwich (*m.*) sandwich, 4
se (to) herself, himself, itself, themselves, yourself, yourselves, 7
secador (*m.*) dryer, hair dryer, 6
secadora (*f.*) dryer, clothes dryer, 15
sección (*f.*) section, 12; **— de (no) fumar** (*f.*) (non) smoking section, 12
seco(-a) dry, 7
secretario(-a) secretary, P1
seguir (**e > i**) to continue, 9; to follow, (14)
seguro(-a) sure, 4
seguro médico (*m.*) medical insurance, 10
seis six, P2
seiscientos(-as) six hundred, 5
selva (*f.*) jungle, (12)
sello (*m.*) stamp, 5

semáforo   traffic light, 16
semestre (*m.*)   semester, 2
sentar(se) (e > ie)   to sit, to sit down, 7
sentir (e > ie)   to regret, 11; **lo siento**   I'm sorry, P2; **—(se)** to feel, 11
señor (Sr.) (*m.*)   Mr., Sir, gentleman, P1; **los señores...** Mr. and Mrs. . . . , 13
señora (Sra.) (*f.*)   lady, Madam, Mrs., P1
señorita (Srta.) (*f.*)   Miss, young lady, P1
septiembre   September, P2
ser   to be, 2; **— de...**   to be made of, 5
servicio de habitación (*m.*) room service, 13
servilleta (*f.*)   napkin, 9
servir   to serve, 9; **¿en qué puedo —le?**   what can I do for you? 5
sesenta   sixty, 4
setecientos(-as)   seven hundred, 5
setenta   seventy, 4
si   if, 4
sí   yes, 2
siempre   always, 6
siesta (*f.*)   nap, 5
siete   seven, P1
siglo (*m.*)   century, (16)
siguiente   following, 6
silla (*f.*)   chair, P1
similar   similar, (11)
simpático(-a)   charming, nice, fun to be with, 4
sin   without, (11); **— embargo** however, (13)
sino   but, (16)
sistema (*m.*)   system, 2
situado(-a)   situated, (17)
sobre   on, 3; about, 12
sobrecama (*f.*)   bedspread, 15
sobrina (*f.*)   niece, 14
sobrino (*m.*)   nephew, 14
social   social, (11)
sofá cama (*m.*)   sofa bed, 13
solamente   only, 6
solo(-a)   alone, 12
sólo   only, 6
sombrero (*m.*)   hat, 7
sombrilla (*f.*)   parasol, 7
sopa (*f.*)   soup, 9

su   his, her, its, their, your (*form.*), 3
subir   to go up, 7; **subir (a)**   to board (*a vehicle*), 12
subterráneo (*m.*)   subway, 13
suegra (*f.*)   mother-in-law, 15
suegro (*m.*)   father-in-law, 15
suéter (*m.*)   sweater, 7
suficiente   enough, sufficient, 2
sufrir   to suffer, (13)
sugerir (e > ie)   to suggest, 11
sujetar(se)   to hold, 16
supermercado (*m.*)   supermarket, 8
sur (*m.*)   south, 13
Suramérica (*f.*)   South America, (12)
suyo(s), suya(s) (*pron.*)   his, hers, theirs, yours, 14

T

tabaco (*m.*)   tobacco, (11)
talonario de cheques (*m.*) checkbook, 5
talla (*f.*)   size, 7
tallarines (*m. pl.*)   spaghetti, 9
taller de mecánica (*m.*) repair shop, 16
tamaño (*m.*)   size, 7
también   also, too, 2
tampoco   neither, 7
tan   as, so; **—... como**   as... as, 14; **— pronto como**   as soon as, 13
tanque (*m.*)   tank, 16
tanto(-a)   as much, so much, 8
tarde (*adj.*)   late, 1; **más —** later, 6; **tarde** (*f.*)   afternoon, 2
tarjeta (*f.*)   card, 5; **— postal** (*f.*)   postcard, 5; **— de embarque (embarco)** (*f.*) boarding pass, 17
taxi (*m.*)   taxi, 5
taza (*f.*)   cup, 1
te (*pron.*)   you, 6; to you, to yourself, 7
té (*m.*)   tea, 4
teatro (*m.*)   theater, 4
teléfono (*m.*)   telephone, 4; **por —**   on the phone, 4
telegrama (*m.*)   telegram, 2
televisor (*m.*)   television set, 13

temer   to fear, 11
temperatura (*f.*)   temperature, 7
templado(-a)   warm, 7
temprano   early, 7
tener   to have, 3; **— ... años (de edad)**   to be... years old, 3; **— calor**   to be warm, 3; **— cuidado**   to be careful, 11; **— ... de atraso**   to be... behind, 17; **— frío**   to be cold, 3; **— ganas de...**   to feel like... , 17; **— hambre**   to be hungry, 3; **— miedo**   to be afraid, 3; **— prisa**   to be in a hurry, 3; **— que**   to have to, 3; **— razón**   to be right, 3; **— sed**   to be thirsty, 3; **— sueño**   to be sleepy, 3
tenedor (*m.*)   fork, 9
terminar   to end, to finish, 1
término medio   medium rare, 9
ternera (*f.*)   veal, 9
terremoto (*m.*)   earthquake, 7
ti (*pron.*)   you, 6
tía (*f.*)   aunt, 7
tiempo (*m.*)   weather, 7; time, 8
tienda (*f.*)   store, 7; **— de regalos** (*f.*)   souvenir shop, 13
tinte (*m.*)   dye, coloring, 7
tintorería (*f.*)   dry cleaner, 15
tío (*m.*)   uncle, 7
tipo (*m.*)   type, 12
tiza (*f.*)   chalk, P1
toalla (*f.*)   towel, 15
tobillo (*m.*)   ankle, 10
tocadiscos (*m.*)   record player, 4
tocar a la puerta   to knock on the door, 15
tocino (*m.*)   bacon, 9
todavía   still, yet, 15; **— no** not yet, 15
todo   all, 11; everything, 13; **— el día**   all day long, 11; **— el mundo**   everybody, (13); **de —**   everything, 9
todos(-as)   all, every, 13
tomar   to take, to drink, 1; **— algo**   to have something to drink, 3; **— asiento**   to take a seat, P2; **— una decisión**   to

make a decision, 11; **— una siesta** to take a nap, 5
tomate (*m.*) tomato, 8
torcer(se) (o > ue) to twist, 10
tormenta (*f.*) storm, 7
tornado (*m.*) tornado, 7
toronja (*f.*) grapefruit, 4
torta (*f.*) cake, 4
tos (*f.*) cough, 11
tostada (*f.*) toast, 9
tostadora (*f.*) toaster, 15
total total, (13)
trabajador(-a) hardworking, 4
trabajar to work, 1
traer (yo traigo) to bring, 8
traje (*m.*) suit, 7; **— de baño** (*m.*) bathing suit, 7
trasbordar to transfer, to change (*planes, ships, etc.*), 12
tratar (de) to try (to), 11
trece thirteen, P2
treinta thirty, P2
tren (*m.*) train, 17
tres three, P1
trescientos(-as) three hundred, 5
trimestre (*m.*) quarter, 2
tu your (*fam. sing.*), 3
tú you (*fam. sing.*), 1
turismo (*m.*) tourism, (13)
turista (*m.* + *f.*) tourist, 12
turístico(-a) tourist (*adj.*), (12)
turno (*m.*) appointment, 6
tuyo(s), tuya(s) (*pron.*) yours (*fam. sing.*), 14

U

últimamente lately, 11
último(-a) last (*in a series*), 2
un(a) a, an, one, P1
único(-a) only, (11)
unidad (*f.*) unit, 2
universidad (*f.*) university, P1
uno one, P1

unos(-as) about, some, P1
uruguayo(-a) Uruguayan, (13)
usar to use, 6; to wear, 7
usted (Ud.) you (*form.*), 1; you (*obj. of prep.*), 6
ustedes (Uds.) you (*form. pl.*), 1; you (*obj. of prep.*), 6
utilizar to use, (11)
uva (*f.*) grape, 8

V

vacaciones (*f. pl.*) vacation, 9; **de —** on vacation, 9
vacío(-a) empty, 17
vainilla (*f.*) vanilla, 9
valija (*f.*) suitcase, 3
valioso(-a) valuable, (16)
valor (*m.*) value, (11)
varios(-as) several, 9
vaso (*m.*) glass, 1
vegetales (*m. pl.*) vegetables, 8
veinte twenty, P2
velocidad (*f.*) speed, 16; **— máxima** speed limit, 16
vendar to bandage, 10
vender to sell, 6
venir to come, 3; **...que viene** next ..., 6
venta (*f.*) sale, 7
ventana (*f.*) window, P1
ventanilla (*f.*) ticket window, 17
ver (yo veo) to see, 8
veranear to spend the summer (*on vacation*), 13
verano (*m.*) summer, P2
verdad (*f.*) truth, 6
verde green, P1
verdulería (*f.*) greengrocery, 8
vestíbulo (*m.*) lobby, 13
vestido (*m.*) dress, 7; **— de noche** (*m.*) evening gown, 7
vestir(se) (e > i) to dress (oneself), to get dressed, 7

vez (*f.*) time (*in a series*), 8
vía aérea airmail, 5
viajar to travel, 12
viaje (*m.*) trip, 12; **¡buen — !** have a nice trip! 12
vida (*f.*) life, (16)
viernes (*m.*) Friday, P2
villa (*f.*) village, (14)
vinagre (*m.*) vinegar, 15
vino (*m.*) wine, 4; **— rosado** rosé wine, 4; **— tinto** red wine, 4
visa (*f.*) visa, 12
visita (*f.*) visit, 15
visitante (*m.* + *f.*) visitor, (12)
visitar to visit, 13
vista (*f.*) view, 13
visto(-a) seen, 10
vivir to live, 2
volante (*m.*) steering wheel, 16
volcán (*m.*) volcano, (15)
volver (o > ue) to return, to go (come) back, 5
vosotros(-as) you (*fam. pl.*), 1; you (*obj. of prep.*), 6
vuelo (*m.*) flight, 12
vuelto(-a) returned, 10
vuestro(-a) (*adj.*) your, 3
vuestro(s), vuestra(s) (*pron.*) yours, 14

Y

y and, P2
ya already, 1
yerno (*m.*) son-in-law, 15
yo I, 1

Z

zacate (*m.*) (*Mex.*) lawn, 15
zanahoria (*f.*) carrot, 8
zapatería (*f.*) shoe store, 7
zapatilla (*f.*) slipper, 7
zapato (*m.*) shoe, 7
zona (*f.*) zone, (11)
zumo (*m.*) juice, 4

English—Spanish

A

a, an un(-a), P1
about unos(-as), P1; de, 12; sobre, 12
accept aceptar, 2
accident accidente (*m.*), 10
accompanied acompañado(-a), 12
accompany acompañar, 12
account cuenta (*f.*), 5; **on — of** por, 10
ache doler (*o > ue*), 10
act actuar, 14
active activo(-a), 16
activity actividad (*f.*), 15
address dirección (*f.*), 15
advance adelanto (*m.*), 13
advise aconsejar, 11
advisor consejero(-a), 13
after después (de), 9
afternoon tarde (*f.*), 2
again otra vez, 17
agent agente (*m. + f.*), 12
ago hace..., 13
agricultural agrícola, (12)
agriculture agricultura (*f.*), (13)
air aire (*m.*); **— conditioning** aire acondicionado, 13
airline aerolínea (*f.*), 12
airmail por avión, 5; vía aérea, 5
airplane avión (*m.*), 12
airport aeropuerto (*m.*), 12
alcoholic alcohólico(-a), 17
all todos(-as), 13
almost casi, 9
allergic alérgico(-a), 11
alley callejón (*m.*), 13
allow dejar, 16
alone solo(-a), 12
along por, 10
already ya, 1
also también, 2
alternative remedio (*m.*), 12
although aunque, 11
always siempre, 6
ambulance ambulancia (*f.*), 10
among entre, 11
amusement park parque de diversiones (*m.*), 4

and y, e, P2
angel ángel (*m.*), 15
ankle tobillo (*m.*), 10
anniversary aniversario (*m.*), 9
announce anunciar, 17
another otro(-a), 15
any cualquier(-a), 5; algún, alguna, 7
anybody cualquiera, 5
anything algo, 7; **— else?** ¿algo más? 7
apartment apartamento (*m.*), 2
appeal to gustar, 7
appearance apariencia (*f.*), 4
apple manzana (*f.*), 8
appointment turno (*m.*), 6; **make an —** pedir turno, 6
appreciate apreciar (16)
April abril, P2
architect arquitecto(-a), (17)
architecture arquitectura (*f.*), (16)
area área (*f.*), (15)
arm brazo (*m.*), 10
arrival llegada (*f.*), 13
arrive (at) llegar (a), 3
artisanry artesanía (*f.*), (16)
artist artista (*m. + f.*), (16)
artistic artístico(-a), (12)
as como, 6; tan, 14; **as . . . as** tan...como, 14; **as much ...** tanto(-a)..., 8; **as soon as** tan pronto como, 13, en cuanto, 13; **as usual** como siempre, 2
ask (for) pedir (*e > i*), 6; **— (a question)** preguntar, 9; invitar, 12
aspirin aspirina (*f.*), 11
at a, 1
attend asistir (a), 3
attract atraer, (12)
attraction atracción (*f.*), (12)
August agosto, P2
aunt tía (*f.*), 7
automatic automático(-a), 17
autonomous autónomo(-a), (17)
autumn otoño (*m.*), P2
avenue avenida (*f.*), 13

B

back espalda (*f.*), 10
bacon tocino (*m.*), 9
bad malo(-a), 14
badly mal, 11
baked al horno, 9
bakery panadería (*f.*), 9
ballpoint pen bolígrafo (*m.*), P2
banana banana (*f.*), (14)
bandage vendar, 10
bandaid curita (*f.*), 11
bank banco (*m.*), 5
baptism bautismo (*m.*), (14)
baptize bautizar, (14)
barber barbero(-a), 6
barber shop barbería (*f.*), 6
baseball béisbol (*m.*), 8
based basado(-a), 13
bathe bañar(se), 7
bathing suit traje de baño (*m.*), 7
bathrobe bata (*f.*), 7
bathroom baño (*m.*), 13; cuarto de baño (*m.*), 13
bathtub bañadera (*f.*), 13
battery acumulador (*m.*), 17; batería (*f.*), 17
be ser, 2; estar, 4; **— able to** poder (*o > ue*), 5; **— afraid** tener miedo, 3; **— careful** tener cuidado, 11; **— cold** tener frío, 3, hacer frío, 7; **— hot** tener calor, 3; hacer calor, 7; **— hungry** tener hambre, 3; **— in a hurry** tener prisa, 3; **— located** quedar, 16; **— made of** ser de, 5; **— right** tener razón, 3; **— sleepy** tener sueño, 3; **— sorry** sentir (*e > ie*), 11; **— sunny** hacer sol, 7; **— thirsty** tener sed, 3; **— too big (small) on someone** quedarle grande (chico) a uno, 7; **— windy** hacer viento, 7
beach playa (*f.*), 13
beach resort balneario (*m.*), 13
beard barba (*f.*), 6
beautician peluquero(-a), 6

beautiful hermoso(-a), 9
beauty parlor peluquería (*f.*), 6; salón de belleza (*m.*), 6
because porque, 1; **— of** por, 10
bed cama (*f.*), 3; **double —** cama doble, 13; **twin —** cama chica, 13
bedroom dormitorio (*m.*), 14
bedspread sobrecama (*f.*), 15; colcha (*f.*), 15
beer cerveza (*f.*), 4
before antes (*adv.*), 11; antes de (*prep.*), 11; antes de que (*conj.*), 13
begin comenzar (*e > ie*), 4; empezar (*e > ie*), 4
believe creer, 3
bellhop botones (*m.*), 13
belt cinto (*m.*), 6; cinturón (*m.*), 7
beside además de (*prep.*), 11
besides además (*adv.*), 11
best (el, la) mejor, 14
better mejor, 14
between entre, 11
beverage bebida (*f.*), 17
big gran, 7; grande, 7
bill cuenta (*f.*), 9
biology biología (*f.*), 1
birthday cumpleaños (*m.*), 7
black negro(-a), P1
bleach lejía (*f.*), 8
blender licuadora (*f.*), 15
blizzard nevada (*f.*), 7
block cuadra (*f.*), 16
blond rubio(-a), 4
blouse blusa (*f.*), 7
blue azul, P1
board subir (a), 12; abordar, 17
boarding gate puerta de salida (*f.*), 12
boarding house pensión (*f.*), 13
boarding pass tarjeta de embarque (embarco) (*f.*), 17
body cuerpo (*m.*), 11
book libro (*m.*), P1
boot bota (*f.*), 7
border limitar (con), (12)
boss jefe(-a), 17
bottle botella (*f.*), 4
boy chico (*m.*), 4; muchacho (*m.*), 4

boyfriend novio (*m.*), 2
brake freno (*m.*), 17
Brazil Brasil (*m.*), (12)
Brazilian brasileño(-a) (12)
bread pan (*m.*), 8
break romper(se), 10
breakfast desayuno (*m.*), 13; **have —** desayunar, 9
bridge puente (*m.*), 16
bring traer (yo traigo), 8; **— up** criar, (15)
broccoli bróculi (*m.*), 15
brochure folleto (*m.*), 12
brother-in-law cuñado (*m.*), 15
broken roto(-a), 10
broom escoba (*f.*), 15
brother hermano (*m.*), 14
brown marrón, P1; café, P1; (*hair or eyes*) castaño, 4
brunette moreno(-a), 4
build construir, (11)
building edificio (*m.*), (11)
bulletin board pizarra de anuncios (*f.*), P2
bus autobús (*m.*), 10; ómnibus (*m.*), 10
busy ocupado(-a), 7
but pero, 2; sino, (16)
butter mantequilla (*f.*), 8
buy comprar, 5
by por, 10
bye chau, P2

C

cabaret cabaret (*m.*), 7
cafe café (*m.*), 9
cafeteria cafetería (*f.*), 1
cake torta (*f.*), 4
call llamar, 3; llamada (*f.*), 12
cancel cancelar, 13
capital capital (*f.*), (11)
car automóvil (*m.*), 7; carro (*m.*), 7; coche (*m.*), 7
carburetor carburador (*m.*), 16
card tarjeta (*f.*), 5
care cuidado (*m.*), 16
carefully con cuidado, 16
Caribbean Caribe (*m.*), (11)
carpet alfombra (*f.*), 15
carrot zanahoria (*f.*), 8
carry llevar, 4
case caso (*m.*), (14); **in — of** en caso de, (14)

cash efectivo (*m.*), 5; **— (a check)** cobrar (un cheque), 5
cashier cajero(-a), 2
cassette tape caset (*m.*), 4
cat gato(-a), 4
Catalonian catalán(-ana), (17)
cattle ganado (*m.*), (11); **— raising** ganadería (*f.*), (13)
celebrate celebrar, 9
celebration celebración (*f.*), (12)
center centro (*m.*), (13)
century siglo (*m.*), (16)
cereal cereal (*m.*), 8
ceremony ceremonia (*f.*), (14)
certified certificado(-a), 5
chain cadena (*f.*), (15)
chair silla (*f.*), P1
chalk tiza (*f.*), P1
chalkboard pizarra (*f.*), P1
change cambio (*m.*), 17; cambiar, 11; **— planes** trasbordar, 12
charge cobrar, 13
charming simpático(-a), 4
cheap barato(-a), 6
check cheque (*m.*), 2; examinar, 10; fijarse, 15; revisar, 17; **— out** (*of a hotel*) desocupar, 13
checkbook talonario de cheques (*m.*), 5
checking account cuenta corriente (*f.*), 5
cheese queso (*m.*), 8
chemistry química (*f.*), 1
chest pecho (*m.*), 11
chicken pollo (*m.*), 9
child niño(-a), 4
chocolate chocolate (*m.*), 4
chop chuleta (*f.*), 9
Christmas Navidad (*f.*), 15
church iglesia (*f.*), (17)
citrus cítrico(-a), (11)
city ciudad (*f.*), 5
claim check comprobante (*m.*), 12
class clase (*f.*), 1
classroom clase (*f.*), P1
clean limpiar, 8
cleaner's tintorería (*f.*), 15
clear claro(-a), 5; despejado(-a), 7
clearly claramente, 5

clerk empleado(-a), 5; dependiente(-a), 7
climate clima (*m.*), 7
clock reloj (*m.*), P1
close cerrar (*e > ie*), 6
closet armario (*m.*), 3; ropero (*m.*), 3
clothes ropa (*f.*), 3
cloudy nublado, 7
coast costa (*f.*), (15)
coat abrigo (*m.*), 7
coffee café (*m.*), 1
coin moneda (*f.*), (11)
cold catarro (*m.*), 11; resfriado (*m.*), 11; resfrío (*m.*), 11; frío(-a), 4
collection colección (*f.*), (16)
colonial colonial, (11)
colonize colonizar, (12)
come venir, 3; — **back** volver (*o > ue*), 5; — **in** pasar, P2; entrar, 5
commercial comercial, (17)
commercially comercialmente, (14)
complete completo(-a), 5
completely completamente, 5
computer science informática (*f.*), 1
concert concierto (*m.*), 4
confirm confirmar, 13
consciousness conocimiento (*m.*), 10; **lose —** perder el conocimiento, 10
conserve conservar, (11)
consider considerar, (16)
constitute constituir, (15)
construction construcción (*f.*), (12)
contain contener, (16)
continue continuar, 9; seguir (*e > i*), 9
contrast contraste (*m.*), (11)
converse conversar, 1
cook cocinar, 9
corn maíz (*m.*), (14)
corner esquina (*f.*), 10
cosmopolitan cosmopolita, (17)
cost costar (*o > ue*), 5
costume disfraz (*m.*), (12)
cotton algodón (*m.*), 11
cough tos (*f.*), 11
country campo (*m.*), 9; país (*m.*), 15
couple matrimonio (*m.*), 16

course asignatura (*f.*), 1
cousin primo(-a), 14
crab cangrejo (*m.*), 9
credit unidad (*f.*), 2
cream crema (*f.*), 9
crime crimen (*m.*), (11)
cross atravesar (*e > ie*), (15); cruzar, 17
crosswalk paso de peatones (*m.*), 16
cruise crucero (*m.*), 13
crutches muletas (*f.*), 10
Cuban cubano(-a), 2
cultural cultural, (12)
cup taza (*f.*), 2
cure curar, (11)
curl rizar, 6
curling iron rizador (*m.*), 6
curly (*hair*) rizado, 6
currency moneda (*f.*), (11)
curve curva (*f.*), 16
custard flan (*m.*), 9
custom costumbre (*f.*), 9
customs aduana (*f.*), 17
cut cortar, 6
cyclone ciclón (*m.*), 7

D

dad papá, 4
dam represa (*f.*), 11
dance bailar, 4
dandruff caspa (*f.*), 6
danger peligro (*m.*), 16
dangerous peligroso(-a), 16
dark moreno(-a), 4
date (from) datar (desde), (16)
daughter hija (*f.*), 3
daughter-in-law nuera (*f.*), 15
day día (*m.*), P1; **all — long** todo el día, 11; **per —** al día, 1; **the — after tomorrow** pasado mañana, 9; **the — before yesterday** anteayer, 9; **the next —** al día siguiente, 11
dead muerto(-a), 10
dear querido(-a), 4
decade década (*f.*), (12)
December diciembre, P2
decide decidir, 2
declare declarar, 17
degree grado (*m.*), 7
delay retraso (*m.*), 17
delighted encantado(-a), P2

den sala de estar (*f.*), 14; salón de estar (*m.*), 14
dense denso(-a), (12)
dentist dentista (*m. + f.*), 15
department departamento (*m.*), 7
departure ida (*f.*), 12; salida (*f.*), 17
deposit depositar, 5
descendant descendiente (*m. + f.*), (13)
desk escritorio (*m.*), P1; mesa (*f.*), P1; pupitre (*m.*), P2
dessert postre (*m.*), 9; **for —** de postre, 9
detergent detergente (*m.*), 8
detour desvío (*m.*), 16
dialect dialecto (*m.*), (15)
diary diario (*m.*), 11
dictionary diccionario (*m.*), P2
die morir (*o > ue*), 9
different diferente, (16)
difficult difícil, 14
dining car coche comedor (*m.*), 17
dining room comedor (*m.*), 13
dinner cena (*f.*), 9; **have —** cenar, 4
disappear desaparecer, (13)
discount descuento (*m.*), 7
dish plato (*m.*), 9
dishwasher lavaplatos (*m.*), 15
divide dividir, (15)
do hacer, 8; **what can I — for you?** ¿en qué puedo servirle? 5
doctor doctor(-a), P2; médico(-a), 10
doctor's office consultorio (*m.*), 11
document documento (*m.*), 13
dog perro(-a), 9; **hot —** perro caliente (*m.*), 9
dollar dólar (*m.*), 2
door puerta (*f.*), P1
dormitory residencia universitaria (*f.*), 2
dot: on the dot en punto, 7
doubt dudar, 23
downtown centro (*m.*), 13
dozen docena (*f.*), 8

dress vestido (*m.*), 7;
— **(oneself)** vestir(se)
(*e > i*), 7
drink bebida (*f.*), 17; tomar, 1;
beber, 2
drive conducir (yo conduzco),
16; manejar, 16
driver's license licencia para
conducir (*f.*), 2; permiso para
conducir (*m.*), 2
drop gota (*f.*), 11
dry seco(-a), 7
dryclean limpiar (lavar) en
seco, 15
drycleaners tintorería (*f.*), 15
dryer (*hair*) secador (*m.*), 6;
(*clothes*) secadora (*f.*), 15
during durante, 11
dustpan recogedor (*m.*), 15
dye tinte (*m.*), 7

E

each cada, 11
ear (*internal*) oído (*m.*), 11;
(*external*) oreja (*f.*), 11
earlier antes, 11
early temprano, 7
earn ganar, 13
earthquake terremoto (*m.*), 7
easily fácilmente, 5
east este (*m.*), 14
easy fácil, 5
eat comer, 2
economic económico(-a), (12)
economics ciencias
económicas (*f. pl.*), 3
economy economía (*f.*), (13)
education educación (*f.*), (13)
educational educativo(-a), (14)
egg huevo (*m.*), 8; blanquillo
(*m.*) (*Mex.*), 8
Egypt Egipto (*m.*), (11)
eight ocho, P1
eight hundred
ochocientos(-as), 5
eighteen dieciocho, P2
eighty ochenta, 4
either . . . or o...o, 7
elbow codo (*m.*), 11
electricity electricidad (*f.*),
(11)
elegant elegante, 7
elementary elemental, (14)
eleven once, P2

emergency emergencia (*f.*),
10; — **room** sala de
emergencia (*f.*), 10
empty vacío(-a), 17
end fin (*m.*), 15; terminar, 1
energy energía (*f.*), (11)
engine motor (*m.*), 16
engineering ingeniería (*f.*), 7
English inglés (*m.*), 1
enough suficiente, 2; bastante,
(11)
enter entrar (en), 5
eraser borrador (*m.*), P1
errand diligencia (*f.*), 5; **to
run —s** hacer diligencias, 5
especially especialmente, 5
European europeo(-a), (13)
evening noche, 2; — **gown**
vestido de noche (*m.*), 7
ever alguna vez, 7
every cada, 11; todos(-as), 13
everybody todos(-as), (13);
todo el mundo, (13)
everything de todo, 9; todo, 13
exam examen (*m.*), P1
examine examinar, 11
example ejemplo (*m.*), (17);
for — por ejemplo, (17)
except (for) excepto, (12)
excess exceso (*m.*), 12;
— **baggage** (*charge*) exceso
de equipaje, 12
excursion excursión (*f.*), 12
excuse me perdón, P2;
permiso, P2
exercise ejercicio (*m.*), P1;
hacer ejercicio, 11
exhibit exposición (*f.*), (16)
existence existencia (*f.*), (14)
exit salida (*f.*), 12
expensive caro(-a), 6
export exportación, (*f.*), (11)
exporter exportador (*m.*), (11)
express expreso (*m.*), 17
extensive extenso(-a), (12)
exterior exterior, 13
extra extra, 13
eye ojo (*m.*), 4

F

face cara (*f.*), 11
faint desmayarse, 10
faith fe (*f.*), 11
fall otoño (*m.*), P2; — **(down)**

caer(se); — **asleep** dormirse
(*o > ue*), 8
family room sala de estar (*f.*),
14; salón de estar (*m.*), 14
famous famoso(-a), (12)
fast rápido, 5
fasten one's seatbelt
abrocharse el cinturón de
seguridad, 17
fat gordo(-a), 4
father padre (*m.*), 4
father-in-law suegro (*m.*), 15
fear temer, 11
February febrero, P2
feel sentir(se) (*e > ie*), 11;
— **like** tener ganas de, 17
feet pies (*m. pl.*), 7
fever fiebre (*f.*), 11
fifteen quince, P2
fifty cincuenta, 4
fill llenar, 16
film película (*f.*), 17
finally al fin, 7; por fin, 7
financial financiero(-a), (17)
find encontrar (*o > ue*), 5
fine multa (*f.*), 16; poner una
multa, 16
finger dedo (*m.*), 11
finish terminar, 1
first-class de primera clase, 13
fish pescado (*m.*), 8
fish market pescadería (*f.*),8
fit quedar, 7
fitting room probador (*m.*), 7
five cinco, P1
five hundred quinientos(-as), 5
flat (*tire*) pinchazo (*m.*), 17
flight vuelo (*m.*), 12
float carroza (*f.*), (12)
floor piso (*m.*), 8
flu gripe (*f.*), (11)
fog niebla (*f.*), 7
follow seguir (*e > i*), (14)
following siguiente, 6
food comida (*f.*), 11
foot pie (*m.*), 7
for para, 7; por, 7
forget olvidar(se) (de), 15
fork tenedor (*m.*), 9
formed formado(-a), (15)
forty cuarenta, 4
found fundar, (11)
four cuatro, P1
four hundred
cuatrocientos(-as), 5

fourteen   catorce, P2
fracture   fractura (*f.*), 10
frank   franco(-a), 5
frankly   francamente, 5
free   libre, 11; gratis, 17
freeway   autopista (*f.*), 16
freezer   congelador (*m.*), 15
French   francés (*m.*), 2
French fries   papas fritas (*f. pl.*), 9
frequency   frecuencia (*f.*), (11)
frequent   frecuente, 5
frequently   frecuentemente, 5; con frecuencia, (11)
Friday   viernes (*m.*), P2
fried   frito(-a), 9
friend   amigo(-a), 4
friendship   amistad (*f.*), (16)
from   de, 2; desde, (12)
fruit   fruta (*f.*), 8
fruit store   frutería (*f.*), 8
full   lleno(-a), 17
function   funcionar, 17
furniture   muebles (*m. pl.*), 14

G

game   juego (*m.*), 8; partido (*m.*), 8
garage   garaje (*m.*), 14
garbage   basura (*f.*), 15
garden   jardín (*m.*), 11
gas   gas (*m.*), (12)
gasoline   gasolina (*f.*), 16
gee!   ¡caramba! 1
general   general, 5
generally   generalmente, 5; en general, (12)
gentleman   señor (*m.*) (*abbr.* Sr.), 1; caballero (*m.*), 7
get   conseguir (*e > i*), 6; **— a haircut**   cortarse el pelo, 6; **— acquainted**   conocer (yo conozco), 3; **— better**   mejorarse, 11; **— dressed**   vestirse (*e > i*), 7; **— hurt**   lastimarse, 11; **— married**   casarse (con), 14; **— up**   levantarse, 7
gift   regalo (*m.*), 7
girdle   faja (*f.*), 7
girl   chica (*f.*), 4; muchacha (*f.*), 4
girlfriend   novia (*f.*), 2
give   dar, 4; (*a gift*) regalar, 7;

— an injection   poner una inyección; 10; **— a traffic ticket**   poner una multa, 16
glad: to be glad (about)   alegrarse (de), 11
glass   vaso (*m.*), 1; cristal (*m.*), (16)
glove   guante (*m.*), 7
go   ir, 4; **— back**   volver (*o > ue*), 5; **— down**   bajar, 7; **— for a walk**   pasear, (16); **— on vacation**   ir(se) de vacaciones, 12; **— out**   salir (yo salgo), 7; **— shopping**   ir de compras, 7; **— to bed**   acostarse (*o > ue*), 7; **— up**   subir, 7
goal   meta (*f.*), 11
goddaughter   ahijada (*f.*), (14)
godfather   padrino (*m.*), 14
godmother   madrina (*f.*), (14)
godson   ahijado (*m.*), (14)
gold   oro (*m.*), (16)
golden   dorado(-a), P1
good   bueno(-a), 4; **— afternoon**   buenas tardes, P1; **— evening**   buenas noches, P1; **— morning**   buenos días, P1; **good-looking**   guapo(-a), 4
goodbye   adiós, 1
government   gobierno (*m.*), (12)
grade   grado (*m.*), 15
granddaughter   nieta (*f.*), (15)
grandfather   abuelo (*m.*), 9
grandmother   abuela (*f.*), 9
grandparents   abuelos (*m. pl.*), 9
grandson   nieto (*m.*), (15)
grape   uva (*f.*), 8
grapefruit   toronja (*f.*), 4
gray   gris, P1
great   magnífico(-a), 4; gran, 7; estupendo(-a), 17; **greater**   mayor, 14
green   verde, P1
greengrocery   verdulería (*f.*), 8
groceries   comestibles (*m. pl.*), 8
group   grupo (*m.*), (15)

H

hair   pelo (*m.*), 4; **gray —**   canas (*f. pl.*), 7

haircut   corte de pelo (*m.*), 6
hairdo   peinado (*m.*), 6
hairdresser   peluquero(-a), 6
hair dryer   secador (*m.*), 6
half   mitad (*f.*), (13); medio(-a), 13; **— past**   y media, 1; **— an hour**   media hora, 13
ham   jamón (*m.*), 9
hamburger   hamburguesa (*f.*), 9
hand   mano (*f.*), P1
handbag   bolso (*m.*), 7; cartera (*f.*), 7; bolso de mano (*m.*), 12
hand luggage   maletín (*m.*), 13
handsome   guapo(-a), 4
happen   pasar, 13
happy   feliz, 4
hardworking   trabajador(-a), 4
hat   sombrero (*m.*), 7
have   tener, 3; haber, 10; **— breakfast**   desayunar, 9; **— fun**   divertirse (*e > ie*), 9; **— just . . .**   acabar de..., 3; **— something to drink**   tomar algo, 1; **— something to eat**   comer algo, 3; **— to**   deber, 2; tener que, 3
he   él, 1
head   cabeza (*f.*), 7
headache   dolor de cabeza (*m.*), 11
headphone   audífono (*m.*), 17
hear   oír, 17
heart   corazón (*m.*), 11
heating   calefacción (*f.*), 13
height   estatura (*f.*), 4
hello   hola, P1
help   ayudar, 15; **if it can't be —ed**   si no hay más remedio, 12
her   su(s) (*adj.*); ella (*subj. pron.*), 1; (*obj. of prep.*), 6; la (*dir. obj.*), 6; **(to) her**   le (*ind. obj.*), 7
hers   suyo(-a)(-s), 14
here   aquí, 3; acá, 6
heritage   herencia (*f.*), (17)
herself   se, 7
hi   hola, P1
high   alto(-a), 17
highway   carretera (*f.*), 17
him   él (*obj. of prep.*), 6; lo (*dir. obj.*), 6; **(to) him**   le (*ind. obj.*), 7

himself se, 7
his su(s) (*adj.*), 3; suyo(-a)(-s), 14
Hispanic hispano(-a), 14; hispánico(-a), (15)
historic histórico(-a), (17)
history historia (*f.*), 1
hold sujetar(se), 16
holy sagrado(-a), (17)
home casa, 5; **at —** en casa, 5
honeymoon luna de miel (*f.*), 14
hood capó (*m.*), 17
hope esperar, 11; **I hope...** ojalá..., 14
hot caliente, 4; cálido(-a), 7
hot dog perro caliente (*m.*), 9
hotel hotel (*m.*), 9
hour hora (*f.*), 1
house casa (*f.*), 5
how cómo, P2; **— are you?** ¿cómo está usted?, P2; ¿cómo estás? P2; **— do you say...?** ¿cómo se dice...? P2; **— is it going?** ¿qué tal? P2; **— long?** ¿cuánto tiempo? 10; **— many?** ¿cuántos(-as)? 1; **— much?** ¿cuánto(-a)? 1; ¿a cómo? 13
however sin embargo, (13)
hug abrazo (*m.*), 4
humid húmedo(-a), 7
hunger hambre (*f.*), 3
hungry: to be hungry tener hambre, 3
hurricane huracán (*m.*), 7
hurry apurarse, 8; **— up** darse prisa, 15
hurt doler (*o > ue*), 10
husband esposo (*m.*), 6; **— and wife** matrimonio (*m.*), 16
hydroelectric hidroeléctrico (-a), (11)

I

I yo, 1
ice cream helado (*m.*), 4
iced helado(-a), 4; frío(-a), 4
idea idea (*f.*), 3
identification identificación (*f.*), 2
if si, 4
ill enfermo(-a), 4

illiteracy analfabetismo (*m.*), (14)
immediately inmediatamente, 6; en seguida, 6
important importante, 14
impossible imposible, 14
improve mejorar(se), 11
in en, P1; **— order that** para que, 13; **— order to** para, 7; **— the middle of** a mediados de, 15; **— the morning (afternoon, evening)** de la mañana (tarde, noche), 1
inaccessible inaccesible, (12)
inaugurated inaugurado(-a), (17)
include incluir, 12
index índice (*m.*), (14)
Indian indio(-a), (13)
individuality individualidad (*f.*), (17)
industrial industrial, (14)
industry industria (*f.*), (17)
inexpensive barato(-a), 6
infection infección (*f.*), 11
inflation inflación (*f.*), (13)
information información (*f.*), 5
inhabitant habitante (*m. + f.*), (13)
institution institución (*f.*), (12)
insurance seguro (*m.*), 10; **medical —** seguro médico, 10
intelligent inteligente, 4
interest interés (*m.*), 5
interior interior, 13
invitation invitación (*f.*), 4
invite invitar, 12
injection inyección (*f.*), 10
iron plancha (*f.*), 15; planchar, 15
it la, 6; lo, 6
Italian italiano (*m.*), 2
its su(s), 3
itself se, 7

J

jacket chaqueta (*f.*), 7
January enero, P2
jog correr, 2
juice jugo (*m.*), 3; zumo (*m.*), 4

July julio, P2
June junio, P2
jungle selva (*f.*), (12)

K

key llave (*f.*), 13
kilometer kilómetro (*m.*), 16
kind bueno(-a), 4
kitchen cocina (*f.*), 14
knee rodilla (*f.*), 11
knife cuchillo (*m.*), 9
knock (*at the door*) llamar (tocar) a la puerta, 15
know conocer (yo conozco), 3 saber (yo sé), 3

L

laboratory laboratorio (*m.*), 2
lady señora (*abbr.* Sra.), P1
lake lago (*m.*), (16)
lamb cordero (*m.*), 9
land aterrizar, 17
language idioma (*m.*), 2; lengua (*f.*), 11
larger mayor, 14
last durar, (12); (*in a series*) último(-a), 2; pasado(-a), 8; **— night** anoche, 8
late tarde, 1
lately últimamente, 11
later más tarde, 6; después, 7; luego, 9; **see you —** hasta luego, P1
Latin American latino-americano(-a), (11)
lawn césped (*m.*), 15; zacate (*m.*) (*Mex.*), 15
lawyer abogado(-a), 15
learn aprender (a), 6
least menos, 14
leave dejar, 6; salir (de) (yo salgo), 7; irse (de), 10
left izquierdo(-a), 6; **to the —** a la izquierda, 6; **to be — over** quedar, 12
leg pierna (*f.*), 10
legally legalmente, (14)
less menos, 14
lesson lección (*f.*), P1
let dejar, 16; **— someone know** avisar, 15; **—'s see** a ver
letter carta (*f.*), 4
lettuce lechuga (*f.*), 8

library biblioteca (*f.*), 1
license licencia para conducir (*f.*), 2; permiso para conducir (*m.*), 2
license plate chapa (*f.*), 17
lie mentir (*e > ie*), 11
life vida (*f.*), (16)
light luz (*f.*), P2
like gustar, 7; como, 6
listen (to) escuchar, 16; **listen!** ¡oye! P2
literature literatura (*f.*), 1
literary literario(-a), (12)
little (*adj.*) poco(-a), 4; chico(-a), 9; pequeño(-a), 9
live vivir, 2
liveliness animación (*f.*), (16)
living room sala (*f.*), 14
loan préstamo (*m.*), 7
lobby vestíbulo (*m.*), 13
lobster langosta (*f.*), 9
long largo(-a), 6
look parecer, 14; **— at** mirar, 2; **— for** buscar, 5
lose perder (*e > ie*), 10
lots mucho(-a), 3
love cariños (*m. pl.*), 9; encantarle a uno, 17
lower bajo(-a), 17; **— berth** litera baja (*f.*), 17
luggage equipaje (*m.*), 12; **— rack** compartimiento de equipajes (*m.*), (17)
lunch almuerzo (*m.*), 13; **have —** almorzar (*o > ue*), 9

M

madam señora (*f.*), (*abbr.* Sra.), P1
magazine revista (*f.*), 6; **— stand** puesto de revistas (*m.*), 13
maid criada (*f.*), 15; muchacha (*f.*), 15
main principal, (11)
major especialización (*f.*), 3
majority mayoría (*f.*), (13)
make hacer, 8; **— a decision** tomar una decisión, 11
man hombre (*m.*), P1
manager gerente (*m. + f.*), 13
many muchos(-as), 2
map mapa (*m.*), P1
March marzo, P2

Mardi Gras carnaval (*m.*), (12)
market mercado (*m.*), 8
marry casarse (con), 14
mathematics matemáticas (*f. pl.*), 1
matter importar, 5
maximum máximo(-a), 15
May mayo, P2
maybe a lo mejor, 7; puede ser, 14
me me (*dir. obj.*), 6; (*indir. obj.*), 7; mí (*obj. of prep.*), 6
meal comida (*f.*), 11
mean querer (*e > ie*), decir, P2
means of transportation medios de transporte (*m. pl.*), 16
meat carne (*f.*), 8; **— market** carnicería (*f.*), 8
meatball albóndiga (*f.*), 9
mechanic mecánico (*m.*), 17
medicine medicina (*f.*), 10
medium mediano(-a), 4; **— rare** término medio, 9
meet conocer (yo conozco), 3
men's department departamento de caballeros (*m.*), 7
menu menú (*m.*), 9
merchandise mercancía (*f.*), (14)
mile milla (*f.*), (15)
milk leche (*f.*), 1
milkshake batido (*m.*), 9
mine mío(-a), 14
mineral mineral, (14); **— water** agua mineral (*f.*), 4
minority minoría (*f.*), (14)
minus menos, P1
minute minuto (*m.*), 13
miss extrañar, 15
Miss señorita (*f.*) (*abbr.* Srta.), P1
Mister señor (*m.*) (*abbr.* Sr.), P1; **Mr. and Mrs.. . .** los señores..., 13
mixture mezcla (*f.*), (15)
model modelo (*m.*), (14)
modern moderno(-a), (11)
Mom mamá (*f.*), 4
moment momento (*m.*), 5
Monday lunes (*m.*), P2

money dinero (*m.*), 5; **— order** giro postal (*m.*), 5
month mes (*m.*), 6; **next —** el mes que viene, 6
monument monumento (*m.*), (12)
more más, 14; **— than** más de, 13; más que, 13
morning mañana (*f.*), 1; madrugada (*f.*), 9
mother madre (*f.*), 4
mother-in-law suegra (*f.*), 15
motor motor (*m.*), 16
mountain range cordillera (*f.*), (15)
mountainous montañoso(-a), (14)
moustache bigote (*m.*), 6
mouth boca (*f.*), 11
movie película (*f.*), 17; **— theater** cine (*m.*), 4
mow (*the lawn*) cortar el césped, 15
Mrs. señora (*f.*) (*abbr.* Sra.), P1
much mucho(-a), 3
museum museo (*m.*), 16
music música (*f.*), 17
must deber, 2; **one —** . . . hay que..., 17
my mi(s), 3
myself me, 7

N

name nombre (*m.*), (17); **my — is . . .** me llamo..., P2; **what's your —?** ¿cómo se llama usted? P2; ¿cómo te llamas? P2
nap siesta (*f.*), 5
napkin servilleta (*f.*), 9
narrow estrecho(-a), 7; angosto(-a), 16
native indígena, (11)
natural natural, (12)
near cerca (de), 2
necessary necesario(-a), 14
neck cuello (*m.*), 11
necktie corbata (*f.*), 7
need necesitar, 1
neither ni, 7; tampoco, 7
nephew sobrino (*m.*), 14
never jamás, 7; nunca, 7

newspaper diario (*m.*), 11; periódico (*m.*), (17)
next próximo(-a), 6; que viene, 6
nice bueno(-a), 4; simpático(-a), 4
niece sobrina (*f.*), 14
night noche (*f.*), 2; nocturno(-a), (16)
nightclub club nocturno (*m.*), 4
nightgown camisón (*m.*), 7
nine nueve, P1
nine hundred novecientos(-as), 5
nineteen diecinueve, P2
ninety noventa, 4
no no, P2; ningún(-una), 7
nobody nadie, 7
noise ruido (*m.*), 16
nominal nominal, (12)
none ninguno(-a) 7
nonexistent inexistente, 11
noon mediodía (*m.*), 13
no one nadie, 7
normal normal, 5
normally normalmente, 5
north norte (*m.*), 13
North American norteamericano(-a), 2
nose nariz (*f.*), 11
not no, 2; — **any** ningún, ninguno(-a), 7
notebook cuaderno (*m.*), P1
nothing nada, 7; — **else** nada más, 8
notice fijarse, 15; darse cuenta (de), 16
November noviembre, P2
now ahora, 5
number número (*m.*), P1
nurse enfermero(-a), 10

O

object objeto (*m.*), (16)
obligatory obligatorio(-a), (14)
obtain conseguir (e > i), 6
occupied ocupado(-a), 13
occupy ocupar, (17)
October octubre, P2
of de, 1; — **course** cómo no, 4
office oficina (*f.*), 17
official oficial, (11)

oil petróleo (*m.*), (12); aceite (*m.*), 15
old antiguo(-a), 9
older mayor, 14
oldest (el, la) mayor, 14
on en, P1; sobre, 12; — **top** arriba, 6; — **the way to . . .** camino a..., 16
one uno, P1; un(-a), P1
one hundred cien (ciento), 4
one-way de ida, 12; dirección única, 16
onion cebolla (*f.*), 8
only sólo, 6: solamente, 6; único(-a), (11)
open abrir, 5; abierto(-a), 10
open-air al aire libre, 8
or o, 4
orange anaranjado(-a), P1; naranja (*f.*), 8
order pedido (*m.*), 9; **in —** en regla, 13; **in — that** para que, 13;
other otro(-a), 15
our nuestro(-a), (*adj.*), 3
ours nuestro(-a) (*pron*.), 14
ourselves nos, 7
outdoor al aire libre, 8
oven horno (*m.*), 15
owner dueño(-a), 13

P

Pacific Pacífico (*m.*), (15)
package paquete (*m.*), 9
page página (*f.*), P1
pain dolor (*m.*), 11
painter pintor(-a) (16)
painting pintura (*f.*), (16)
pair par (*m.*), 7
pajamas pijama (*m.*), 7
palace palacio (*m.*), 16
pancake panqueque (*m.*), 9
pants pantalón (*m.*), 7; pantalones (*m. pl.*), 7
pantyhose pantimedias (*f. pl.*), 7
paper papel (*m.*), P2
parade desfile (*m.*), (12)
Paraguayan paraguayo(-a), (11)
parallel paralelo(-a), (15)
parasol sombrilla (*f.*), 7
pardon me? ¿cómo? P2; ¿mande? P2

parents padres (*m. pl.*), 14
park estacionar, 16; parque (*m.*), 13; **amusement —** parque de diversiones, 4
part parte (*f.*), 6; **for the most —** en su mayor parte, 14; **spare —** pieza de repuesto (*f.*), 17
participate participar, (12)
party fiesta (*f.*), 4
passenger pasajero(-a), 12
passport pasaporte (*m.*), 12
pastime pasatiempo (*m.*), 11
pastry pastel (*m.*), 9
path camino (*m.*), 16; **to have a — to** tener salida a, (11)
patience paciencia (*f.*), 15
patio patio (*m.*), 16
pay pagar, 2
peach durazno (*m.*), 8; melocotón (*m.*), 8
pear pera (*f.*), 8
pedestrian peatón (*m.*), 16
pen pluma (*f.*), P1
pencil lápiz (*m.*), P1
penicillin penicilina (*f.*), 11
people gente (*f.*), 5
pepper pimienta (*f.*), 9
per por, 10
percent por ciento, 5
perhaps a lo mejor, 7; puede ser, 14
period período (*m.*), (13)
permanent permanente (*f.*), 6
person persona (*f.*), 12
pharmacist farmacéutico(-a), 11
pharmacy farmacia (*f.*), 8
phone llamar por teléfono, 4; **— call** llamada telefónica (*f.*), 11
photograph foto (*f.*), 15; fotografía (*f.*), 15
physical education educación física (*f.*), 1
physics física (*f.*), 1
picnic picnic (*m.*), 4; **on a —** de picnic, 4
picture foto (*f.*), 15; fotografía (*f.*), 15
pie pastel (*m.*), 9
piece pedazo (*m.*), 9; trozo (*m.*), 9
pill pastilla (*f.*), 11
pillowcase funda (*f.*), 15

pilot   piloto (*m.*), 17
pink   rosado(-a), P1
place   lugar (*m.*), (12)
place   poner (yo pongo), 3
plan   pensar (*e > ie*), 4;
   planear, 13
plane   avión (*m.*), 12
plate   plato (*m.*), 9
platform   andén (*m.*), 17
pleasant   agradable, 11
please   por favor, P1
pleasure   gusto (*m.*), P2;   **the
   — is mine**   el gusto es mío,
   P2
plus   más, P2
pneumonia   pulmonía (*f.*), 11
point   punto (*m.*), (17); **— of
   view**   punto de vista (*m.*), 17
poor   pobre, (14)
popular   popular, (13)
population   población (*f.*),
   (11)
pork   cerdo (*m.*), 9
port   puerto (*m.*), (12)
Portuguese   portugués (*m.*), 2
possible   posible, 5
possibly   posiblemente, 5
post office   correo (*m.*), 5;
   oficina de correos (*f.*), 5
postcard   tarjeta postal (*f.*), 5
potato   patata (*f.*), 8; papa (*f.*),
   8; **mashed —s**   puré de papas
   (*m.*), 9
powder   polvo (*m.*), (11)
practically   prácticamente,
   (12)
prefer   preferir (*e > ie*), 4
preferable   preferible, 14
pregnant   embarazada, 14
prepare   preparar(se), 14
prescribe   recetar, 10
prescription   receta (*f.*), 11
present   regalo (*m.*), 7;
   presente, (16)
prestigious   prestigioso(-a),
   (12)
pretty   bonito(-a), 4
price   precio (*m.*), 13
principal   principal, (11)
principally   principalmente, (11)
printing press   imprenta (*f.*),
   (17)
private   privado(-a), 13
probable   probable, 14
problem   problema (*m.*), 2

procrastinate   dejar para
   mañana lo que uno puede
   hacer hoy, 11
produce   producir, (11)
product   producto (*m.*), (11)
professor   profesor(-a), P1
program   programa (*m.*), 2
prohibited   prohibido(-a), 16
province   provincia (*f.*), (17)
P.S.   post data (*abbr.* P.D.), 4
publish   publicar, (17)
punch   ponche (*m.*), 4
purse   bolso (*m.*), 7; cartera
   (*f.*), 7
put   poner (yo pongo), 3; **— on**
   poner(se), 7; **— a cast on**
   enyesar, 10

Q

quarter   cuarto, (*m.*), 1;
   trimestre (*m.*), 2; **— past . . .**
   ...y cuarto, 1; **— to . . .**
   ...menos cuarto, 1
quite   bastante, (11)

R

radiator   radiador (*m.*), 16
rain   lluvia (*f.*), 7; llover
   (*o > ue*), 5; **— cats and dogs**
   llover a cántaros, 5
raincoat   impermeable (*m.*), 7
rapidly   rápidamente, 5
rare   rara(-a), 5; medio crudo
   (-a), 9
rarely   raramente, 5
rate of exchange   cambio de
   moneda (*m.*), 13
raw   crudo(-a), 9
read   leer, 4
ready   listo(-a), 9
real   real, 5
realize   darse cuenta (de), 16
really   realmente, 5
receipt   recibo (*m.*), 2
receive   recibir, 4
recent   reciente, 5
recently   recientemente, 5
recommend   recomendar
   (*e > ie*), 9
record   disco (*m.*), 4;
   — player   tocadiscos (*m.*), 4
recreation room   salón de
   recreo (*m.*), 3

red   rojo(-a), P1; (*wine*) tinto, 4
redheaded   pelirrojo(-a), 4
region   región (*f.*), (15)
register   registro (*m.*), 13
registration   matrícula (*f.*), 2
regret   sentir (*e > ie*), 11
relative   pariente (*m. + f.*), 14
remain   quedar, 12
remember   recordar (*o > ue*),
   5
rent   alquilar, 14
repair shop   taller de mecánica
   (*m.*), 16
request   pedir (*e > i*), 6
requirement   requisito (*m.*), 3
reservation   reservación (*f.*), 9
reserve   reservar, 9; reserva
   (*f.*), (12)
resident   residente (*m + f.*), 2
resource   recurso (*m.*), (12)
restaurant   restaurante (*m.*), 9
return   volver (*o > ue*), 5
rice   arroz (*m.*), 9
right   derecho(-a), 6; **on the —**
   a la derecha, 6;   **— away**
   en seguida, 6; inmediatamente,
   6
road   camino (*m.*), 16
roast   asado(-a), 9; **— beef**
   carne asada (*f.*), 9; rosbif
   (*m.*), 9
robe   bata (*f.*), 7
Roman   romano(-a), (17)
room   cuarto (*m.*), 3;
   habitación (*f.*), 3; salón (*m.*),
   3; **— service**   servicio de
   habitación (*m.*), 13
roommate   compañero(-a) de
   cuarto, 3
root   raíz (*f.*), (11)
rose   rosado, P1
rosé   (*wine*) rosado, 4
round-trip   de ida y vuelta, 12
row   remar, (16)
rug   alfombra (*f.*), 15
run   correr, 2; **— over**
   atropellar, 10

S

sacred   sagrado(-a), (17)
salad   ensalada (*f.*), 4; **mixed
   —**   ensalada mixta, 9
sale   liquidación (*f.*), 7; venta
   (*f.*), 7

salt sal (*f.*), 9
same mismo(-a), 3; **the —
　thing** lo mismo, 9
sandal sandalia (*f.*), 7
sandwich sándwich (*m.*), 4
Saturday sábado (*m.*), P2
sauce salsa (*f.*), 15
saucer platillo (*m.*), 9
sausage chorizo (*m.*), 9
save (*money*) ahorrar, 11
savings account cuenta de
　ahorros (*f.*), 5
say decir (*e > i*) (yo digo), 6;
　how do you — . . . ? ¿cómo
　se dice...? P2; **you — . . .** se
　dice..., P2
scarf bufanda (*f.*), 7
schedule horario (*m.*), 1;
　itinerario (*m.*), 17; **to be . . .
　behind —** tener...de
　retraso, 17
sciences ciencias (*f. pl.*), (16)
scientific científico(-a), (12)
sculpture escultura (*f.*), (16)
seat asiento (*m.*), 12; **aisle —**
　asiento de pasillo, 12;
　window — asiento de
　ventanilla, 12
secretary secretario(-a), P1
section sección (*f.*), 12;
　(non)smoking — sección
　de (no) fumar, 12
see ver (yo veo), 8; **— you
　later** hasta luego, P1; **— you
　tomorrow** hasta mañana, P1
seen: to be seen verse, (16)
seem parecer, 14
sell vender, 6
semester semestre (*m.*), 2
send mandar, 4; enviar, 5
September septiembre, P2
serve servir (*e > i*), 9
service station estación de
　servicio (*f.*), 16; gasolinera (*f.*)
　16
set (*hair*) peinado (*m.*), 6;
　— the table poner la mesa, 9
seven siete, P1
seven hundred setecientos
　(-as), 5
seventeen diecisiete, P2
seventy setenta, 4
several varios(-as), 9
shake batido (*m.*), 9
shampoo lavado (*m.*), 6;

champú (*m.*), 6
shave afeitar(se), 6;
　rasurar(se), 7
she ella, 1
sheet sábana (*f.*), 15
shelf estante (*m.*), 3
shellfish marisco (*m.*), 9
shirt camisa (*f.*), 7
shoe zapato (*m.*), 7; **— store**
　zapatería (*f.*), 7
short bajo(-a), 4; corto(-a), 6
shorts calzoncillos (*m. pl.*), 7
should deber, 2
show enseñar, 12; mostrar
　(*o > ue*), 12; (*a movie*) pasar
　una película, 17
shower ducha (*f.*), 13
shrimp camarón (*m.*), 9
sick enfermo(-a), 4
side costado (*m.*), 6
sidewalk cafe café al aire
　libre, 9
sign firmar, 13
similar similar, (11)
since como, 7; desde, (12)
sink fregadero (*m.*), 15
Sir señor (*m.*), (*abbr.* Sr.), P2
sister hermana (*f.*), 7
sister-in-law cuñada (*f.*), 15
sit sentar(se) (*e > ie*), 7
situated situado(-a), (17)
six seis, P2
six hundred seiscientos(-as), 5
sixteen dieciséis, P2
sixty sesenta, 4
size talla (*f.*), 7; tamaño (*m.*), 7
skirt falda (*f.*), 7
sky cielo (*m.*), 7
sleep dormir (*o > ue*), 5
slim delgado(-a), 4
slip combinación (*f.*), 7
slipper zapatilla (*f.*), 7
slow despacio, P2; lento(-a), 5
slowly lentamente, 5
small chico(-a), 9; pequeño
　(-a), 9; **smaller** menor, 14
smoke fumar, 12
snack (*afternoon*) merienda
　(*f.*), 9
something algo, 7
snow nevar (*e > ie*), 7
so tan, 14; **— much** tanto
　(-a), 8
soap jabón (*m.*), 8
soccer fútbol (*m.*), 8

social social, (11)
sock calcetín (*m.*), 7
sofa bed sofá cama (*m.*), 13
some unos(-as), P1; algún(-a),
　algunos(-as), 7
somebody alguien, 7
someone alguien, 7
something algo, 7
sometimes alguna vez, 7;
　algunas veces, 7
son hijo (*m.*), 3
son-in-law yerno (*m.*), 15
soon pronto, 11; **as — as** tan
　pronto como, 13
sorry perdón, P2; **be —** sentir
　(*e > ie*), 11
soup sopa (*f.*), 9
south sur, 13
South America
　Suramérica (*f.*), (12)
souvenir shop tienda de
　regalos (*f.*), 13
space espacio (*m.*), 3
spaghetti espaguetis (*m. pl.*),
　9; tallarines (*m. pl.*), 9
Spain España (*f.*), 13
Spanish español (*m.*), 1
spare part pieza de
　repuesto (*f.*), 17
speak hablar, 1
specialty especialidad (*f.*), 9
speed velocidad (*f.*), 16;
　— limit velocidad
　máxima (*f.*), 16
spend (*money*) gastar, 8;
　(*time*) pasar, 13; **— the
　summer** veranear, 13
splendid espléndido(-a), (12)
spoon cuchara (*f.*), 9
sport deporte (*m.*), 11
spring primavera (*f.*), P2
square cuadrado(-a), (15);
　plaza (*f.*), (16)
stable estable, (11)
stairs escalera (*f.*), 10
stamp estampilla (*f.*), 5;
　sello (*m.*), 5
stand pararse, 10; **— in line**
　hacer cola, 5
standing parado (-a), 10
start comenzar (*e > ie*), 4;
　empezar (*e > ie*), 4; (*an
　engine*) arrancar, 17; poner en
　marcha, 17
starve morirse de hambre, 9

station   estación (*f.*), 16;
  service —   estación
  de servicio, 16; **train**
  (*railroad*) — estación de
  trenes (de ferrocarril), 17
stay   quedarse, 13; (*at a hotel*)
  hospedarse, 13
steak   bistec (*m.*), 9; biftec
  (*m.*), 9
steering wheel   volante (*m.*),
  16
stepdaughter   hijastra (*f.*), 15
stepfather   padrastro (*m.*), 15
stepmother   madrastra (*f.*), 15
stepson   hijastro (*m.*), 15
steward(ess)   auxiliar de
  vuelo (*m.* + *f.*), 17
still   aún, 11; todavía, 15
stomach   estómago (*m.*), 11
stop   detener (*conj. like* tener),
  16; parar, 16; **— over**   hacer
  escala, 12; **stop!**   ¡alto! 16
stopover   escala (*f.*), 12
store   tienda (*f.*), 7
storm   tormenta (*f.*), 7
straight   (*hair*) lacio, 6;
  — ahead   derecho, 16
strange   raro(-a), 5;
  extraño(-a), 16
strawberry   fresa (*f.*), 9
street   calle (*f.*), 13
student   estudiante (*m.* + *f.*),
  P1; alumno(-a), P2
study   estudiar, 1
style   estilo (*m.*), (16)
subject   asignatura (*f.*), 1;
  materia (*f.*), 1
subway   metro (*m.*), 13;
  subterráneo (*m.*), 13
suddenly   de pronto, 7; de
  repente, 7
sufficient   suficiente, 2
suffer   sufrir, (13)
sugar   azúcar (*m.* + *f.*), 8
suggest   sugerir (*e > ie*), 11
suit   traje (*m.*), 7; quedar, 7
suitcase   maleta (*f.*), 3;
  valija (*f.*), 3
summer   verano (*m.*), P2
Sunday   domingo (*m.*), P2
supermarket   supermercado
  (*m.*), 8
sure   seguro(-a), 4; cómo no, 4
sweater   suéter, 7
sweep   barrer, 15

sweet roll   pan dulce (*m.*), 9
swimming pool   piscina (*f.*),
  13; alberca (*f.*) (*Mex.*), 14
syrup   jarabe (*m.*), 11
system   sistema (*m.*), 2

T

table   mesa (*f.*), P1
tablecloth   mantel (*m.*), 9
tablet   pastilla (*f.*), 10
take   tomar, 1; — (*a certain size
  in shoes*) calzar, 7; — (*from
  one place to another*) llevar, 4;
  — out   sacar, 5; **— off**
  (*clothes*) quitarse, 7; (*plane*)
  despegar, 17; **— a nap**   tomar
  una siesta, 5; **— a seat**   tomar
  asiento, P2; **— care of
  oneself**   cuidarse, 11
talk   conversar, 1; platicar, 1
tall   alto(-a), 1
tank   tanque (*m.*), 16
tape   cinta (*f.*), 4
tape recorder   grabadora (*f.*), P1
tasty (*very*)   riquísimo(-a), 9
taxi   taxi (*m.*), 5
tea   té (*m.*), 4
teaspoon   cucharita (*f.*), 9
tee-shirt   camiseta (*f.*), 7
telegram   telegrama (*m.*), 2
telegraph office   oficina de
  telégrafos (*f.*), 7
telephone   teléfono (*m.*), 4;
  on the —   por teléfono, 4
television (*set*)   televisor (*m.*), 13
tell   decir (*e > i*), 6; contar
  (*o > ue*), 15
teller   cajero(-a), 5
temperature   temperatura (*f.*), 7
ten   diez, P1
thank you   gracias, P2
that   (*rel. pron.*) que, 3; quien,
  12; (*adj.*) (*distant*) aquel(-los),
  aquella(s), 5; ese, esa, esos,
  esas, 5; (*neut. pron.*) aquello, 5;
  eso, 5; (*pron.*) aquel, aquella,
  aquellos, aquellas, 5; ese, esa,
  esos, esas, 5
the   el (*m. sing.*), P1; la (*f.
  sing.*), P1; los (*m. pl.*), P1;
  las (*f. pl.*), P1; **— one that**   el
  que, 14
theatre   teatro (*m.*), 4
their   su(s), 3

theirs   (*pron.*) suyo(-a), 14;
  suyos(-as), 14
them   ellas (*f.*), 6; ellos (*m.*), 6;
  las (*f.*), 6; los (*m.*), 6; **(to) —**
  les, 7
themselves   se, 7
then   entonces, 4; luego, 9
there   ahí, 2; allí, 2; **— is (are)**
  hay, P1; **— was (were)**   hubo,
  11
these   (*adj.* + *pron.*) estos(-as),
  5
they   ellos(-as), 1
thin   delgado(-a), 4
thing   cosa (*f.*), 8
think   creer, 3; pensar (*e > ie*),
  4
thirteen   trece, P2
thirty   treinta, P2
this   (*adj.* + *pron.*) este, esta, 5;
  (*neut. pron.*) esto, 5
those   (*adj.* + *pron.*) esos(-as),
  5; aquellos(-as), 5
thousand   mil, 5
three   tres, P1
three hundred
  trescientos(-as), 5
throat   garganta (*f.*), 11
through   por, 10
Thursday   jueves (*m.*), P2
ticket   billete (*m.*), 12; boleto
  (*m.*), 12; pasaje (*m.*), 12; (*fine*)
  multa (*f.*), 16
tie   corbata (*f.*), 7
time   tiempo (*m.*), 8; época
  (*f.*), (11); hora (*f.*), 13; (*in a
  series*) vez (*f.*), 8; **what — is
  it?**   ¿qué hora es?, 1; **at what
  — …?**   ¿a qué hora…?, 1
timetable   itinerario (*m.*), 17
tip   propina (*f.*), 9
tire   goma (*f.*), 17; llanta (*f.*),
  17; neumático (*m.*), 17;
  flat —   pinchazo (*m.*), 17
tired   cansado(-a), 4
to   a, 3
toast   pan tostado (*m.*), 9;
  tostada (*f.*), 9
toaster   tostadora (*f.*), 15
tobacco   tabaco (*m.*), (11)
today   hoy, P2
toe   dedo del pie (*m.*), 11
toilet paper   papel
  higiénico (*m.*), 8
tomato   tomate (*m.*), 8

tomorrow mañana, 4; **see you —** hasta mañana, P1; **day after —** pasado mañana, 9
tongue lengua (*f.*), 11
tonight esta noche, 9
too también, 2; demasiado, 14; **— much** demasiado, 11
tooth diente (*m.*), 11
tornado tornado (*m.*), 7
total total, (13)
tour excursión (*f.*), 12
tourism turismo (*m.*), (13)
tourist turista (*m.* + *f.*), 12; turístico(-a) (*adj.*), (12)
tow remolcar, 16
tow truck grúa (*f.*), 16
towel toalla (*f.*), 15
traffic light semáforo (*m.*), 16
train tren (*m.*), 17
train station estación de trenes (*f.*), 17
transfer (*plane, train, etc.*) trasbordar, 12
trash basura (*f.*), 15
travel viajar, 12
travel agency agencia de viajes (*f.*), 12
trip viaje (*m.*), 12; **have a nice —** ¡buen viaje! 12
trousers pantalón (*m.*), 7; pantalones (*m. pl.*), 7
true cierto, 3
trunk maletero (*m.*), 17
truth verdad (*f.*), 6
try (to) tratar (de), 11; **— on** probarse (*o > ue*), 7
Tuesday martes (*m.*), P2
tuition matrícula (*f.*), 2
turn doblar, 16; **— on** poner, 17
TV set televisor (*m.*), 13
twelve doce, P2
twenty veinte, P2
twist torcer(se) (*o > ue*), 10
two dos, P1
two hundred doscientos(-as), 5
type tipo (*m.*), 12

U

ugly feo(-a), 4
umbrella paraguas (*m.*), 7
unpleasant antipático(-a), 4
uncle tío (*m.*), 7
under bajo, 3; debajo de, 3

undershorts calzoncillos (*m. pl.*), 7
underwear ropa interior (*f.*), 7
unemployment desempleo (*m.*), (11)
unit unidad (*f.*), 2
university universidad (*f.*), P1
unless a menos que, 13
unlikely difícil, 14
until hasta, 4; hasta que, 13
up arriba, 16
upper alto(-a), 17; **— berth** litera alta (*f.*), 17
upstairs arriba, 16
Uruguayan uruguayo(-a), (13)
us nos (*dir. obj.*), 6; nos (*indir. obj.*), 7; nosotros(-as) (*obj. of prep.*), 6
use usar, 6; utilizar, (11)

V

vacant libre, 13
vacate desocupar, 14
vacation vacaciones (*f. pl.*), 9
vacuum pasar la aspiradora, 15
vacuum cleaner aspiradora (*f.*), 15
valuable valioso(-a), (16)
value valor (*m.*), (11)
vanilla vainilla (*f.*), 9
veal ternera (*f.*), 9
vegetables vegetales (*m. pl.*), 8
very muy, P2; **— much** mucho, 2; **— well** muy bien, P2
vest chaleco (*m.*), 7
view vista (*f.*), 13
village villa (*f.*), 14
vinegar vinagre (*m.*), 15
visa visa (*f.*), 12
visit visita (*f.*), 15; visitar, 13; (*to a doctor's office*) consulta (*f.*), 10
visitor visitante (*m.* + *f.*), (12)
volcano volcán (*m.*), (15)

W

wait (for) esperar, 3; **— on** atender (*e > ie*), 6
waiter camarero (*m.*), 9; mozo (*m.*), 9; mesero (*m.*); (*Mex.*), 9
waiting list lista de espera (*f.*), 13

waitress camarera (*f.*), 9; mesera (*f.*) (*Mex.*), 9
walk caminar, 11; pasear, (16)
walkway paseo (*m.*), (17)
wall muro (*m.*), (17)
wallet billetera (*f.*), 7
want desear, 1; querer (*e > ie*), 4
warm templado(-a), 17
wash lavar, 15; **— dishes** fregar (*e > ie*), 15
washing machine lavadora (*f.*), 15
water agua (el) (*f.*), 4
we nosotros(-as), 1
wear usar, 7
weather tiempo (*m.*), 7; **to be good (bad) —** hacer buen (mal) tiempo, 7
wedding boda (*f.*), 14
Wednesday miércoles (*m.*), P2
week semana (*f.*), 12; **during the —** entre semana, 12; **two —s** quince días, 12
weekend fin de semana (*m.*), 15
welcome bienvenido(-a), 3; **you're —** de nada, P2
well bien, P2; pues, 2
well-done bien cocido(-a), 9
west oeste (*m.*), 13
what ¿cuál(es)? 1; que, 2; lo que, 14; **— for?** ¿para qué? 10; **— a . . . !** ¡qué...! **what?** ¿qué? P2; **— day is today?** ¿qué día es hoy? P2; **— is today's date?** ¿qué fecha es hoy? P2; **—'s new?** ¿qué hay de nuevo? P2; **—'s your name** ¿cómo se llama (usted)? P2; ¿cómo te llamas? P2
wheel rueda (*f.*), 17
when ¿cuándo? 1; cuando, 13
where donde, 1; ¿dónde? 1; **— (to)?** ¿a dónde? 4
which ¿cuál(es)? 1; que, 12; lo que, 14
while rato (*m.*), 2; mientras, 3
white blanco(-a), P1
who ¿quién(es)? 1; que, 3
whom quien, 12; que, 12
whose ¿de quién(es)? 2
why ¿por qué? 1
wide ancho(-a), 7
wife esposa (*f.*), 6

window   ventana (*f.*), P1;
  ticket —   ventanilla (*f.*), 17
windshield   parabrisas (*m.*), 17
windshield wiper
  limpiaparabrisas (*m.*), 17
wine   vino (*m.*), 4; **red —**   vino
  tinto, 4; **rosé —**   vino rosado,
  4; **— glass**   copa (*f.*), 9
winter   invierno (*m.*), P1
wish   desear, 1
with   con, P2; **— me**   conmigo,
  P2; **— you**   contigo (*fam.*), 3
without   sin, (11)
woman   mujer (*f.*), P1
wood   madera (*f.*), (11)
work (*of art*)   obra (*f.*), (16);
  trabajar, 1; funcionar, 17
world   mundo (*m.*), (12)
worried   preocupado(-a), 4
worse   peor, 14
worst   el (la) peor, 14

wound   herida (*f.*), 10
wow!   ¡caramba! 1
wrist   muñeca (*f.*), 11
write   escribir, 2; **— down**
  anotar, 9

X

X-ray   radiografía (*f.*), 10
X-ray room   sala de rayos X
  (equis) (*f.*), 10

Y

year   año (*m.*), 3
yellow   amarillo(-a), 2
yes   sí, 2
yesterday   ayer, 8
yet   todavía, 15
yield   ceder, 16; **— the right of
  way**   ceder el paso, 16

you   (*pron.*) tú, 1; vosotros(-as),
  1; usted (es),1; (*dir. obj.*) la(s),
  6; lo(s), 6; os, 6; te, 6; (*indir.
  obj.*) le(s), 7; os, 7; se, 7; te, 7
young lady   señorita
younger   menor, 14
youngest   el (la) menor, 14
your   su(s), 3; tu(s), 3;
  vuestro(-a)(-s), 3
yours   el suyo, 14; la suya, 14;
  los suyos, 14; las suyas, 14; el
  tuyo, 14; la tuya, 14; los tuyos,
  14; las tuyas, 14; el vuestro, 14;
  la vuestra, 14; los vuestros, 14;
  las vuestras, 14
yourself   se, 7; te, 7
yourselves   os, 7; se, 7

Z

zero   cero, P1
zone   zona (*f.*), (11)

INDEX

a: + **el,** 74, 75, note, 217; omission of personal **a,** 71; personal, 71; use, note, 82
abbreviations, 18
accentuation, notes, 10, 192, 319; rules, 381–382
address, forms of, 34
adjectives: agreement of, 86; note, 150; comparison of, 304–305; demonstrative, 122; formation of, 85; past participle used as, 232; possessive, 72–73; with neuter **lo,** note, 217
adverbs: comparison of, 304–305; formation of, 125
affirmative and negative expressions, 159–161
alphabet: Spanish, 7
article, definite: agreement, 86; before the word **próximo,** note, 81; contraction with **el,** 74–75, note, 217; **el** with feminine nouns, note, 280; for the possessive, note, 224; forms, 11; in comparisons of adjectives and adverbs, 304; in expressing time, 39; **lo,** see neuter **lo;** uses with titles, note, 16
article, indefinite: agreement of, 86; forms of, 11; **un** with feminine nouns, note, 280

capitalization, note, 18
-car verbs: 188, 389
cardinal numbers: 14, 22, 93, 126; with dates, 23, note, 22
-cer and **-cir** verbs, 389
cien(-to), 93
cognates: 20–21
colors: 15
commands: first-person plural, 343; formal direct, 140–141; familiar, 318–320; negative familiar, 320; object pronouns with direct, 143
comparison: of adjectives, 304–305; of adverbs, 304–305; of equality, 304
compound tenses: 235–236, 345, 371, 373
con: conmigo, contigo, 136
conditional: forms, 324–325; irregular forms, 325; uses of, 326
conocer *vs.* saber, 76
consonants, 376–378

contractions: **a**+**el,** 74, 75; **de** + **el,** 74–75
contrary-to-fact sentences, 358

days of the week, 21
de: after a superlative, 304; before a numeral, 304; equivalent to *with,* note, 81; for *than,* 304; in expressing time, 41; in prepositional phrases, note, 32; plus **el,** 74–75; possession, 57
definite article, *see* article, definite
demonstrative: adjectives, 122; pronouns, 124
diminutives, note, 331
diphthongs, 376
direct object, *see* pronouns
division of words into syllables, 380–381
doler: construction with, note, 226
-ducir verbs, 391

e: *and,* note, 317
estar: present indicative, 87; uses of, 87, 119; with present progressive, 116

future: irregular forms, 322; present tense for, note, 45; tense, 322; uses of, 323

-gar verbs, 188, note, 217, 388
gender of nouns, 9, 49
gerund: formation of, 116; to express progressive tense, 116
-guar verbs, 388
-guir verbs, note, 134, 388
gustar, 156–158

haber: to form perfect tenses, 235–236, 345, 371, 373, note, 235
hacer: in time expressions, 209, 286, 347; in weather expressions, 165–166; meaning *ago,* 286
hay: uses of, 14

imperative, *see* commands
imperfect: contrasted with preterit, 229–230; indicative forms, 204–205; irregular forms, 205; subjunctive forms, 356; uses of imperfect indicative, 206; uses of imperfect subjunctive, 357, 358–359

impersonal expressions: followed by indicative, 309; followed by subjunctive, 309
indefinite article, *see* article, indefinite
indirect object, *see* pronouns
infinitive: after impersonal expressions, 310; after **tener que,** 68; classification, 36; position of object pronouns with, 138, 154, 192
interrogative sentences, 54
interrogative words, 38
intonation, 380
ir: a + infinitive, 89

like, 156–158
linking, 49, 379–380
lo, *see* neuter **lo**

months, 23

negation: double negatives, 160–161; note, 161; simple, 56; with object pronouns, 138
neuter **lo:** nominalization with, note, 217
nouns: agreement of, 86; gender of, 9, 49; phrases with **de** + a noun, note, 32; plural of, 10
numerals: cardinal, 14, 22, 93, 126, note, 22

oír: forms of, note, 368

para: uses of, 238
passive: reflexive substitute for, 207
past participle: forms of, 232; in perfect tenses, 235–236, 345, 371, 373; irregular forms of, 232; used as adjective, 232
personal **a,** 71, note, 82; omission of, 71
phrases with **de** + a noun, note, 32
pluperfect: indicative, 345
pluperfect subjunctive, 373
plural: of adjectives, 85; of nouns, 10
por: uses of, 237
position: of adjectives, 86; of object pronouns, 138, 143, 154, 162, 192, 319, 320, 343
possession with **de,** 57

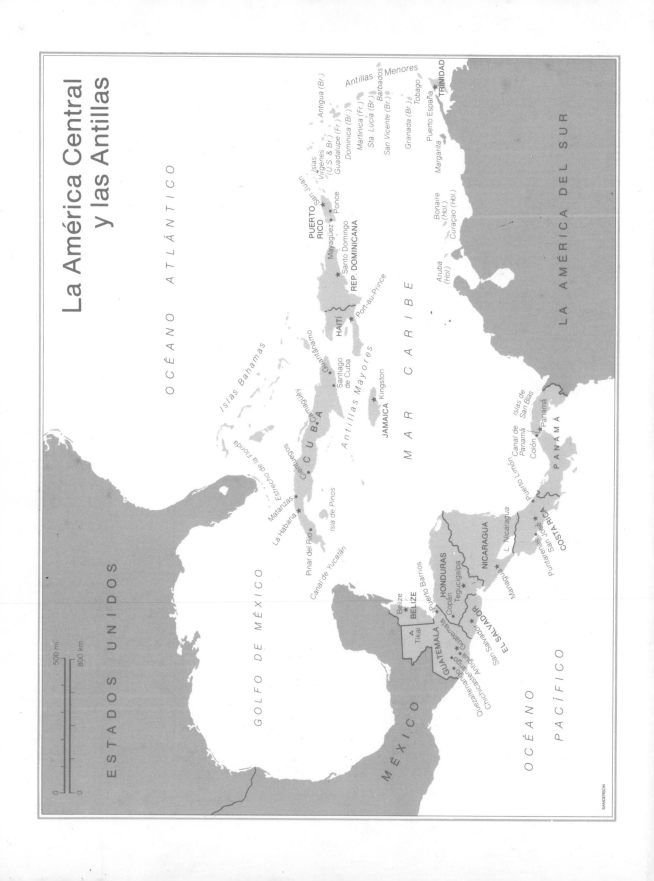

La América Central y las Antillas

ESTADOS UNIDOS

OCÉANO ATLÁNTICO

GOLFO DE MÉXICO

Estrecho de la Florida

Islas Bahamas

M É X I C O

Canal de Yucatán

Pinar del Río
La Habana
Isla de Pinos
Matanzas
Cienfuegos
Camagüey
C U B A

Santiago de Cuba
Guantánamo

Antillas Mayores

JAMAICA
Kingston

HAITÍ
Port-au-Prince

REP. DOMINICANA
Santo Domingo

PUERTO RICO
San Juan
Mayagüez
Ponce

Islas Vírgenes (U.S. & Br.)

Guadalupe (Fr.)

Dominica (Br.)

Martinica (Fr.)
Sta. Lucía (Br.)
San Vicente (Br.)

Antillas Menores

Antigua (Br.)

Barbados (Br.)

Granada (Br.)

Tobago

TRINIDAD
Puerto España

Margarita

MAR CARIBE

Bonaire (Hol.)
Curaçao (Hol.)

Aruba (Hol.)

LA AMÉRICA DEL SUR

BELIZE
Belize

GUATEMALA
Tikal
Puerto Barrios
Chichicastenango
Guatemala
Antigua
Quetzaltenango

HONDURAS
Copán
Tegucigalpa

EL SALVADOR
San Salvador

NICARAGUA
Managua
L. Nicaragua

COSTA RICA
Puntarenas
San José
Puerto Limón

PANAMÁ
Canal de Panamá
Colón
Panamá
Islas de San Blas

OCÉANO PACÍFICO

500 mi
800 km

SANDERSON